DE DERDE ENGEL

Van Alice Hoffman verschenen eveneens
De ijskoningin
De drie zusjes
Twee gekke meiden (e-book)

Wil je op de hoogte worden gehouden van de romans van Orlando uitgevers? Meld je dan aan voor de nieuwsbrief via onze website www.orlandouitgevers.nl.

ALICE HOFFMAN

De derde engel

Vertaald uit het Engels door Josephine Ruitenberg en
Emmy van Beest

ORLANDO
uitgevers

ISBN 978 90 229 5999 2
NUR 302

www.orlandouitgevers.nl

I

Waar de reiger woont
1999

Madeline Heller wist dat ze zich roekeloos gedroeg. Ze was twee dagen eerder dan gepland van New York naar Londen gevlogen en had zojuist haar intrek genomen in het Lion Park Hotel in Knightsbridge. In de roerloze lucht zweefden ontelbare stofjes, want de ramen waren in geen maanden open geweest. Er hing een geur van cederhout en lavendel. Hoewel Maddy verhit en moe was van de reis, nam ze niet de moeite de airconditioner aan te zetten. Ze was waanzinnig, belachelijk, tot over haar oren verliefd op de verkeerde man en nu wilde ze alleen maar heel stil op bed liggen.

Madeline was niet dom; in New York werkte ze als bedrijfsjuriste. Ze was vierendertig, een grote, slanke vrouw met lang zwart haar, afgestudeerd aan het Oberlin College en aan de rechtenfaculteit van de universiteit van New York. Veel mensen vonden haar mooi en slim, maar hun mening telde niet, want ze kenden haar niet. Ze hadden geen idee dat Maddy haar bloedeigen zus had bedrogen. Ze konden zich niet indenken dat Maddy haar leven zo makkelijk en onbezonnen zou vergooien.

Er was goede en verkeerde liefde. Er was de liefde die iemand boven zijn eigen tekortkomingen uittilde, maar ook de uitzichtloze liefde, die toesloeg op een moment dat je dat absoluut niet wilde of verwachtte. Dat laatste was Maddy het afgelopen voorjaar overkomen, toen ze in Londen was geweest om haar zus te assisteren bij de planning van haar bruiloft. Allie had haar niet eens om hulp gevraagd. Hun moeder Lucy had gezegd dat Maddy naar Londen moest gaan om met de voorbereidingen te helpen; dat was immers haar taak als bruidsmeisje. Maar toen ze uiteindelijk was aangekomen, bleek dat Allie zoals gewoonlijk alles al had geregeld.

Allie was dertien maanden ouder dan Maddy. Zij was de goede zus, de volmaakte zus, de zus die alles mee had. Omdat ze een zeer populair kinderboek had geschreven, werd ze op straat vaak herkend, en dan was ze nooit te beroerd om ergens een handtekening op te krabbelen voor iemands kind of om een ex libris uit haar tas te vissen en aan een fan te geven. Eens per jaar kwam ze naar de Verenigde Staten om voor te lezen op wat een terugkerend, drukbezocht evenement was geworden, een feestelijke dag waarop kinderen zich verkleedden als vogels. Dan stonden er negen- en tienjarige kardinaalsvogels, eenden en kraaien in de rij om hun exemplaar van *Waar de reiger woont* te laten signeren. Maddy was een paar keer met haar zus meegegaan op tournee. Ze was zich altijd blijven verbazen over al die drukte om een simpel kinderverhaaltje, dat Allie nota bene had gepikt, want het was gebaseerd op een sprookje dat hun moeder vroeger altijd vertelde. Eigenlijk was het net zo goed van Maddy als van Allie. Alleen had Maddy nooit behoefte gehad een boek te schrijven of het verhaal ingrijpend te veranderen omdat haar dat toevallig beter uitkwam.

Het was een van de sprookjes die Lucy Heller de meisjes vroeger vertelde als ze bij het moeras waren, vlak bij het huis waar ze waren opgegroeid. Lucy's eigen moeder, de grootmoeder van de meisjes, had op blote voeten door een vijver in

Central Park gewaad om met een reusachtige blauwe reiger te praten. Het had haar niets kunnen schelen wat de mensen van haar dachten, ze was gewoon het water in gelopen. Ze had de reiger gevraagd over Lucy te waken en dat had hij altijd gedaan. Daarna had Lucy hem op haar beurt gevraagd haar dochters te beschermen en was hij in hun moeras in Connecticut komen wonen.

'Hoe kan een reiger over een mens waken?' had Maddy haar zus toegefluisterd. Ook al was ze pas acht, ze had niet veel vertrouwen in verhalen. In dat opzicht leek ze op haar moeder, die ook van nature sceptisch was.

'Hij kan twee verschillende levens leiden,' had Allie zonder aarzelen geantwoord, alsof het antwoord simpel was als je eenmaal de geheimen van het heelal had doorgrond. 'Hij heeft een reigerleven in de lucht en een leven hier beneden.'

'Ik ben blij dat hij ons allebei kan helpen,' zei Maddy.

'Doe niet zo raar.' Allie was altijd erg resoluut en zelfverzekerd. 'De blauwe reiger heeft maar één ware liefde.'

En zo stond het in Allies boek. Er was eens een vrouw die trouwde met de man van wie ze hield. Het stel woonde in een huis dat leek op het huis in het moeras waar de zussen waren opgegroeid. Het stond tussen hetzelfde hoge zilverkleurige riet, onder dezelfde inktzwarte hemel. Het jonge paar woonde bijna een jaar gelukkig en tevreden in hun huis van stokken en stenen. Totdat er op een dag, toen de man uit vissen was voor hun avondeten, op de deur werd geklopt. De vrouw deed open en daar stond de andere echtgenote van de bruidegom, een blauwe reiger op zoek naar haar verdwenen man.

'Dat je niet gek wordt van al die kinderen,' had Maddy eens gezegd, bij een bijzonder drukbezochte lezing. Ze hadden een snotneus, waren een bron van ziektekiemen, maakten lawaai en hadden geen manieren. En moesten ze per se zo hard lachen? Haar oren tuitten ervan.

In Allies boek was het reigervrouwtje weggekwijnd. Haar veren waren uitgevallen en ze had geen hap door haar keel gekregen sinds haar man haar had verlaten. 'Een van ons wint en de ander verliest, maar wie zal het zijn?' vroeg ze de vrouw die bij de deur stond.

'Die kinderen zijn mijn lezers. Ik wíl juist dat ze lachen.'

Normaal gesproken kwam Allie altijd naar Amerika om haar familie te bezoeken, maar deze keer was Maddy bij haar zus gaan logeren. Eerlijk gezegd had ze een bezoek aan Londen altijd uitgesteld; ze had gezegd dat ze het te druk had, maar dat was niet de werkelijke reden. Ze hoefde niet zo nodig te zien hoe volmaakt Allies leven was. Maar ten slotte had ze er niet meer onderuit gekund. Er moest nu eenmaal een bruiloft worden voorbereid. Een bruiloft waarop Maddy weer een bijrol zou spelen, die van het stoute zusje dat zich niet aan de regels hield en zelfs als volwassene nog bang was voor de gekste dingen, zoals onweer, muizen, verkeersopstoppingen en vliegtuigen. Hoogstwaarschijnlijk zou ze een foeilelijke jurk moeten dragen van de een of andere afschuwelijke synthetische stof, terwijl haar zus stralend rondliep in witte zijde of satijn. De eeuwige tweede, altijd de mindere, altijd in de schaduw. Als mannen haar vertelden dat ze mooi was, geloofde ze hen niet en vriendschappen vermeed ze. Maddy deed haar werk en bemoeide zich nergens mee. Ze was het soort vrouw dat werkeloos kon toekijken hoe kinderen de vleugeltjes van een vlinder uittrokken of een pad onder de modder bedolven. Wat andere mensen uitvoerden was niet haar zaak. Wreedheid hoorde tenslotte bij het leven. Het was niet aan haar om de wereld te verbeteren. Dat was meer iets voor haar zus.

Omdat Maddy in april alleen een lang weekend in Londen zou blijven – ze kwam op een donderdag aan en vertrok maandagavond alweer – hadden Allie en zij zich vanaf het vliegveld rechtstreeks naar de kleermaker gehaast, zodat Maddy haar jurk kon passen. Als kind waren ze onafscheidelijk geweest, maar daarna waren ze uit elkaar gegroeid en zo verschillend geworden dat je niet zou zeggen dat ze zussen waren. Toch had Allie haar best gedaan een jurk te kiezen die Maddy mooi zou staan, een flatteus model van blauwe zijde waarin Maddy's figuur goed uitkwam. Maddy vond de jurk vreselijk, maar ze zei er niets over. Ze had besloten dat ze zou proberen voor één keer meegaand te zijn. Toen ze klaar waren met de jurken, stemde ze er zelfs mee in om verschillende bruiloftstaarten te gaan proeven. Daarom was ze hier. Om haar zus te helpen.

Ze gingen naar de banketbakker en proefden een stuk of vijf stukjes taart, maar het boterglazuur was te zwaar en de chocolade te vet. Allie was over geen enkele taart echt tevreden. Ze zei dat ze het voorbereiden van een bruiloft maar tijdverspilling vond. Uiteindelijk koos ze een eenvoudige taart van cakedeeg naar haar eigen recept. Ze had Maddy helemaal niet nodig gehad.

Maddy was nog steeds in haar inschikkelijke bui. 'Een goede keus,' zei ze. 'Er gaat niets boven eenvoud. Des te minder kans dat er iets misgaat.'

Niet dat ze die opvatting huldigde als het om haarzelf ging. Eenvoud was goed voor Allie, niet voor Maddy. Maddy was inhalig en dat was ze altijd geweest. Vroeger stal ze van alles van haar zus, haarbanden, sieraden, T-shirts. Als het haar bruidstaart was geweest, had ze mousse en jam gewild, chocola, abrikozen op brandewijn en gesponnen suiker. Niets was goed genoeg voor een meisje dat altijd dacht dat ze op de tweede plaats kwam.

De dag na de taartproeverij lagen beide zussen met buikpijn in bed, diep weggekropen onder het dekbed met hun pyjama en sokken aan. Als kind hadden ze genoeg aan elkaar gehad, en nu, terwijl ze van hun thee nipten, leek het een paar uur lang weer als vanouds. Maar het was onmogelijk om te herstellen wat Allie kapot had gemaakt toen ze het huis uit was gegaan. In wezen hadden ze niets meer met elkaar gemeen. Het was zeventien jaar geleden dat Allie in Boston was gaan studeren. In haar derde jaar was ze naar Londen verhuisd en vanaf dat moment was ze alleen nog af en toe een weekje teruggekomen. Ze had Madeline in de steek gelaten in het grote huis in Connecticut, alleen met haar ouders, die weer bij elkaar waren gaan wonen nadat ze een paar jaar gescheiden hadden geleefd. De familie Heller had geen nabije buren en Maddy had geen vrienden of vriendinnen. Ze was afstandelijk, zoals eenzame mensen dat vaak zijn. Na het vertrek van haar zus was Maddy zich nog meer gaan afzonderen en toen ze zelf naar Oberlin ging, was zij de enige die thuiskwam in de vrije winterperiode of de voorjaarsvakantie. Als er een brief van Allie kwam, weigerde Maddy die te lezen. In plaats daarvan ging ze buiten tussen het riet zitten. Op dagen dat de lucht helder was, zag ze soms de blauwe reiger die daar woonde. Ze had gelezen dat de meeste reigers in paren leven en dat het grote mannetje en het wat kleinere vrouwtje levenslang bij elkaar blijven, maar deze was alleen. Hij was ver weg, aan de overkant van het water. Hoewel ze hem vaak had geroepen, leek hij haar niet te horen. Hij had nooit haar kant op gekeken.

Allies appartement in Bayswater was licht maar gewoontjes. Niet iets om afgunstig om te zijn. Opnieuw die eenvoud. Allies klerenkast hing vol wollen en kasjmieren kledingstukken in verschillende tinten grijs, donkerblauw en zwart. Praktische kleding, maar wel van hoge kwaliteit. Dat wist Maddy doordat ze in de kast had gesnuffeld toen Allie onder de douche stond. Ze had het gevoel dat haar zus een geheim had, dat er een essentieel detail was dat de verklaring vormde voor haar bovenmenselijke vermogen alles altijd goed te doen. Haar zoektocht leverde geen aanwijzingen op, maar ze ontdekte wel dat het enige kleurige kledingstuk in de kast een doorschijnende roze blouse was, een verjaardagscadeautje dat ze zelf de afgelopen herfst bij Barneys had gekocht en naar Allie had gestuurd. Het viel haar op dat het kaartje van de winkel er nog aan hing.

De dag na het fiasco met de bruidstaarten gingen ze, ondanks hun buikpijn, lunchen met de andere bruidsmeisjes. Een van hen was Georgia, Allies beste vriendin en grafisch vormgever bij de uitgeverij die Allies boek had gepubliceerd. Verder was er Suzy uit Texas, die tegelijk met Allie in Londen was gaan studeren en met een Engelsman was getrouwd. Ze had nu twee negenjarige dochtertjes, een tweeling, en voelde zich zo thuis in haar nieuwe woonplaats dat ze een zangerig Brits accent had gekregen. De derde vriendin, Hannah, gaf hatha yoga en woonde in hetzelfde appartementencomplex als Allie. Allie had les van haar gehad en ging nog steeds eenmaal per week naar yoga. Hannah was heel lang en droeg vrijwel altijd wit. Ze had iets katachtigs, alsof ze zich kon oprekken en dubbelvouwen.

'Eindelijk, het kleine zusje!' riep Georgia uit toen Allie en Maddy binnenkwamen voor de lunch. De vriendinnen kwamen naar Maddy toe om haar te begroeten. Het was een aardiger restaurant dan Maddy had verwacht. Op tafel stonden vaasjes met bloemen en naamkaartjes eraan om te laten zien wie waar zat. De andere bruidsmeisjes vertelden Maddy dat ze jaloers waren, omdat zij als enige hemelsblauwe zijde zou dragen; de anderen zouden gekleed zijn in crèmekleurig linnen.

'Ja, maar dat linnen pakje kun je later ook nog dragen,' verdedigde Allie zich tegen de klacht van haar vriendinnen. 'Daarom heb ik ze uitgekozen. Maddy kleedt zich nu eenmaal graag flamboyant.'

Dat was waar. Het was de andere vrouwen ook al opgevallen dat Madeline te opzichtig gekleed was voor de gelegenheid: ze droeg een pauwblauwe zijden blouse en lange oorbellen van zilver met opaal.

Nou, Maddy vond het best als mensen haar ijdel vonden. Het was per slot van rekening niet strafbaar om een goede smaak te hebben.

'Misschien heeft ze je daarom niet eerder opgezocht,' zei Georgia. 'Ze heeft gewacht op een gelegenheid om zich op te doffen, zodat ze indruk kon maken.'

'Ik werk, daarom kon ik niet eerder komen,' zei Maddy.

'Alsof wij dat niet doen.' Georgia gaf zich niet snel gewonnen.

'Dat heb je mij niet horen zeggen.'

'Hoeft ook niet, het sprak voor zichzelf. Wat doe je dan, dat je het er zo druk mee hebt?'

'Ik ben juriste,' zei Maddy.

De andere vrouwen wisselden een blik van verstandhouding.

'Is daar iets mis mee?' vroeg Maddy. 'Zeg het gerust.'

'Nou, ze is er nu in elk geval,' zei Allie tegen haar vriendinnen. 'Daar gaat het om.'

Toch bleef de sfeer onder de lunch kil. Allies vriendinnen waren beleefd tegen Maddy, maar meer ook niet. Ze spraken over dingen die zij niet begreep, tv-series waar ze nooit van had gehoord, boeken die ze niet had gelezen. Opnieuw was ze, of het nu opzet was of niet, een buitenstaander in het leven van haar zus.

Toen ze naar de wc ging, trof ze Georgia en Suzy in de toiletruimte. Maddy had kunnen zweren dat ze snel hun mond hielden toen ze haar zagen.

'Wat is Paul eigenlijk voor iemand?' vroeg Maddy over de aanstaande bruidegom, terwijl ze haar handen waste.

Ze wist zeker dat ze het zich niet verbeeldde: Georgia en Suzy wierpen elkaar via de spiegel een eigenaardige blik toe.

'Dat moet je zelf maar uitmaken,' zei Suzy. Ze klonk erg Texaans, als iemand die je niet graag wilt tegenspreken.

'Jij bent haar zus,' voegde Georgia eraan toe, en ze werkte haar lipgloss bij. 'Je bent vast wel in staat je eigen oordeel te vormen.'

'Ze mochten me niet,' zei Maddy na de lunch tegen Allie. Niet dat het belangrijk was. Het kon haar niets schelen wat mensen van haar dachten. In dat opzicht leek ze op haar grootmoeder. Ze deed wat ze wilde, ongeacht de consequenties. Als het moest zou ze rustig door een vijver in Central Park waden. Maddy en Allie hadden besloten naar huis te lopen. Het was tenslotte lente. Ze doorkruisten Hyde Park, dat zo groen was dat het hen onwillekeurig aan thuis deed denken, aan het dichte riet in het moeras, al die plekken waar je je kon verstoppen.

'Natuurlijk mochten ze je wel,' zei Allie. 'Niet zo onzeker zijn, hoor.'

Niemand anders had kunnen raden dat Maddy onzeker was. Maar Allie wist dat ze vroeger op haar duim had gezogen en onafscheidelijk was geweest van haar knuffeldekentje, een klein meisje dat bang was voor spinnen, angstig in het donker en als de dood voor muizen. Vaak had Allie bij haar zus in bed moeten kruipen om haar een verhaaltje te vertellen voordat ze kon slapen. Het verhaal over de reiger was hun verhaaltje geweest, van hen tweeën, voordat Allie het had opgeëist en in een boek had verwerkt.

'Paul zal ook wel een hekel aan me hebben.'

'Jij verwacht altijd het ergste. Laten we positief zijn en van het beste uitgaan.'

Intussen kende Maddy het hele verhaal van hoe Allie en Paul elkaar hadden leren kennen. Ze hadden elkaar volkomen toevallig bij Kensington Palace ontmoet; daarom zou de huwelijksreceptie op het terrein van het paleis worden gehouden, in The Orangery, eens de wintertuin van koningin Anne. Op de dag na het ongeluk van prinses Diana waren ze allebei naar het paleis gegaan om bloemen neer te leggen. Allie had een boeket witte rozen meegebracht. Ze had de bloemen stuk voor stuk uitgezocht bij haar bloemist, omdat ze zeker wilde weten dat ze geen onvolkomenheden, geen enkel bruin blaadje hadden.

Die hele toestand rond Diana had haar een gevoel van hopeloosheid gegeven, alsof liefde onmogelijk was in deze naargeestige, harde wereld. Maar toen had ze de witte rozen naar Kensington Palace gebracht, waar zich over honderden meters een tapijt van boeketten uitstrekte. Daar had ze Paul ontmoet, die op het allerlaatste moment had besloten te komen. Hij was het niet van plan geweest, sterker nog, hij had een paar bloemen uit de tuin van zijn buren geplukt om bij het hek van het paleis neer te leggen, rode bloemen waarvan hij de naam niet wist, en dat had hij vooral gedaan omdat zijn moeder Diana zo had bewonderd. Pauls moeder, die in een dorp in de buurt van Reading woonde, was kapot geweest van het nieuws. Daarom dacht Paul dat ze het wel zou waarderen als hij de prinses namens haar de laatste eer bewees.

Allie had haar zus in vertrouwen verteld dat ze in tranen was toen ze Paul voor het eerst zag; het duizelde haar letterlijk toen ze naar hem keek. Hij kwam naar haar toe om te vragen of het wel goed met haar ging, en zij schudde ontkennend haar hoofd en kon geen woord uitbrengen. Ze gingen koffiedrinken, en zo was het gekomen. Het was ongelofelijk romantisch. De liefde sloeg toe op een moment dat je dat totaal niet verwachtte, had Allie haar verteld. Ze trof je als een bliksemflits en ging dwars door je heen, onzichtbaar als de lucht die je inademde.

Toen Maddy het verhaal voor het eerst had gehoord, had ze wel willen uitschreeuwen: wat is er in godsnaam zo romantisch aan een ongelukkige liefde? Maar ze had niets gezegd. Alleen dat het stom van Diana was geweest dat ze niet door had gehad met wie ze trouwde. Maddy had een interview gezien waarin prins Charles werd gevraagd of het van zijn kant liefde was. 'Wat dat ook moge wezen,' had hij gezegd, terwijl Diana vlak naast hem zat. Op dat moment had ze moeten opstaan en weglopen.

Maddy en Allie namen een omweg vanaf het restaurant waar ze met de bruidsmeisjes hadden geluncht naar huis, zodat ze bij Harvey Nichols langs konden gaan om schoenen te passen. Ze waren allebei schoenfanaten. Dat hadden ze nog steeds met elkaar gemeen. Hun hele middelbareschooltijd hadden ze elkaars schoenen en kleren gedragen. Iedereen dacht dat ze alle twee een gigantische garderobe hadden, terwijl ze in werkelijkheid minder hadden dan hun meeste vriendinnen. Maddy paste een paar suède laarzen die sloten met zilverkleurige knoopjes. De laarzen waren schitterend. Ze overwoog of ze er de driehonderd pond voor overhad. Als ze iets moois zag, moest ze het ook per se hebben. Ze wist dat ze er spijt van zou krijgen als ze de laarzen niet kocht, omdat ze er dan voortdurend aan zou blijven denken, dus kon ze net zo goed lichtzinnig zijn en meteen tot de aankoop overgaan.

Maddy was beslist niet jaloers dat ze maar een bruidsmeisje was en niet de bruid. Niet bij deze bruiloft. Het mantelpakje van gebroken witte zijde dat Allie voor zichzelf had gekozen had iets droevigs. Het paste bij haar pragmatische levensstijl: ze zou het keer op keer kunnen dragen, maar het was niet bepaald de sprookjesjurk waar je als bruid over fantaseerde. Maddy zelf zou iets hebben gekozen van organza en satijn, een ravissant model dat een vrouw maar eens in haar leven kon dragen. Terwijl Allie haar waarschuwde dat suède niet goed tegen regen kon, betaalde Maddy de prachtige, dure, onpraktische laarzen en nam ze in ontvangst.

Hun moeder zong altijd *Row, row, row your boat* als ze met een roeibootje langs de bewolkte kust van Connecticut gingen varen, op een van de zeldzame dagen dat ze zich goed genoeg voelde. Daar woonde de reiger, voorbij het vlakke water. Lucy Heller was niet sterk genoeg om de roeispanen te hanteren, dus dat moesten de meisjes doen. Maddy was tien en Allie elf toen hun moeder kanker kreeg. Daarna was Lucy een paar jaar in behandeling geweest, in dezelfde periode dat haar man bij haar weg was. Geleidelijk werd Lucy sterker, en ze overwon haar ziekte zelfs helemaal, maar in die tijd kon ze nauwelijks meer dragen dan een tas met breiwerk. Lucy's eigen moeder was aan kanker overleden en hoewel Lucy probeerde haar angsten voor zich te houden, voelden haar kinderen die toch. Ze gingen denken dat hun moeder niet lang meer te leven had.

De meisjes bedachten een plan voor als er ooit iets mis zou gaan tijdens een boottochtje. Als het roeibootje omsloeg, als er ineens een storm opstak, zouden ze eerst elkaar redden. Zelfs al waren ze boos op elkaar en hadden ze diezelfde dag nog slaande ruzie gehad omdat Maddy een boek of een armband van Allie had gepikt of omdat Allie hun kamer had opgeruimd en Maddy's verzameling schelpen had weggegooid, toch zouden ze elkaar redden. Ze zouden elkaars hand vasthouden en de ander helpen boven water te blijven. Ze zorgden ervoor altijd een zwemvest te dragen en hielden het weerbericht in de krant in de gaten om goed voorbereid te zijn.

Er rustte een vloek op hun moeder. Daarom was ze zo afstandelijk en verdrietig. Daarom had haar man haar tijdens haar ziekte verlaten. Zoiets was onbegrijpelijk, behalve als er een vloek op je vrouw rustte. De meisjes concludeerden dat zij de enigen waren die de vloek konden opheffen. Er was maar één manier om de boze betovering te verbreken: bloed om bloed, huid om huid, as om as. Ze zouden de reiger aanroepen die over hen moest waken. Ze zouden zijn geest een offer brengen. Na bedtijd slopen de zussen de achtertuin in. Het was pikdonker en Maddy struikelde over een steen. Allie moest haar vastgrijpen om te zorgen dat ze niet viel. Ze waren op blote voeten en in hun nachtpon. De zomen waren vuil, want er was twee weken lang geen was gedaan. Overal in huis werden tekenen van verval zichtbaar. Er lag niets te eten in de koelkast en de schone kleren waren op. Niemand zette het vuilnis buiten en er fladderden motten rond de pakken met pasta en rijst in de keukenkastjes. Zo doet ziekte haar intrede in een huis: in de hoeken, in de naden van de vloer, aan de haakjes in de gangkast, tussen de sweaters en de jassen.

Maddy aarzelde toen ze het einde van het gazon naderden. Een vloek was immers iets van grote kracht. Ze kon niet zien wat er aan de andere kant van de heg was. Het was alsof zij de enigen op de wereld waren. Als ze verder liepen, zou de aarde er dan nog wel zijn? En als de reiger zich liet ontbieden, wat moesten ze dan doen? Maddy hield niet eens van vogels. Een blauwe reiger was bijna net zo groot als zijzelf, dat had ze in de vogelgids van de natuurbescherming gelezen. Reigers bewaakten hun territorium en verjoegen indringers.

'Kom op,' zei Allie. 'Je hoeft nergens bang voor te zijn.'

Ze had de schop uit de garage gepakt. Toen ze begon te graven, liep er een plasje water in het gat. Maddy stond dicht naast haar zus. Allie rook naar zeep, zweet en modder. Ze leek precies te weten wat ze deed.

'Je staat in de weg,' zei Allie. 'Ik kan dit wel alleen af.'

Toen het graafwerk was gedaan, gaf Maddy Allie het scheermes dat ze uit de badkamer hadden meegenomen.

'Het doet geen pijn,' beloofde Allie. 'En dan komt hij naar ons toe. Hij zal ons beschermen.'

Ze zei altijd dat het geen pijn zou doen om Maddy over te halen tot iets wat ze niet wilde. Soms was het waar en soms niet.

'Als iets pijn doet, moet je in gedachten steeds hetzelfde woord herhalen,' fluisterde Allie. 'Iets wat je geruststelt.'

Hun vader was weg. Hun moeder kon elk moment in het ziekenhuis worden opgenomen, door mysterieuze krachten worden opgesloten in een hoge toren of doodgaan. Maddy koos 'rijstebrij met krenten'. Eigenlijk waren dat drie woorden, maar het was haar lievelingstoetje en ze werd er altijd blij van. Snel haalde Allie het scheermes over Maddy's hand. Ze had gelijk gehad. Het schrijnde meer dan dat het pijn deed.

'Mooi,' zei Allie. 'Dat ging goed.' Toen ze klaar was met Maddy, sneed ze zichzelf. Een diepe jaap in haar handpalm. Ze knipperde niet eens met haar ogen. 'Nu houden we onze handen boven de aarde.'

Ze lieten hun bloed in de modder druppelen en daarna schepte Allie de aarde weer over de plek waar hun bloed was gevallen. Intussen waren hun nachtponnen echt vies, maar dat kon hun niets schelen. Hun haar hing warrig en vol klitten op hun rug. Ze klommen in de plataan, de hoogste boom in de verre omtrek.

'Nu zou er iets moeten gebeuren,' zei Allie. Maar er gebeurde niets. Ze wachtten en wachtten, maar bespeurden geen enkele verandering. Allie was enorm teleurgesteld. Zij was de grote beschermster, degene die alle beslissingen nam en op wie je altijd kon vertrouwen. Ze huilde nooit, maar nu leek ze er na aan toe. 'Hij komt nooit meer terug,' zei ze. 'Hij kan haar niet redden.'

Maddy vond de gedachte dat Allie zou gaan huilen het meest angstaanjagende van de hele nacht. 'Ook als we hem niet zien, kan hij er nog wel zijn.'

Allie keek haar zus verrast aan. Eerlijk gezegd stond Maddy er zelf ook van te kijken.

'Het is donker,' redeneerde Maddy. 'En het menselijk oog is beperkt.' Bij biologie hadden ze net het menselijk lichaam behandeld en alles geleerd over het oog.

De zussen keken uit over het moeras. Ze konden niet zien waar het land ophield en het water begon. Het zilverachtige riet leek zo zwart als git. Maddy fluisterde, en bij uitzondering klonk ze zeker van zichzelf. 'Ik durf te wedden dat hij er is, maar dat hij zich niet laat zien. We moeten er gewoon op vertrouwen dat hij er is.'

De volgende dag leek hun moeder zich beter te voelen. Ze zat in een tuinstoel in het bleke zonnetje met haar breiwerk naast zich. Om twaalf uur ging ze de keuken in en maakte een lunch klaar voor Allie en Maddy. Later op de dag hoorden ze haar lachen. De zussen hadden met hun bloed en vertrouwen iets in gang gezet. Ze spraken nooit meer over die nacht. Het voelde als een diep geheim. Mensen zoals zij geloofden niet in zulke onzin. Die slopen niet midden in de nacht naar buiten om zich met een scheermes te snijden. Maar toch vroeg Maddy zich af of de vloek niet op de een of andere manier op haar was overgegaan toen ze tegen haar zus had gelogen. Ze bleef zichzelf snijden, op plekken waar niemand het zou zien: in haar knieholten, onder haar voetzolen en aan de binnenkant van haar arm. Haar zus had gelijk. Na een tijdje deed het geen pijn meer.

Op Maddy's tweede avond in Londen maakte Allie een Indiase curry die het hele appartement naar komijn deed geuren. Het was niet meer dan logisch dat Allie fantastisch kon koken. Ze oefende net zo lang tot ze iets helemaal onder de knie had. Ze gaf het niet op, zoals Maddy deed als het om haar eigen leven ging. Maddy zette geen voet in de keuken. Ze vroeg niet eens of ze de tafel kon dekken. Dat zou ze toch niet goed hebben gedaan.

Paul kwam om zeven uur. Maddy zat op de bank met een glas wijn en lakte haar teennagels, al bij voorbaat niet onder de indruk. Allies vrienden en minnaars hadden haar nooit geïnteresseerd. Het waren altijd saaie intellectuelen, niet Maddy's type. Maddy had meer belangstelling voor haar teennagels; ze had zilverachtige lak gekozen die eruitzag als staal. Ze verafschuwde Londen. Alles was er duur en iedereen behandelde haar neerbuigend, zelfs de yogalerares. Ze wilde dat ze er stiekem vandoor kon gaan. Ze zou liever in haar eentje in Parijs zijn. Daar was ze nog nooit geweest. Ze zou een kamer nemen in het Ritz met groen zijden behang en sloten op alle deuren. Dan kon ze door de Tuilerieën wandelen en ergens koffiedrinken waar niemand haar taal sprak. Al die voorbereidingen voor de bruiloft waren één grote farce. Maddy had gehoord dat de helft van alle huwelijken in een scheiding eindigde, misschien wel driekwart. Waarom zou je eraan beginnen als je kansen zo slecht waren?

Toen er werd gebeld, ging Allie opendoen. Maddy hoorde gemompel. Eigenlijk kon het haar niets schelen wat ze zeiden. Afgezien van het gedoe rond de bruiloft had Allie niet over Paul gepraat. Het was niets voor haar om haar hart bij haar zus uit te storten. Het enige wat Maddy wist, was het slaapverwekkende verhaal over hun kennismaking: Kensington Palace. Diana. Witte rozen. Waarschijnlijk was hij de saaiste man op aarde. Nu zei Allie bij de deur iets tegen Paul wat erop neerkwam dat hij eindelijk eens een keertje niet te laat was, en hij wierp tegen dat hij altijd op tijd was en zij altijd te vroeg. Ze klonken vermoeid en geërgerd, niet als de tortelduifjes die Maddy zich had voorgesteld.

'Dit is mijn zusje,' zei Allie toen ze met Paul binnenkwam.

Maddy keek op. Eén ding moest ze Allie nageven: Paul was absurd knap. Hij was lang, begin dertig maar jongensachtig, het type man dat er waarschijnlijk altijd jong bleef uitzien. Hij had heel kort blond haar, bijna gemillimeterd, en een ongedwongenheid die zowel gevaarlijk als charmant was. Hij kwam naar Maddy toe, bukte zich en kuste haar op beide wangen. Ze rook dat hij al iets had gedronken. Een punt in zijn nadeel. Ze wantrouwde mensen die in hun eentje dronken, hoewel ze zelf na haar werk vaak alleen naar een café ging om zich te ontspannen en bij te komen van een drukke dag.

'Welkom in de familie,' zei Paul.

'Zou ik dat niet tegen jou moeten zeggen?' Knappe mannen wantrouwde Maddy ook. Ze had er zelf een flink aantal versleten.

'Dat maakt niet uit. We worden in elk geval familie. En dat is een slechte kleur voor jou,' zei hij met een blik op haar nagellak. 'Je ziet eruit als een robot. Daar ben je veel te mooi voor.'

'Luister maar niet naar hem,' zei Allie, terwijl ze Paul meetrok naar de keuken om de curry te proeven. Er zaten garnalen en kokosmelk in. Toen ze weg waren, keek Maddy naar haar tenen. Paul had gelijk. Het was net alsof ze van titanium of staal was gemaakt. Iedereen zou denken dat ze totaal geen gevoel had.

Het eten was heerlijk, de curry was voortreffelijk en niet te scherp. Allie had rode wangen gekregen van de warmte in de keuken. Tot Maddy's verrassing dronk haar zus een paar glazen whisky-soda. Allie was geen grote drinker en ze had zeker geen vrolijke dronk over zich. Met elke whisky werd ze stiller en humeuriger. Laat Parijs maar zitten, dacht Maddy. Ze wilde gewoon naar huis, naar New York, waar ze als avondmaaltijd in gelukzalige eenzaamheid een beker yoghurt leeg kon lepelen.

'Wat doe je voor werk?' vroeg Paul.

'Niet wéér,' zei Maddy. 'Is dat het enige waar mensen in dit land over praten?'

'Maddy is bedrijfsjuriste, dat heb ik je verteld,' bracht Allie Paul in herinnering. 'Een topjuriste. Ze is gespecialiseerd in onroerend goed en werkt bij een beleggingsmaatschappij in Manhattan.'

'Oké. Dus jij verdient écht geld.' Paul klonk regelrecht honend. Hij leek bozig en bereid om overal ruzie over te maken.

'Is dat een misdaad?' Maddy merkte dat ze nijdig werd. Goed, ze investeerde geld voor rijke mensen. Moest ze zich verontschuldigen dat ze goed was in haar werk?

'Wie ben ik om dat te beoordelen?' vroeg Paul.

'Precies, jij bent een onbenul.' Maddy schonk nog een glas wijn voor zichzelf in. Dat zou ze nodig hebben. Nu snapte ze waarom Allie dronk: dit was een moeilijke man.

Paul staarde haar aan, nam haar aandachtig op en grinnikte. Maddy had sterk de indruk dat hij om onduidelijke redenen precies dacht te weten wie ze was en dat hij misschien zelfs iets wist wat zij niet wist.

'Paul is filmeditor, dus niet bepaald een onbenul,' zei Allie. 'Hij is degene die de filmmaatschappij over *Waar de reiger woont* heeft getipt. Dat heb ik je verteld, Maddy. Jullie luisteren geen van beiden. Dat hebben jullie gemeen.'

Allie ruimde de borden af en weigerde alle hulp. Ze konden haar in de keuken horen afwassen.

'Ze doet altijd alles alleen, hè?' zei Paul. 'Je mag haar nooit helpen.'

'Natuurlijk niet. Ze moet alles onder controle houden. Niemand kan het zo goed als zij, toch?'

Paul dronk zijn glas leeg en schonk hun allebei nog wat in. 'Ik heb geen idee waarom je zus met me gaat trouwen. Ik weet niet wat ze je heeft verteld, maar ze begaat een grote vergissing. Heeft ze veel over me gepraat?'

'Je zult haar vast en zeker dolgelukkig maken. En wees maar gerust, ze praat helemaal niet over je, dus je blijft verschoond van mijn bemoeizucht.' Maddy's toon was laatdunkend. Ze kende dit type man en het verbaasde haar dat haar zus, die meestal zo nuchter en verstandig was, voor hem was gevallen. Zo'n té aantrekkelijke man, die altijd vond dat hij de belangrijkste persoon in de kamer was. Iemand die vertroeteld moest worden, in het middelpunt van de belangstelling moest staan; waarschijnlijk had hij heel weinig vrienden.

'Heeft ze je niets verteld?'

'Valt er dan iets te vertellen?'

'Er valt altijd iets te vertellen, beste meid. Iedereen heeft een verhaal.'

Maddy nam hem aandachtiger op. Hij was toch anders dan ze had gedacht. Als hij die arrogante houding liet varen, was hij verrassend aardig.

'Ik zal alles wel verpesten,' zei hij deemoedig, wat Maddy nog meer verbaasde. 'Ik ben hier nooit erg goed in gebleken.'

'Ik wist niet dat je al eerder getrouwd was geweest.'

'Ik heb het niet over het huwelijk. De liefde. Ik ben opgegroeid tot een zelfzuchtig mens. Niet dat ik dat mijn moeder kwalijk neem. Ze is fantastisch, echt waar. Ik ben gewoon een egoïstische klootzak. Het zal wel in mijn DNA zitten. Wat zit er in het jouwe, afgezien van je schoonheid?'

Madeline voelde iets in haar binnenste. Zomaar, terwijl ze daar aan tafel zat. Begeerte was een merkwaardig fenomeen, dat een eigen leven leidde. Paul keek haar heel eigenaardig aan, als je tenminste in aanmerking nam wie ze waren en wat ze hier deden.

'Ik ben ook egoïstisch. De tegenpool van Allie.' Maddy voelde dat ze bloosde. Het was niet de bedoeling dat het gesprek over haar ging. 'Het gaat vast prima tussen mijn zus en jou.'

'Ja hoor,' zei Paul. 'En dan leven we nog lang en gelukkig. Hoe groot is die kans?'

Om de een of andere reden moesten ze allebei lachen. Misschien voelden ze dat ze dezelfde handicap hadden als het op de liefde aankwam, dat ze prutsers waren op dat gebied. Het was Maddy nooit gelukt een relatie langer dan een jaar in stand te houden. Ze raakte snel verveeld en was veeleisend. Ze zei tegen iedereen dat dat kwam doordat ze thuis de jongste was geweest. Ze was altijd als een baby behandeld, altijd in de voetsporen van Allie getreden.

'Ik ben blij dat jullie het samen kunnen vinden,' zei Allie toen ze binnenkwam met het toetje. Ze had bessen, ijs, een kom slagroom en een fles kirsch bij zich.

Ze hadden allerlei antwoorden kunnen geven. In plaats daarvan keken ze elkaar aan. Op dat moment wist Madeline dat er problemen van zouden komen. Het ogenblik van twijfel, het bonzen van haar hart, in een flits het beeld van de ramp die te gebeuren stond. Het was er allemaal, uitgestippeld op het tafelblad als de route op een wegenkaart. Lepel, vork, mes, hartzeer.

'Heb je die slagroom zelf geklopt?' vroeg Maddy haar zus. 'Hij is heerlijk.'

Maar dat was niet wat ze dacht. De ijscoupe kon haar gestolen worden. Ze hield niet eens meer van toetjes. Ze dacht aan die keer toen ze zeven was en doodsbang was geworden van een harde storm. Ze was de kelder in gerend om zich te verschuilen. Ze wist nog hoe het was om de rest van het gezin naar haar te horen zoeken en paniekerig haar naam te horen roepen, en hoe het voelde om geen antwoord te geven. Voor één keer had ze hen in haar macht gehad. Zij, die een nul was, mevrouw Tweede Keus. Zo voelde ze zich nu ook. Alsof zij de enige in de kamer was die werkelijk wist wat er gebeurde. Ze keek weer naar Paul om er zeker van te zijn dat ze het zich niet verbeeldde. Hij staarde haar aan.

Het was geen verbeelding.

Die avond poetste Maddy haar tanden in de kleine, overvolle badkamer van haar zus. Ze wilde alleen maar gaan slapen en ophouden met nadenken. Haar hart ging als een razende tekeer. Te veel wijn. Te veel cafeïne. Ze was maar een paar dagen in Londen en zou pas eind augustus terugkomen voor de bruiloft, dus hoeveel schade kon ze eigenlijk aanrichten? Het was maar een spelletje. Een beetje flirten achter Allies rug, een kleine overtreding, vergelijkbaar met haar vroegere diefstalletjes van de haarlinten en snuisterijen waarvan Allie niet eens had gemerkt dat ze verdwenen waren. In een opwelling had Maddy eens een glas melk in Allies bed leeggegoten. Dat was zo gemeen dat ze nauwelijks kon geloven dat ze het echt had gedaan. Ze had het nooit opgebiecht. Toen het begon te stinken in de kamer, had ze verbazing geveinsd.

Maddy's afgunst zat zo diep dat ze die zelf niet begreep. Hun moeder had gezegd dat de vieze lucht van schimmel kwam; het was immers een vochtig huis, midden in het zoutwatermoeras. Lucy was een hele dag bezig geweest hun kleren, lakens en dekens te wassen. Ze had alles aan de waslijn gehangen. Aan het eind van de dag zag Maddy haar moeder in de tuin zitten, onder de plataan, uitgeput van haar werk. Er lagen nog bergen wasgoed op haar te wachten, waarvan het merendeel gewoon schoon was. Op dat moment had Maddy kunnen ingrijpen. Ze had kunnen zeggen dat er een ongelukje was gebeurd om haar moeder al die moeite te besparen. Maar dat had ze niet gedaan. Ze was zwijgend tussen het riet blijven staan.

Maddy was gek geweest om midden in de zomer een kamer te boeken in het Lion Park Hotel. Het was er smoorheet, er was geen roomservice en het sanitair was stokoud. Op haar moeders nachtkastje had jarenlang een witte keramieken asbak van dit hotel gestaan, met de afbeelding van een groene leeuw erop. 'Dat vond ik vroeger de mooiste plek ter wereld,' had Lucy de meisjes verteld. 'Ik was twaalf en ik vond het het toppunt van luxe.'

Maddy had zich altijd voorgesteld dat er een echte, levende leeuw in het hotel werd gehouden, en dat was misschien de reden dat ze hier een kamer had gereserveerd. Haar moeder was kennelijk verzot geweest op dit hotel, maar het was tweederangs. En de leeuw was van steen: hij stond op de binnenplaats, overdekt met mos.

'O, die,' had de receptionist gezegd toen Maddy bij het inchecken over de leeuw begon. 'Die komt uit een klooster in Frankrijk en staat al honderden jaren in de tuin. Hij was hier al voordat het hotel werd gebouwd. Er loopt een barst over zijn rug en we weten niet wat we moeten beginnen als hij uit elkaar valt. Dan zullen we een nieuwe naam moeten verzinnen!'

Er was maar één persoon die wist dat Maddy eerder dan gepland was aangekomen, en ze telde letterlijk de minuten totdat hij kwam. Ze had hem een aangetekende brief gestuurd en hij had ervoor getekend, dus hij moest weten dat ze hem verwachtte. Er zaten duiven in het raamkozijn en Maddy hoorde het verkeer op Brompton Road. De anderen – Lucy en Bob, de ouders van Maddy en Allie, hun tantes en ooms, neven en nichten, en een paar vriendinnen van Allie uit Amerika – zouden allemaal logeren in het Mandarin Oriental Hotel, een paar straten verderop. Maddy had haar ouders verteld dat het bedrijf waar ze werkte een regeling had met het minder goed geoutilleerde hotel om de hoek, waardoor ze er bijna gratis kon logeren. Ze had gezegd dat ze werkte aan de verdediging van een cliënt die een gevangenisstraf boven het hoofd hing vanwege zijn mogelijk louche investeringen en dat ze rust en stilte nodig had. Haar hotel had geen kabeltelevisie of films die je kon huren en geen chic wellnesscentrum, alleen een kleine lounge waar gasten 's avonds konden eten en iets konden drinken.

Het Lion Park had zeven verdiepingen, maar doordat het bijna zo groot was als een heel huizenblok was het toch een plomp gebouw. Maddy had niet verwacht dat haar moeder een aandenken zou bewaren aan een dergelijke plek. De gangen waren lang en hadden aan weerszijden blauwgeschilderde deuren met geribbelde glazen deurknoppen en kamernummers in goudkleurige reliëfcijfers. Elke verdieping zag er hetzelfde uit; je kon er volledig verdwalen, want de gangen volgden de bocht in de straat en liepen rond. Dat was erg verwarrend voor de meeste gasten.

Er pasten maar vier mensen in de lift en de treden van de wenteltrap werden naar boven toe steeds kleiner, totdat je gedwongen werd kinderstapjes te nemen en het gevaar liep te struikelen. Maddy's kamer lag ver bij de ingang vandaan, aan de straatkant. Er stonden een bed met een witte sprei, een toilettafel, een tv die vier korrelige zenders kon ontvangen en een airconditioner op een rek, die lucht afvoerde via een plastic slang door het raam, een apparaat dat het eerder warmer dan koeler leek te maken in de kamer. In het hele hotel lag sombere vloerbedekking van donkergroene wol. De badkamer was klein en de armoedige badkuip had alleen een handdouche; de wastafel bevond zich in de kamer zelf. Er hing een plafonnière en er stond een lamp op een ouderwets schrijfbureau. Maar Maddy vond het niet erg; sinds haar bezoek in het voorjaar had ze alleen maar gedacht aan terugkomen. Ze had gewild dat ze twee weken kon blijven, of een maand, of nog langer. Tien jaar zou nog niet genoeg zijn. Toen hij die middag niet kwam opdagen, belde ze hem en liet een boodschap achter op zijn antwoordapparaat.

'Je kunt maar beter komen. Dat is het minste wat je me schuldig bent. En wel meer dan dat, trouwens.'

Die avond viel Maddy in een onrustige slaap. Ze droomde dat ze in hun achtertuin in Connecticut was. Daar stond de plataan, maar er hingen duizenden botten aan de takken. In plaats van bladeren groeiden er rode bloemen aan. Maddy plukte een bloem, maar ze sneed haar hand eraan. De bloemen waren van glas. Ze herinnerde zich hoe het voelde om zichzelf te snijden. Ze herinnerde zich dat ze had gedacht dat dat de enige manier was om iets te voelen. In haar droom hoorde ze een man schreeuwen. Ze deed haar ogen open en hij schreeuwde nog steeds. Volgens de wekker op haar nachtkastje was het halfelf 's avonds. Van het ene moment op het andere was ze klaarwakker. Zo'n opgewonden geschreeuw had ze nog nooit gehoord. Het was een Engelsman, en even dacht ze aan Paul, maar het was Pauls stem niet. Het tumult kwam uit de gang, uit de deuropening van de kamer recht tegenover de hare, 707. Maddy stapte uit bed en wilde naar buiten gluren, maar er was geen sleutelgat, geen mogelijkheid om te zien wat er zich aan de andere kant van de deur afspeelde. Even overwoog ze haar deur open te trekken, maar de onzichtbare man

schreeuwde zo ijzingwekkend dat Maddy bang was in een ruzie terecht te komen die haar niets aanging. In plaats daarvan
drukte ze haar oor tegen de deur. Ze kon niet veel verstaan,
alleen een paar losse woorden. 'Elke keer,' hoorde ze hem zeggen. 'Niet te geloven.'

Maddy glipte weer onder de dekens en drukte haar handen
tegen haar oren. Zo bleef ze huiverend liggen tot ze ophield
met nadenken en zich alleen nog de plataan kon herinneren,
en hoe ze samen met haar zus in bed had gelegen en bang was
geweest voor het donker.

De ochtend na de currymaaltijd was hij weer naar het appartement gekomen, toen Allie al was vertrokken naar een bespreking met de regisseur die *Waar de reiger woont* ging verfil-
men. Ze waren de laatste versie van het script aan het bewerken.
Georgia zou de decors ontwerpen en ze was langsgekomen om
Allie op te halen. Ze zouden de hele dag bezig zijn. Maddy
werd geacht zichzelf te amuseren en Allie aan het eind van de
middag te ontmoeten in de bruidsmodezaak voor de laatste
pasbeurt van het bruidspakje en de blauwe jurk, die bij de
taille werd ingenomen. Daarna zou hij Maddy als gegoten zitten. 'Je zult eruitzien als een bloem,' had Allie gezegd. 'Een
iris. Zorg dat je er om vijf uur bent.'

Allie had Maddy's ontbijt voor haar klaargezet, zoals ze dat
altijd deed toen ze nog meisjes waren. Croissants, cornflakes,
jam, maar Maddy wilde alleen zwarte koffie. In plaats van iets
te eten, zette ze sterke koffie en rookte een sigaret, ook al wist
ze dat Allie het niet prettig vond als er in haar huis werd gerookt. Weer een regeltje om te overtreden. Ze ging bij het
raam zitten en wapperde de rooksliert naar buiten. Allie zou er
nooit achter komen. Ze was niet argwanend van aard. Voor

iemand die zo slim en zelfverzekerd was, was ze eigenlijk altijd heel makkelijk te bedotten geweest.

Allie was al bijna een uur op haar bespreking toen de zoemer ging. Meteen had Maddy het rare gevoel dat het Paul was. Ze had de hele nacht aan hem gedacht. Het was verachtelijk van haar om zich aangetrokken te voelen tot de verloofde van haar zus, maar aan de andere kant waren het alleen maar gedachten, en zij was niet verantwoordelijk voor wat er zich in haar hoofd afspeelde. Ze was niet van plan ernaar te handelen. Goed, ze had vroeger altijd spullen van Allie gestolen, maar een man was iets anders dan een fluwelen rok of een paar laarzen. Zelfs Maddy wist dat. Liefde was niet iets wat je kon lenen en dan weer teruggeven.

Maddy liep naar de intercom. 'Het huis van Heller.' Ze liep rond in een T-shirt, een slipje en een van Allies ochtendjassen. Er hing een rooklucht in haar haar, dus ze zou het moeten wassen voordat ze Allie die middag ontmoette.

'Ik weet heus wel waar ik ben,' zei Paul door de intercom.

Dus dit was het moment. Het ogenblik voorafgaand aan de catastrofe. Maddy kon de knop indrukken en hem binnenlaten, of zich omdraaien en weer in bed kruipen. Ze kon doen alsof ze hem niet had gehoord, alsof ze dacht dat er een postbesteller had aangebeld en had besloten die te negeren.

'Waarom zou ik je binnenlaten?' vroeg ze uiteindelijk. Ze dacht dat ze het antwoord wist, maar ze was er niet zeker van.

'Omdat je dat wilt,' was Pauls antwoord.

Toen Maddy de knop indrukte om de deur naar de hal te openen, voelde ze de trilling via de botjes van haar hand door haar arm naar haar schouder gaan. Het was alsof ze haar adem inhield en zich, een beetje duizelig, opmaakte om van de hoge springplank te duiken. Ze dacht aan de manier waarop hij naar haar had gekeken toen ze aan tafel zaten. Als ze zich hem voor de geest haalde, kreeg ze het weer warm en werd overweldigd door begeerte. Ze beschouwde zichzelf niet als een leugenaar of bedrieger, maar waarheid was een rekbaar begrip, nietwaar?

Maddy had van gedachten kunnen veranderen in de tijd dat Paul met de lift naar boven kwam, maar dat deed ze niet. Hij klopte aan en ze hield zichzelf voor dat er niets ontoelaatbaars zou gebeuren. Hij komt voor een sjaal die hij heeft vergeten, of om een cadeautje voor Allie af te geven, of om een fles wijn uit de koelkast te pakken. Daarom doe ik de deur voor hem open, omdat hij iets nodig heeft dat hij per ongeluk heeft laten liggen.

Ze loog zichzelf voor. Daar was ze goed in. Ze had niet de moeite genomen de ceintuur van haar ochtendjas vast te knopen.

'Wat heb je besloten? Laat je me erin?' Paul stond vlak achter de deur. Hij was het soort man dat meestal zijn zin kreeg. Maar nu leek hij te aarzelen.

'Je klinkt als de grote boze wolf,' zei Maddy.

'Nee hoor,' antwoordde Paul. 'Als je de deur in mijn gezicht dichtslaat, zal ik niet gaan huilen. Dan maak ik me stilletjes uit de voeten. En dan hoef je me nooit meer te zien, beste meid.'

Het was zo makkelijk. Ze liet hem binnen en de rest was alsof je in de donkere nacht verdween naar een plek waar niemand je kon vinden. Geen voetsporen, geen vingerafdrukken, geen enkel bewijs.

Ze kwam twintig minuten te laat bij de bruidsmodezaak aan.

'Ik was hopeloos verdwaald,' zei Maddy toen ze de kamer

in kwam rennen waar Allie haar mantelpakje stond te passen. 'Ik dacht dat ik het nooit zou vinden.'

Allie lachte. 'Het is je aan te zien.'

Maddy had haastig haar haar opgestoken en geen tijd meer genomen om zich op te maken. Ze droeg een spijkerbroek, een trui en laarzen. Ze kon zijn aanraking nog over haar hele lichaam voelen. Hoewel ze had gedoucht voelde ze zich vies, alsof ze net uit het riool omhoog was gekropen. Ze kon zelf nauwelijks geloven wat ze had gedaan. Zulke dingen leken minder echt als je er niet aan dacht, en dat was precies wat Maddy van plan was.

Ze rukte haar kleren uit en trok de zijden jurk aan. De kleermaker sloeg zijn ogen neer. Maddy vroeg zich af of ze de lucht van zure melk verspreidde. Ze dacht aan die keer dat ze het bed van haar zus had geruïneerd. Hoe had ze in hemelsnaam zoiets gemeens kunnen doen?

'Je moet je achter het gordijn omkleden,' zei Allie. 'Exhibitionist!'

'Ach, wat maakt het uit!'

Misschien verdiende ze het wel om gestraft te worden, om naakt op straat te worden gezet zodat de mensen haar konden uitjouwen. Ze had niet helder nagedacht toen ze hem binnenliet in het huis van haar zus. En Paul misschien ook niet. Naderhand had hij boos geleken, terwijl hij zelf het initiatief had genomen. Het kan me niks verdommen, had hij gezegd. Mijn toekomst is toch naar de knoppen. Je kunt beter voluit leven zolang je nog op deze wereld rondloopt, ook al verpest je alles voordat je zelf het loodje legt. Even ging de gedachte door Maddy's hoofd dat hij misschien niet wanhopig naar haar had verlangd, maar domweg wanhopig wás. Eigenlijk kende ze hem helemaal niet.

'Hij zit als gegoten,' zei Allie over de blauwe jurk.

'Ja.'

Allie draaide zich om en bekeek zichzelf in de spiegel. Ze leek niet tevreden. Ze zag eruit als een vrouw die het liefst zou willen vluchten. 'Maak ik de juiste keuze?'

'Om in een mantelpakje te trouwen terwijl je een schitterende jurk had kunnen nemen?'

Maddy was misselijk. Ze had het ontbijt en de lunch overgeslagen. Ze had er geen tijd voor gehad, want ze was te druk bezig geweest alles te verpesten, en dat nog wel in het appartement van haar eigen zus. Nadat hij weg was gegaan, had ze het bed verschoond. Ze kon de gedachte niet onderdrukken dat hij haar niet eens had geholpen met opruimen. Het klopte, wat hij over zichzelf had gezegd. Hij was egoïstisch en bot, en toch wilde ze hem weer zien. Het idee dat ze geen bewijsmateriaal achterliet, dat ze een geheim had dat niemand ooit zou raden, beviel haar wel. Ze vroeg zich af of er een monster in haar huisde dat steeds groter was geworden.

'Je snapt best wat ik bedoel, Maddy. Moet ik de bruiloft afblazen?'

Maddy staarde haar zus verbluft aan. Allie keek via de spiegel terug. Was het mogelijk dat haar zus aan haar gezicht had gezien dat ze bedrogen was? Kon ze het ruiken als iemand haar belazerde? Maddy zou willen dat ze allebei door de spiegel konden lopen naar de dag hiervoor, toen er zoveel minder te verbergen was. Maar ja, ze had zelf weer zo nodig moeten krijgen waar ze haar zinnen op had gezet.

'Meen je dat nou?' Hopelijk zou haar stem niets verraden. 'Overweeg je de hele boel af te blazen?'

'Van mij wordt altijd verwacht dat ik me aan mijn beloftes hou.' Allie trok het jasje van haar pakje uit; ze had er alleen

een witte onderjurk onder aan. Die was mooier dan haar bruidskleding. 'Ja toch? Dat willen jullie toch?'

De volgende dag belde Maddy Paul, maar zijn mobieltje stond uit en zijn vaste telefoon werd niet opgenomen. Terwijl Allie boodschappen deed, snuffelde Maddy rond op internet. Ze ontdekte dat Paul de montage van verscheidene tv-programma's van de bbc had verzorgd. Hoewel hij het afgelopen jaar niet veel gewerkt leek te hebben, lukte het Maddy een heleboel informatie te verzamelen: gegevens over zijn school- en sportverleden en over zijn ouders, die in de buurt van Reading woonden, waar zijn vader hoogleraar scheikunde was en zijn moeder, een oud-verpleegkundige, voorzitter van de plaatselijke tuiniersvereniging. Binnen de kortste keren was Maddy een expert op het gebied van Pauls leven.

Die avond kwam hij langs om iets te drinken, en terwijl Allie de ijsblokjes haalde zei hij tegen Maddy: 'Laten we vergeten dat het is gebeurd.' Alsof zij degene was die achter hem aan had gezeten. Hij stond heel dichtbij en pakte haar arm. Hij was een nog grotere leugenaar dan ze in eerste instantie had gedacht. Ze wilde hem terug zien te krijgen. In een impuls kuste ze hem, midden in de woonkamer van haar zus. Hij stapte achteruit en zei: 'Dag, zusje,' alsof het voorbij was tussen hen.

Ze had niet veel tijd. Binnen een etmaal zou ze naar New York vertrekken. De volgende dag ging Allie naar haar werk, en Maddy verzekerde haar dat ze zichzelf uitstekend kon vermaken. Ze zou Buckingham Palace gaan bezichtigen. Ze hield vol dat ze het helemaal niet erg vond om als een toerist rond te zwerven, maar in plaats daarvan zocht ze Pauls adres op en hield een taxi aan. Toen die voor zijn deur stopte, wist ze niet wat haar volgende stap zou zijn. Waarschijnlijk zou hij niet opendoen als hij besefte dat zij het was.

'Wilt u niet uitstappen?' vroeg de chauffeur.

'Als ik dat wilde, zou ik het wel doen. Ik wacht op iemand.'

Ze zaten zwijgend in de geparkeerde taxi. Om twaalf uur kwam Paul naar buiten en hield op zijn beurt een taxi aan.

'Volg hem en zorg dat hij ons niet ziet,' zei Maddy tegen de chauffeur.

Paul werd afgezet bij een van de oude, voorname huizen in Kensington. Het huis deed Maddy aan een bruidstaart denken. Ertegenover was een parkje waar onder de bomen kinderen speelden. Maddy had moeten beseffen dat zij niet de enige was met wie Paul haar zus bedroog. Ze liet zich onderuitzakken in de taxi. Bedriegers bedriegen en leugenaars liegen. Dat zit in hun DNA.

'Gaat u er hier uit, mevrouw?' vroeg de chauffeur.

Ze zag Paul de treden van het bordes beklimmen en aanbellen. Er werd opengedaan en hij ging naar binnen. Maddy betaalde de chauffeur en stapte met gloeiende, rode wangen uit. Weliswaar was Allie degene die bedrogen werd, maar toch voelde Maddy zich diep gekwetst. Ze wachtte een tijdje en liep toen naar het herenhuis. Ze belde aan en een dienstmeisje kwam opendoen.

'Ik word verwacht,' verkondigde Maddy.

'Ze zitten buiten te lunchen,' antwoordde het meisje. 'Ik wist niet dat er nog iemand zou komen.'

'Toch is het zo,' zei Maddy.

Ze klonk zeker van zichzelf, dus liet het meisje haar binnen. Het huis was enorm groot en smaakvol, en binnen was het koel. Doordat buiten de zon scheen, duurde het even voordat Maddy's ogen gewend waren aan de schemering. Er was veel houtwerk en een heel brede trap. In de hal lagen zwarte en witte marmeren tegels.

'Ik vind het wel,' verzekerde Maddy het dienstmeisje. 'U hoeft niet mee te lopen.'

'Zoals u wilt.'

Maddy hoorde stemmen en hoefde alleen maar op het geluid af te gaan. Ze liep door de hal de salon in. De muren waren rood met goud geschilderd en de vloer was van ebbenhout. Maddy vervolgde haar weg door openslaande deuren een serre in. Daarachter lag de tuin. Paul droeg een linnen broek en een lichtblauw overhemd. Er stond een bloeiende boom, en langs een hoge stenen muur zag ze tientallen rozenstruiken. Het was een diepe tuin, donkergroen en in de schaduwen bijna zwart. Er waren paden van baksteen en natuursteen. In de bomen zaten vogels. Paul had zijn jasje uitgetrokken. Hij was bezig geweest de rozen te snoeien, maar nu ging hij aan tafel zitten, tegenover zijn lunchpartner, een vrouw met een grote strooien zonnehoed op die Maddy alleen van achteren kon zien. Paul lachte om iets wat de vrouw zei. 'Als je me in dienst wilt nemen als tuinman, zeg ik meteen ja,' zei hij vrolijk. 'Maar je mag me natuurlijk niets betalen. En je weet hoe handig ik ben: waarschijnlijk help ik alle planten om zeep.'

Maddy kwam dichterbij, en de hoge heg naast het pad schudde toen de vogels eruit opvlogen. Paul keek op. Toen hij Maddy zag, verstarde hij.

'Is er iets, Paul?' vroeg de vrouw.

'Ik geloof van wel,' antwoordde hij.

'Dit kun je niet maken!' riep Maddy vanaf het stenen pad. 'Nam je daarom je telefoon niet op?'

Paul excuseerde zich. 'Ik ben zo terug,' zei hij tegen zijn

tafeldame. Woedend liep hij naar Maddy. 'Ben je gek geworden? Heb je me gevolgd?'

'Betaalt ze je wel voor de andere diensten die je haar naast het tuinieren verleent?'

'Mevrouw Ridge is een vriendin van mijn ouders. Ze is als een grootmoeder voor me geweest. Dus demp je stem een beetje.'

De vrouw had zich omgedraaid en Maddy zag dat ze een heel elegante, bejaarde Engelse dame was. Niet bepaald een rivale.

Mevrouw Ridge wilde met een bezorgd gezicht overeind komen. Paul grijnsde naar haar en zwaaide. 'Dit regel ik wel even,' riep hij geruststellend.

Hij pakte Maddy bij de arm en loodste haar mee terug door de serre. Daar stonden gele en bruine orchideeën op een rij, en potten van majolica met varens erin.

'Mevrouw Ridge heeft heel veel voor me gedaan en ik heb mijn opleiding aan haar te danken. Ze hoort bij onze familie. Zelf heeft ze geen kinderen en ze is dol op me. Ik trouwens ook op haar. Ik verwacht niet gevolgd te worden als ik bij haar op bezoek ga.'

'Dat wist ik allemaal niet,' zei Maddy.

'Je weet niet veel, nee,' zei Paul minachtend.

Maddy draaide zich om en holde weg. Wat had ze gedaan? Hij was het niet eens waard. Hij was een egoïstisch en onaangenaam mens, precies zoals hij had gezegd. Ze rende het huis uit en verzwikte haar enkel op de treden van het bordes. Hinkend legde ze het hele stuk naar het park af, en toen bleef ze langs de weg staan. Tegen de tijd dat Paul in een taxi voorbijkwam, was ze in tranen.

'Stap in,' riep hij door het raampje. Ze keken elkaar strak

aan. 'Stap in en laat het verdomme uit je hoofd om een scène te schoppen.'

Maddy stapte in de taxi en trok het portier dicht.

'Ik heb tegen mevrouw Ridge gezegd dat je voor me werkt en niet helemaal goed bij je hoofd bent,' zei Paul. 'Ze raadde me aan je te ontslaan.'

'Fijn. Fantastisch.'

'We hebben iets heel ergs gedaan, beste meid. Mee eens?'

Paul leek uitgeput. Het viel Maddy op dat hij een lelijk hoestje had; waarschijnlijk was hij al ziek geweest toen ze het bed deelden. Dan had hij haar ongetwijfeld aangestoken. Dat was haar verdiende loon.

Paul boog zich dicht naar haar toe. Hij rook naar zeep. 'We hebben een stomme fout begaan. Ik weet waar ik die ochtend voor kwam, maar ik had nooit gedacht dat je de deur voor me open zou doen. Ik was nogal verbaasd over het gemak waarmee je haar bedroog.'

'Ach, barst. Alsof je er zelf part noch deel aan had.'

'Ik wist zeker dat je me zou afwijzen en dan naar Allie zou rennen om haar te vertellen dat ik je een oneerbaar voorstel had gedaan.'

'Wilde je dat ik nee zou zeggen?' Maddy was gekwetst. Ze snapte het niet.

Pauls overhemd was intussen gekreukt; het was van linnen, de kleur van de lucht, licht en fris en nieuw. Hij had zijn jasje niet meer aan. 'Hoor eens, het spijt me. Ik had jou er niet bij moeten betrekken. Mijn oprechte verontschuldigingen.'

Ze waren op hun bestemming aangekomen en de taxi was langs de stoeprand gestopt. Maddy had niet gemerkt dat ze er waren, totdat er op het raampje werd geklopt. Ze schrok zich dood. Paul draaide het raampje omlaag. Het was Georgia, die

Allie thuis had gebracht en net weer vertrok.

'Wel heb je ooit,' zei Georgia peinzend.

'Ik zag haar lopen en heb die arme meid een lift gegeven.' Paul duwde het portier open. 'Ziezo,' zei hij tegen Maddy. 'Je bent veilig afgeleverd. Tot ziens, Georgia.' Hij trok het portier dicht, de taxi reed weg en dat was het. Hij had haar niet meer nodig. Ze had haar doel gediend, wat dat doel ook was.

'Ik heb een hekel aan hem,' zei Georgia.

'O ja?' Maddy maakte aanstalten om naar binnen te gaan. Bij uitzondering waren ze het met elkaar eens. 'Ik ook.'

Toen ze terug was in New York, zei ze niets over wat er was gebeurd. Als ze Allie aan de telefoon had, hoorde ze haar uit over Paul. Op een vreemde, gretige manier haatte ze hem. Hun ene dag samen bleef maar door haar hoofd spoken. Misschien zou ze op de bruiloft opstaan en vertellen wat er was gebeurd. Waarom niet? Ze zou er zowel Allie als zichzelf een plezier mee doen. Het was het beste als iedereen wist wat zijn ware aard was, ook al betekende het dat ze zichzelf moest blootgeven.

Maddy werd neerslachtig. Haar werk leed eronder en een van haar collega's vroeg of ze een sterfgeval in de familie had. Meestal had ze het hele weekend van alles te doen, maar nu sliep ze tot het middaguur en ging nauwelijks meer uit. Toen haar ouders op een zondag in de stad waren en bij haar langskwamen, moesten ze op de deur bonken om haar wakker te maken, hoewel het al twee uur 's middags was.

Lucy nam haar apart. 'Wat is er mis?'

'Niets! Waarom denk je altijd dat er iets mis met me is?'

'Ik merk het gewoon als er iets aan de hand is,' zei Lucy Heller tegen haar dochter.

'O ja? Dan had je dat in mijn jeugd moeten merken, maar toen kon het je niks schelen. Toen zag je me niet eens.'

Haar moeder was van haar stuk gebracht. 'Hoe kun je dat zeggen? Natuurlijk zag ik je,' zei ze. 'Ik zag hoeveel we op elkaar leken. Is dat jou nooit opgevallen?'

Maddy dacht aan de keer dat ze van huis was weggelopen, toen haar ouders uit elkaar waren gegaan. Ze had een regenjas en haar winterlaarzen aan gehad, want het was voorjaar en alles was vochtig. Weglopen was verbazend gemakkelijk geweest. Ze had de deur opengedaan en was het donker in gestapt. Ze wist precies waar ze naartoe zou gaan. Ze liep door de tuin, langs de plataan. Allie had haar verteld dat de blauwe reiger zou komen voor degene van wie hij echt hield. Het gras was nat en sponzig, en Maddy zonk erin weg. Haar laarzen kwamen onder de modder te zitten. Er waren geen sterren en de maan ging schuil achter de wolken, maar ze kon voldoende zien.

Al snel kwam ze bij het moeras. Daar glipte ze het riet in. De stengels waren hoog en hadden zilvergrijze pluimen. Er hing een geur van bederf. Maddy's laarzen maakten een plassend geluid toen ze langs de oever liep. Ze hoorde allerlei geluiden: insecten, vogels op hun nest en de opstekende wind. Er waren misschien ook wel spinnen en bloedzuigers, en waarschijnlijk hingen er vleermuizen in de bomen. Van de twee zusjes was Maddy degene die altijd angstig en vaak bokkig was, die huilde als ze alleen werd gelaten, die niet kon koken of schoonmaken en zelfs haar dikke winterjas niet zelf kon dichtknopen. Ze was bang voor de doornstruiken in het moeras en voor de krabben die in je tenen konden bijten, maar deze ene keer stond ze daar niet bij stil. Het duurde even, maar uiteindelijk vond ze wat ze zocht, de plek waar volgens haar moeder de blauwe reiger woonde. Ze baande zich een weg tussen de stekelige struiken door en daar was het nest, hoog in een wilg.

Onder haar jas had Maddy een blauwe nachtpon aan. Snel trok ze haar laarzen uit. In bomen klimmen ging haar goed af: ze was licht en veel sterker dat ze eruitzag. Hijgend kwam ze bij het nest aan. Ze had gedacht dat het uit lange grashalmen en mos zou bestaan, maar het was van takken gemaakt. Sommige waren zilver van kleur en andere zwart. De reiger was er niet, dus kroop Maddy in het nest. Het had naar beneden kunnen storten en dan was ze op de grond gevallen en had ze al haar botten gebroken. Maar de takken hielden haar gewicht. Maddy wilde weten of haar moeder de waarheid had gesproken, of de reiger over haar zou waken. Reigers konden niet anders dan trouw zijn, had haar moeder gezegd. Dat was hun aard.

Toen Maddy wakker werd, had ze kramp in haar benen doordat ze in de boom had geslapen. Er zaten rode insectenbeten op haar ellebogen en knieën. Een eerste streepje licht aan de hemel kondigde de dageraad aan. Ze hoorde klotsend water en iets wat op de stem van haar zus leek. Maddy keek naar het moeras onder zich en daar stond Allie in het ondiepe water, samen met de blauwe reiger. Je zou denken dat reigers bang waren voor kinderen en vice versa, maar blijkbaar was dat niet zo. Allie kwam zo dichtbij dat ze hem bijna aanraakte voordat hij wegvloog. Ze keek op om hem na te zwaaien en toen zag ze Maddy, boven in de boom. Allies blonde haar had de kleur van het riet. Natuurlijk had hij haar gekozen.

Paul kwam de volgende dag niet naar het Lion Park, ook al had ze op zijn antwoordapparaat ingesproken dat ze overwoog

Allie te bellen om haar alles te vertellen. Ze was nu al zover dat ze haar toevlucht nam tot dreigementen. Het kon haar niet schelen hoe diep ze was gezonken. Maddy had aan de receptie doorgegeven dat ze een bezoeker verwachtte en gevraagd of ze haar wilden bellen als hij arriveerde. Even had ze de neiging om te zeggen dat het om haar echtgenoot ging, maar zo'n grote leugen kon zelfs zij niet over haar lippen krijgen.

Ze zat in de warme hotelkamer tot ze zich licht in haar hoofd begon te voelen, en daarna ging ze naar buiten en liep maar wat rond door Londen. Toen ze terug was in het hotel liet ze haar avondeten op haar kamer bezorgen, nog steeds in afwachting van op z'n minst een telefoontje. Ze dronk een fles wijn leeg en viel in slaap terwijl het nog licht was.

Pas toen ze iets in de gang hoorde, werd ze wakker. Alweer een ruzie: een man die zijn stem verhief. Toen het geschreeuw ophield, nam ze een douche en ontdekte dat er alleen koud water was, met af en toe een stoot warm ertussendoor. De zeep was korrelig en rook naar lysol. Na het douchen sloeg ze een handdoek om zich heen en liet zich op bed vallen. Het was bijna elf uur toen hij eindelijk kwam. Bij de receptie hadden ze niet de moeite genomen Maddy te bellen om haar te laten weten dat er bezoek voor haar was; ze hadden hem gewoon door laten lopen. Het had wel iedereen kunnen zijn, een gek die op wraak uit was of een seriemoordenaar. Paul klopte aan en riep haar naam. Maddy dwong zich nog even niet te reageren. Ze wilde niet toegeven dat ze wanhopig was, zelfs niet tegenover zichzelf. Laat hem maar lijden. Laat hem wachten.

Hij klopte nog een keer. Maddy ging de deur opendoen. Ze had nog steeds alleen de handdoek om zich heen geslagen.

'Jezus,' zei Paul. 'Wie dacht je dat het zou zijn?' Hij lachte. 'Hallo, klein zusje.'

Hij had zijn hoofd kaalgeschoren en was afgevallen. Nu was hij vel over been. Mooi zo, dacht Maddy. Ze hoopte dat hij zich ellendig voelde, net als zij. Ze hoopte dat hij spijt had van het huwelijk waartoe hij zich had verplicht.

'Je hebt niet geschreven, je hebt niet gebeld,' zei Maddy en ze probeerde luchthartig te klinken. Zo kwam het er niet uit. Het klonk zielig. Dat was nu juist wat ze wilde vermijden. Maar hij leek het niet te merken; hij keek uitdrukkingsloos en afwezig. Er leek een waas over zijn ogen te liggen, alsof ze ontstoken waren.

'Het had niets te betekenen, Maddy. Dat weet je best. Laten we het daarbij laten. Als je me nog eens belt, bel ik je niet terug.'

Maddy had haar zijden jurk voor het raam gehangen, waardoor er een spookachtig azuurblauw licht naar binnen viel.

'Ik heb medelijden met Allie,' zei ze. 'Werkelijk waar.'

'Ik ook,' beaamde Paul.

'Ben je altijd zo'n zelfingenomen egoïst?'

'Dat kan ik jou ook vragen.'

'Als ik het haar vertel, zal ze er niets van begrijpen. Ze zal het je nooit vergeven.'

'Dat hoeft ze ook niet te doen,' zei Paul. 'En jij ook niet.'

'Misschien doe ik dat ook niet,' zei Maddy.

Hij vertrok zonder verder nog iets te zeggen. Zelfs dat was ze hem niet waard. Maddy kleedde zich aan. Ze voelde zich misbruikt en verbitterd. Ze nam de lift naar beneden, naar het restaurant van het hotel, en ging aan een afgeschermd tafeltje in de bar zitten. Er zat een oudere heer te drinken, en een stelletje lachte en at samen van één toetje. De serveerster kwam naar haar toe. Ze gingen bijna sluiten, maar Maddy vertelde dat ze net uit Amerika was aangekomen en dat haar gevoel voor tijd in de war was. De serveerster bracht haar een salade, een stuk quiche en een glas pinot grigio. In het restaurant was het iets koeler dan in haar kamer, maar ze gloeide nog steeds.

'Smaakt de quiche?' vroeg de serveerster.

De quiche smaakte nergens naar, maar de salade was lekker en de wijn nog lekkerder.

'Ja hoor,' zei Maddy.

Ze bleef een uur zitten en dronk wijn. Toen ze uiteindelijk opstond om te gaan, waren alleen de oude man en de barkeeper er nog. Het stelletje en zelfs de serveerster waren vertrokken. Maddy nam de lift naar de zevende verdieping en verdwaalde prompt in de gang. Ten slotte vond ze kamer 708 terug. Ze draaide de deur van het slot en vroeg zich af of er meer kamers op haar verdieping bezet waren. Sinds ze uit de bar was vertrokken, had ze geen mens meer gezien. Ze schakelde de slecht werkende airconditioner uit en zette het raam open, ook al drongen er dan roet en verkeersgeluiden de kamer binnen. Toen ging ze met haar kleren aan op bed liggen, ineengekropen op haar zij.

Hun vader was weggegaan toen Maddy en Allie elf en twaalf waren en hun moeder nog onder behandeling was voor haar ziekte. Hij verhuisde naar een huis in de stad, een kilometer of vijf landinwaarts. Hun moeder zei dat ze het hem niet kwalijk moesten nemen. Sommige mensen konden nu eenmaal niet tegen ziekte; alleen al bij de gedachte aan een ziekenhuis werden ze bevangen door angst en verdriet. Allie en Maddy geloofden haar niet. Hun vader was vooral bevangen door zijn eigen zelfzuchtige verlangens. De meisjes fietsten langs zijn nieuwe huis, maar er leek nooit iemand thuis te zijn. Als ze opbelden, nam er een vrouw op. Allie zei dat dat waarschijnlijk gewoon een vriendin of een huishoudster was. Maddy mocht dan jonger zijn, ze wist wel beter. Stiekem was ze begonnen kleine sneetjes in haar armen en benen te maken. Ze wist niet of ze zichzelf pijn wilde doen of iemand anders. Ze ging de vrouw met wie hun vader samenwoonde elke nacht bellen. Wraak nemen was iets waar je aan moest wennen, maar als je niet uitkeek kon je er verslingerd aan raken. Maddy was de geheimzinnige wreker. Ze vertelde het zelfs niet aan haar zus. Op die leeftijd wist ze al dat wraak nemen iets was wat je in het geniep moest doen.

Op een dag verscheen de vader van de meisjes weer. Hij parkeerde op de oprit en riep Maddy en Allie bij zich. Hij was boos, alsof hij degene was die onrechtvaardig was behandeld.

'Jullie terroriseren een onschuldige vrouw. Jullie mogen haar nooit meer bellen,' zei hij tegen hen. 'Als jullie dat wel doen, neem ik een ander nummer. Ze is alleen maar mijn hospita. Dat is alles.'

Allie wist niets van de telefoontjes, maar ze schoof de schuld niet op Maddy. Ze trotseerde haar vader.

'Je kunt beter terugkomen, in plaats van een ander nummer te nemen. We hebben je hier nodig.'

'Heeft jullie moeder jullie opgestookt?' wilde hij weten.

'Daar zou onze moeder zich niet toe verlagen,' zei Allie.

Maddy liet haar hoofd hangen. Ze zei geen woord.

Hun vader stapte weer in de auto. Allie liep achter hem aan. Hij huilde en wilde zijn raampje niet opendoen. Toen reed hij weg. Hij negeerde een stopbord en keek niet om.

Later, toen ze weer op hun kamer waren, lagen de zussen hand in hand in één bed, met hun hoofd op hetzelfde kussen.

'Ik heb met hem te doen,' zei Allie.

'Zo moet je niet denken,' vond Maddy. 'Dat verdient hij

niet. Hij heeft ons achtergelaten met een zieke moeder.'

'Hij huilde.'

'Krokodillentranen. Een krokodillenvader.'

'Bel je echt elke dag?' wilde Allie weten.

'Minstens twee keer.'

'En geloof jij dat ze zijn hospita is?'

'Geloof jij dat hij een krokodil is?'

Ze lachten allebei. Het verraste Allie dat Maddy zo goed een geheim kon bewaren.

'Er is heel veel aan mij dat jij niet weet,' zei Maddy. 'Je zou eens moeten horen wat ik tegen haar zeg.'

Allie vergezelde haar moeder bij al haar doktersbezoeken. Ze zat dan trouw urenlang in de kamer waar de chemo werd toegediend, schonk glazen gingerale in, haalde crackers bij de zusterpost en las voor uit tijdschriften. In die tijd was er sprake van dat Allie arts zou worden. Maddy wist al waar zij het best in zou zijn: bedrog en wraak.

'Ik zeg dat ik haar ga vermoorden en haar botten in onze achtertuin te drogen hang,' vertelde Maddy haar zus. Ze lagen met hun knieën tegen elkaar aan. 'Dat ik er soep van ga koken.'

Allie was geschokt. 'Maddy!'

'Ik vertel haar dat ik haar bloed ga drinken en honderd naalden in haar ogen steek. Als ze echt alleen maar zijn hospita is, zal ze hem wel op straat zetten.' De vrouw aan de telefoon had niet als een hospita geklonken. Eerder als iemands liefje, en vooral heel zenuwachtig.

'Je kunt er beter mee ophouden,' zei Allie. 'Je brengt ons allebei in de problemen, en mam en pap zullen boos op ons worden.'

'Nou en? Ik haat ze allebei.' Hun moeder leek helemaal

niets te merken: noch de sneetjes van het scheermes in Maddy's armen en benen, noch het feit dat ze midden in de nacht telefoontjes pleegde. 'Misschien verdwijnen ze dan en kunnen wij samen hier blijven wonen,' zei Maddy. 'Of misschien komt de blauwe reiger ons halen en gaan we bij hem wonen.'

'Dat kan niet,' zei Allie. 'De politie zou ons komen halen en dan komt er een maatschappelijk werkster om ons in een pleeggezin onder te brengen. Trouwens, wie zou er dan voor mam zorgen?'

'Iemand anders,' zei Maddy obstinaat. 'Ik niet.'

Er waren veel gasten bij het oefendiner voor de bruiloft. Het vond plaats in een Frans restaurant, waar ze aan een enorm lange tafel zaten, zodat het bijna onmogelijk was met iemand te praten. Des te beter. Toen de toekomstige bruid en bruidegom arriveerden – aan de late kant, wat niets voor Allie was – stond iedereen op en applaudisseerde. De eerste gang was al geserveerd: een koude paté met knoflooktoast. Frieda en Bill, de ouders van Paul, leken aardige mensen, en er waren nog een paar familieleden en vrienden uit Reading. Maddy herkende mevrouw Ridge, de oude dame die in Kensington woonde. Ze droeg een zwart pakje van Chanel en opnieuw een hoed; als je haar vanuit een bepaalde hoek zag, leek ze leeftijdloos. Gelukkig had ze Maddy op die onzalige dag in april niet van dichtbij gezien.

'Hoi,' zei Allie toen ze haar zus tussen de mensen ontdekte.

'Ook hoi.'

'Logeer je niet in het Mandarin?'

'Ik zit net om de hoek. In dat hotel waar mam het altijd over had.'

'Nou, ik ben blij dat je er bent.' Allie zag er doodmoe uit.

Ze was afgevallen. Maddy vroeg zich af of haar bruidspakje nog wel zou passen. 'Paul heeft een bloedhekel aan dit soort dingen. Ik geloof dat hij gevlucht is.' Ze knikte naar de bar. 'God, misschien moest ik ook maar vertrekken. Voorgoed.'

'Wat bedoel je daar nou mee?' vroeg Maddy. Toen Allie geen antwoord gaf, drong ze aan. 'Ben je dan niet gelukkig?'

Allie droeg helemaal geen make-up. Ze was bleek en zag er slecht uit. 'Maak ik een gelukkige indruk?'

Allie werd meegevoerd door haar vriendinnen, die alles wilden weten over de komende feestelijkheden, dus ze zwaaide en liep met hen weg. Er was maar één manier om deze avond door te komen: Maddy dronk te veel. Zoveel dat haar vader het in de gaten had.

'Wat is er met jou aan de hand?' vroeg Bob Heller.

'Waarom gaat iedereen er altijd van uit dat er iets met mij aan de hand is? Er is helemaal niets,' antwoordde Maddy.

Zodra ze de kans had, glipte ze de bar in. Paul zat er met een glas whisky. Het gele lamplicht vormde sikkelvormige poeltjes. Zijn ogen leken vreemd groot.

'Ze weet het, van ons,' zei Maddy. 'Ze zei dat ze niet gelukkig is.'

Paul keek haar wezenloos aan, bijna alsof hij haar niet herkende.

'Ik meen het.' Maddy begon te beseffen hoe dronken ze was. 'Ze weet het, hè? Vind je het leuk om haar verdriet te doen?'

'Ik heb alles gedaan wat ik kon om haar zover te krijgen me te verlaten. Maar dat wilde ze niet. Ze loopt niet weg. Ik denk dat ze het niet eens zou kunnen.' Paul maakte een uitgeputte indruk. 'Dus gaan we trouwen. Je zou me moeten feliciteren.'

'Vertel me dan in elk geval waarom je mij hebt gekozen.

Kon je haar niet met iemand anders bedriegen?'

'Jij was beschikbaar. Je was gewillig. Met jou zou het haar het meeste verdriet doen.'

'Je bent echt ziek, weet je dat?'

'Precies, dat ben ik. Ik dacht dat je dat wist.'

Maddy stond op en liep de bar uit. Ze verwachtte dat Paul zou proberen haar tegen te houden, maar dat deed hij niet. Voorzichtig wankelde ze de trap af naar de uitgang. Als ze viel en haar nek brak, zou niemand dat erg vinden. De jongste zus, over wie niets positiefs te zeggen viel. Zoek de verschillen: donker en licht, leeg en vol, verloren en gevonden.

Ze nam een taxi terug naar haar hotel. Voordat ze naar boven ging, deed ze eerst de bar aan. Er zaten meer mensen dan anders, een paar zakenmannen, hetzelfde jonge stel als de avond ervoor en aan het eind van de bar de oude man, met een glas whisky en een kop koffie voor zich.

'Hetzelfde als hij,' zei Maddy.

'Teddy Healy?' vroeg de barkeeper. 'Tja, die zit hier elke avond. Hij is minder gaan drinken. Eén koffie op elke twee whisky's.'

Maddy hief haar glas en goot haar whisky achter elkaar naar binnen. Ze nam de lift naar boven en wist haar kamer te bereiken. Later kon ze zich niet meer herinneren hoe ze er was gekomen. Ze had nog nooit zoveel gedronken als in Londen. Bedrog leidde tot meer bedrog. Ze was niet van plan geweest iemand verdriet te doen, maar uiteindelijk was iedereen verdrietig, zijzelf incluis. Ze stond op en liep naar het raam. Hiervandaan zag ze alleen de rechthoekige vormen van bakstenen gebouwen en een rij platte daken met schoorstenen. De hemel kon ze nauwelijks zien. Ze stak haar hoofd naar buiten. Het was drukkend warm. Nu had ze uitzicht op de straat met het verkeer dat voorbij raasde en witte en rode strepen licht achterliet.

Maddy dacht aan de plataan in hun achtertuin. Allie en zij konden er urenlang in zitten, verscholen tussen de takken. Op een dag kwam hun moeder naar buiten, liet zich op het gras zakken en barstte in huilen uit. De meisjes wisten dat ze op de reiger wachtte; Allie keek naar de lucht, maar Maddy was er zeker van dat hij nooit meer terug zou komen. Ze had hoogtevrees en was bang voor de smaak van haar eigen teleurstelling. Kennelijk was haar angst door haar huid heen te zien.

Je hoeft niet te kijken, had Allie gefluisterd. Hou je ogen maar dicht. Ik zeg het wel als hij er is.

Maddy werd wakker toen ze de man aan de overkant van de gang hoorde schreeuwen. Ze keek op de wekker: alweer half-elf. Ze ging naar de deur. Het leek wel elke avond dezelfde ruzie, maar misschien gingen ruzies tussen geliefden ook altijd over dezelfde grieven, die keer op keer werden herhaald. Maddy legde haar hand op de deurknop. Ze hoorde haar eigen zware ademhaling terwijl ze naar het conflict tussen haar overburen luisterde. Het klonk alsof er een relatie werd beëindigd.

Ze ging in kleermakerszit op de grond zitten en drukte haar oor tegen de deur.

'Hoe kón je?' vroeg de man.

Hoewel de ruzie niets met haar te maken had, begon Maddy te huilen. Ze had haar ogen open moeten doen toen ze in die plataan zat. Misschien had ze dan van haar moeder gehouden. En haar moeder van haar.

Ze viel in slaap op de grond achter de deur. De volgende ochtend deed haar hele lijf pijn. Op weg naar het ontbijt hield ze halt bij de receptie om te klagen over haar luidruchtige buren bij een jonge vrouw die Kara Atkins heette en verantwoordelijk scheen te zijn voor de service van het Lion Park, hoe beperkt die ook was.

'De mensen in de kamer tegenover me maken een enorme herrie. Het is echt idioot zoals ze tekeergaan. Ik kan er niet van slapen.'

'Wat vervelend. Even nakijken.' Kara liep naar het register en zocht Maddy's kamer op. 'O, u logeert op de zevende verdieping, kamer 708.'

'Ze doen het elke avond. Elke keer weer ruzie. Ik weet dat het mij niets aangaat, maar het is heel storend.'

Het management wilde Maddy met alle plezier een kamer op een andere verdieping geven, zei Kara, maar dat vond Maddy niet nodig. Mocht Paul haar nog komen opzoeken, dan wilde ze hem niet mislopen.

Toen ze ging ontbijten, zag ze dat Teddy Healy lag te slapen op een van de bankjes van een afgeschermd zitje. Ineengekropen als een muis lag hij zachtjes te snurken. Hij was er de hele nacht gebleven. Het personeel van het hotel behandelde hem vriendelijk; hij was hun oudste gast en de medewerkers leken min of meer voor hem te zorgen. Toen ze hem zo zag, besloot Maddy zich te vermannen. Ter plaatse en ogenblikkelijk. Ze wilde niet eindigen als een zatlap in een hotelbar. Ze zou niet wegkwijnen, zoals het vrouwtje van de reiger.

Ze dronk koffie en at toast met jam, en daarna ging ze weer naar boven om haar jurk op te halen. Het was tijd voor de laatste pasbeurt voor de bruiloft. Op weg naar haar kamer zag ze dat de deur van kamer 707 openstond. Ze gluurde naar binnen. Hopelijk ging het ruziënde stel eindelijk naar huis.

De kamer was leeg. Niet alleen waren er geen gasten, er was ook geen meubilair. Geen kaptafel. Geen bed. Er stonden een paar matrassen tegen de muur. Het was er ijskoud. Als Maddy uitademde, vormde zich een wolkje. Ze herinnerde zich dat het in de slaapkamer van haar moeder altijd koud was geweest. Ze was altijd bang geweest om er naar binnen te gaan. Misschien leek ze op haar vader, klaar om weg te rennen bij het eerste teken van een crisis. Allie had haar bij de hand moeten nemen om haar over de drempel te trekken. Het is mama maar, gekkie, zei ze dan. Ze bijt je niet.

Maddy liep terug naar beneden en ging naar de receptie.

'Ik blijk helemaal geen overburen te hebben,' zei ze tegen Kara Atkins. 'Er is niemand in die kamer waar steeds ruzie wordt gemaakt. Er staat niet eens een bed.'

'Tja, ze zeggen dat het Michael Macklin is,' verklaarde Kara schaapachtig.

'Is dat een beroemdheid of zo? Moet ik hem kennen?'

'Het is een geest. Tenminste, dat wordt gezegd. U moet begrijpen dat ik niet in zulke dingen geloof.'

'Mooi is dat,' antwoordde Maddy. 'Ik ben in elk geval blij dat hij is verhuisd.'

'O, maar hij is niet verhuisd. Er staat daar al twintig jaar geen meubilair, maar dat houdt hem niet tegen. Geesten gaan waar ze willen. Ze hebben geen bureau of schrijftafel nodig.'

'Ik dacht dat je niet in zulke dingen geloofde?'

'Dat doe ik ook niet,' zei Kara. 'Maar deze geest heb ik zelf gehoord.'

'Dat meen je niet.'

Maddy zag de uitdrukking in Kara's ogen.

'Lieve hemel, je meent het wel,' zei ze.

'Hij dateert van 1952, toen hier een incident plaatsvond. Dat is erg recent voor een spookverschijning, als er zoiets bestaat.'

'Waar jij dus niet in gelooft,' zei Maddy.

'Precies. Een van de mensen die erbij aanwezig is geweest komt elke avond naar de bar. Waarschijnlijk om die avond steeds opnieuw te beleven. Maar hij wil er niet over praten.'

'Teddy Healy? Die oude meneer?'

'Dat is hem, ja.'

'Wil je me wijsmaken dat ik dát elke avond hoor?'

'Ik vertel u alleen het verhaal,' zei Kara. 'Wat u ermee doet, mag u zelf weten.'

Maddy was van plan geweest een taxi naar haar zus te nemen, maar nu bedacht ze dat ze zou gaan lopen. Ze hield niet van gepraat over geesten en ongelukkige liefdes. Het was maar goed dat ze had besloten niet meer te drinken. Ze zou gewoon verdergaan met haar leven. Ze had haar blauwe jurk over haar schouder geslagen. Die wapperde achter haar aan en zag er in de zon nog stralender uit. Toen ze afsloeg het park in, bleek alles daar sprookjesachtig groen te zijn. Vandaag had ze geen hekel aan Londen, hoewel het nog steeds erg warm was. Er hing een geur in de lucht die haar deed denken aan het moeras thuis. Iets kruidigs, aromatisch. Voor haar lag The Serpentine. Er dobberden modelbootjes in het water. De bladeren aan de bomen waren groen, maar de randen werden al geel. Ze liep het rosarium in, waar enorme witte rozen stonden, witte schotels die op ijssculpturen leken, behalve dat ze schommelden op de bries.

Maddy zou te laat komen, maar dat kon haar niets schelen. Ze had toch al alles verkeerd gedaan, dus kon ze net zo goed ook als laatste bij haar zus arriveren. Ze stopte bij een stalletje om een flesje fris te kopen. Ze zou het snappen als iemand in dit park wilde komen spoken, om steeds opnieuw over dit pad te lopen en voorgoed dezelfde rozen te ruiken. Als je dan toch een geest moest zijn en gedoemd was iets steeds te herhalen, zou dat een aangename bezigheid zijn. Mits je in zulke dingen geloofde. Geesten hadden geen meubilair nodig, dus misschien konden ze ook zonder liefde. Misschien sliepen ze in nesten in de bomen en keken ze van boven neer op de domme dingen die mensen deden.

Ze kwam aan in Bayswater. Toen ze Allies flat binnenstapte, hadden de andere bruidsmeisjes hun roomkleurige pakjes al aan. Ze stonden zwijgend bij elkaar; het leek meer op een dodenwake dan op een pasbeurt voor een feestelijke gelegenheid.

'Kon je deze ene keer niet op tijd komen?' vroeg Georgia.

'Niet dat het jou iets aangaat,' zei Maddy, 'maar ik was verdwaald.' Het was tenslotte bijna waar. 'Waar is mijn zus?'

'Waarom ga je haar zelf niet zoeken?'

Allie stond in de keuken te huilen.

'Hoor eens, het spijt me,' zei Maddy. Ze wierp haar jurk over een keukenstoel, liep naar haar zus en sloeg haar armen om haar heen. 'Ik ben een idioot en ik ben te laat. Er zijn geen excuses voor de stommiteiten die ik bega. Dat heeft je vriendin Georgia me al laten weten, en ik kan haar niet tegenspreken. Het spijt me echt, Allie. Ik vind dat je me maar moet verstoten.'

Allie boog zich dicht naar haar toe. 'Hij is ziek, Maddy. Dat is hij het hele jaar al. Ik wilde je er niet mee belasten, en ik mocht het van Paul aan niemand vertellen. Hij is steeds zo kwaad geweest. En nu is zijn toestand verslechterd.'

Maddy hoorde hoeveel lawaai de koelkast maakte. Dat was haar niet eerder opgevallen. Het was haar ook niet opgevallen dat haar zus er zo afgetobd uitzag. Hoewel ze nooit opgewonden had geleken over haar bruiloft, alleen plichtsgetrouw.

'Vorig jaar bleek hij non-Hodgkin te hebben, stadium vier toen we het ontdekten. Toen ík het ontdekte. Hij had al een tijdje last van nachtzweten en had weinig eetlust. We stonden samen onder de douche toen ik het voelde. Een knobbel in zijn oksel. We dachten dat het niets was, een insectenbeet die ontstoken was geraakt, zoiets, maar dat was het niet. Het bleek kanker te zijn. Het zat overal. Hij wilde niet dat ik erover praatte. Het punt is... ik was van plan het uit te maken voordat hij ziek werd.'

Maddy liep naar de gootsteen om twee glazen water te pakken. Dan kon Allie haar gezicht niet zien.

'Hij was een waardeloze vriend. Ik weet niet of ik ooit echt verliefd op hem ben geweest of dat het gewoon tijd was voor vastigheid toen hij me ten huwelijk vroeg. We pasten totaal niet bij elkaar, maar ja, zo stond het ervoor. En ik moest hem toch wel verzorgen tijdens de behandeling? Ik ben niet het type om iemand in de steek te laten, maar het was afschuwelijk. Veel erger dan bij mam. Hij werd zo ziek van de chemo dat ze niet wisten of hij het zou overleven. Hij viel vijftien kilo af, zijn haar viel uit. Ik moest wel blijven.'

Maddy bracht de glazen water naar de tafel. 'Natuurlijk.'

'Hij was woest. Waarom hij? Waarom wij? Waarom, waarom. Nou, ik kon natuurlijk niet doen wat pap heeft gedaan, dat snap je wel. Ik kon er niet midden in een crisis vandoor gaan. Toen, in de winter, ging het beter met hem. Hij had geen beenmergtransplantatie nodig. Hij werd sterker. In maart heb ik het uitgemaakt en toen werd hij weer zo kwaad. God, hij was woedend. Vlak voordat jij in april kwam logeren, waren we zo goed als uit elkaar. Ik hield alleen nog de schijn op; dat heb je vast wel gemerkt toen we die taarten gingen proe-

ven. Ik wilde de hele boel afzeggen. En toen kwamen de uit-
zaaiingen en werd alles anders.'

Ze konden geen van beiden een slok water door hun keel
krijgen.

'Het was te laat voor transplantatie,' zei Allie.

'Hij wordt vast beter.'

'Je luistert niet naar me, Maddy. Beter is niet aan de orde.
Morgen is waarschijnlijk niet eens meer aan de orde. Hij is na
het diner weer opgenomen. Het gaat nu heel snel. Hij is blind.
Hij kan zijn benen niet meer bewegen. Zijn hele ruggengraat
zit er vol mee.'

Maddy moest gaan zitten. 'Ik wist niet dat het zo snel kon
gaan.'

'Het spijt me dat ik je er zo mee overval. Ik heb het de anderen verteld toen ze hier vandaag aankwamen. Georgia en
Hannah wisten het, maar verder niemand. O, en mam. Zij
heeft het al die tijd geweten.'

'Mam?' Maddy slikte moeizaam. 'Heb je het haar wel verteld en mij niet?'

'Ik wilde je sparen.'

'Natuurlijk. Ik ben ook zo overgevoelig. Ondenkbaar dat
ik een ander zou kunnen helpen!'

Allie keek gekwetst. 'Zo bedoelde ik het helemaal niet.'

'Waarom kun je me nooit als gelijke behandelen?' Maddy
haalde haar sigaretten tevoorschijn en stak er een op. Allie
protesteerde niet eens. Dit was Maddy ten voeten uit: altijd
eerst aan haar eigen grieven denken. Ze nam één flinke trek en
drukte de sigaret toen uit in een bord. 'Ik ben een idioot,' zei
Maddy. 'Het spijt me.'

'We houden de bruiloft in het ziekenhuis. Ik wou dat het
onder de plataan kon. Dan zouden we belletjes en linten om

alle takken kunnen strikken.' Dat was wat het vrouwtje van de reiger in Allies boek had gedaan om haar echtgenoot naar huis te halen toen hij op vrijersvoeten ging. 'We zullen The Orangery toch moeten betalen, en de cateraar en de bloemen en zo. Maar we hebben altijd geweten dat het zo kon gaan. Daarom wilde ik pap en mam niets laten betalen.'

'Weet pap het ook? Jezus, Allie, wist de hele wereld het, behalve ik?'

'Paul wilde niet dat jij het wist.'

'Heeft hij mij speciaal genoemd? Heeft hij gezegd: niets tegen Maddy zeggen?'

'Nee, natuurlijk niet. Hij is gewoon heel eigenzinnig. Het is echt iets voor hem om onze beste vrienden niet te willen zien en dan een eenzame oude dame mee naar het theater of uit eten te nemen. Hij wilde mijn leven niet bederven met zijn ziekte en heeft alles gedaan om me zover te krijgen dat ik hem zou dumpen. Ik dacht dat het was omdat hij zo kwaad op me was. Nu snap ik dat hij me mijn vrijheid terug wilde geven.'

'Bedoel je dat hij niet lang meer te leven heeft?' Maddy klonk niet helemaal als zichzelf.

Allie had haar bruidspakje aan. Ze was zoveel afgevallen dat het twee maten te groot was. 'Ja,' zei ze.

Georgia stak haar hoofd om de deur en kwam toen de keuken binnen. 'Is alles in orde?' Ze stak haar arm door die van Allie en keek Maddy onderzoekend aan. 'Heb je het haar verteld?' Allie knikte. 'We hoeven niet verder te gaan met passen,' opperde Georgia. 'We kunnen de kleermaker naar huis sturen.'

'Helemaal niet,' zei Allie. 'Ik ga ervoor zorgen dat alles volgens plan verloopt.'

Toen Allie de woonkamer in ging om zich met de andere

bruidsmeisjes bezig te houden, vroeg Maddy aan Georgia: 'In welk ziekenhuis ligt hij?'

'In het Bart's,' zei Georgia. 'St. Bartholomew's Hospital. Daar heeft hij in de herfst ook gelegen. Hannah en ik zijn toen om beurten bij Allie gebleven.'

'Ik wist er niets van,' zei Maddy.

'Heb je er ooit naar gevraagd?'

'Nou moet je mij niet de schuld geven. Allie kan gewoon geen hulp accepteren.'

'Je moeder is anders al sinds het voorjaar heen en weer aan het reizen. Ze heeft de hele tijd geholpen.'

Dat was een schok voor Maddy.

'Het verbaast me dat hij het je zelf niet heeft verteld,' zei Georgia. Dat was het dus: de reden dat ze zo'n hekel aan Maddy had. 'Dacht je dat ik het niet doorhad toen ik jullie samen in die taxi zag zitten? Jullie keken allebei zó schuldbewust. Laten we maar hopen dat Allie er nooit achter komt.'

Maddy vluchtte de woonkamer in en trok de blauwe zijden jurk aan. Geen van de bruidsmeisjes zei een woord. Alleen de kleermaker en zijn assistent praatten honderduit. Maddy's jurk hoefde helemaal niet ingenomen te worden. 'Perfect,' zei de kleermaker.

'Je ziet er schitterend uit,' beaamde Allie. 'De kleren zijn al betaald, dus dan moeten ze ook goed passen. Jullie kunnen ze nog bij andere gelegenheden dragen.'

De kleermaker en zijn assistent begonnen hun doosjes met naalden en spelden op te ruimen.

'Wil je dat ik blijf?' vroeg Maddy haar zus. Ze wist al wat het antwoord zou zijn.

'Ik bel je wel als ik je nodig heb,' beloofde Allie, hoewel ze allebei wisten dat ze dat nooit zou doen.

Maddy nam een taxi naar haar hotel, gaf de jurk af bij de receptie en stapte weer in de wachtende taxi om door te gaan naar het ziekenhuis. Er was veel verkeer en het was bijna etenstijd toen ze er aankwam. Het ziekenhuis was net een doolhof, chaotisch en druk. Ze had een hekel aan ziekenhuizen. Niemand leek enige informatie te hebben, maar uiteindelijk vond ze Pauls kamer. Een verpleegster hield haar tegen en stond erop dat ze een blauw mondkapje voordeed. Maddy ging met afgewende blik naar binnen, zodat ze de patiënt in het eerste bed, die moeizaam ademde, zo min mogelijk zou storen. Het huilen stond haar nu al nader dan het lachen. In het tweede bed, asgrauw en half slapend, lag Paul, aan een infuus. Hij tuurde in haar richting.

'Allie?' vroeg hij.

Zijn gezichtszenuwen waren aangetast en hij zag alleen nog maar vage vormen. Dat had Maddy tijdens het etentje al moeten beseffen. Maar toen had ze het te druk gehad met hem haten om echt te merken wat er aan de hand was. Hij was toen al doodziek geweest.

'Nee. Ik ben het,' zei Maddy.

'Het zusje.' Paul grijnsde. Je kon hem zijn leeftijd nu aanzien. Hij was niet jongensachtig meer. 'Je hoort bloemen en druiven mee te nemen op ziekenbezoek.'

'Je bent een ongelofelijk goede leugenaar.' Maddy ging op een rechte stoel naast zijn bed zitten. Ze pakte zijn hand. Die was slap en koud. 'Je had het me moeten vertellen.'

'Wat had ik je moeten vertellen? Dat ik het blijkbaar verkloot had in de ogen van God of de engelen? Dat mijn leven verwoest was en dat ik bezig was Allies leven te verwoesten? Ik ben zo ontzettend kwaad op haar geweest.'

Zijn avondeten stond onaangeroerd op een dienblad. Soep,

frisdrank waar de prik uit was, en geroosterd brood met een bleek laagje boter. Pauls lippen waren droog en gebarsten.

'Ze hield niet van me,' zei Paul.

'Wil je iets te drinken?' vroeg Maddy.

'Een whisky-soda. Een dubbele.'

Maddy hield het kartonnen bekertje vast en Paul dronk met kleine teugjes door het rietje. Gingerale.

'We hebben vandaag de laatste pasbeurt gehad,' zei Maddy. 'Ze zag er mooi uit.'

'Misschien moet je haar een teil en zwarte textielverf geven. Ze heeft beter verdiend.'

Maddy probeerde hem nog wat te laten drinken, maar hij wuifde haar weg.

'Weet je wat me zo kwaad maakt? Dat ik wist dat dit zou gebeuren en het nu echt zover is. Ik kan mijn benen niet meer bewegen, zusje. Ik kan je niet meer zien.'

Maddy zette het bekertje neer en pakte de kom met waterige soep. 'Je moet iets eten.'

'Zo is het genoeg,' zei Paul na drie lepels. 'Ik geef bloed op.'

Maddy zette het dienblad weg en kwam naast hem op het bed zitten; ze legde haar hoofd tegen zijn borst. Zo hoorde ze zijn hart. Het klopte nog steeds.

'Arme Allie,' zei Paul tegen Maddy. 'Een herhaling van haar jeugd. Een leven bij iemand in een ziekenkamer. Uiteindelijk doe ik precies wat ik heb gezworen haar nooit aan te doen. Ze is doodsbang.'

'Allie is nooit ergens bang voor geweest,' zei Maddy.

Paul lachte en begon toen te hoesten. 'Je kent haar niet zo goed als je denkt. Ze is wel degelijk doodsbang.'

'Praat niet zoveel. Je moet uitrusten.'

'Ik hoef niet uit te rusten om dood te gaan. En zeg nou niet dat ik weer beter word.' Paul sloot zijn ogen. 'Gun me één persoon die eerlijk tegen me is.'

'Zo eerlijk als jij tegen mij bent geweest?'

'Ik heb niet gelogen. Je hebt jezelf voorgelogen. Als je me in mijn laatste uren gezelschap houdt, kun je me op z'n minst amuseren.'

Waarom haatte ze hem niet meer? Als ze al iemand haatte, was het zichzelf, omdat ze zo stom was geweest zich te laten beetnemen en Allie te bedriegen. Er liep een blauwe ader over Pauls schedel die Maddy nooit eerder had gezien. 'Ik weet een waargebeurd verhaal,' begon ze. 'Het spookt in mijn hotel.'

Paul lachte weer en draaide zijn gezicht toen geïnteresseerd naar haar toe. Er druppelde vocht uit zijn ogen.

'Heus waar,' vervolgde Maddy. 'Het spook kwelt een man die permanent in de bar bivakkeert.'

'Lieve Maddy. Je bent zo naïef. Je gelooft alles wat de mensen je vertellen. Straks zeg je nog dat de duivel naast me zit.'

De man in het eerste bed was gaan kermen.

'Doe in godsnaam dat gordijn dicht,' zei Paul. 'Wat maken mensen toch een herrie als ze doodgaan. Ze zouden ons wel een beetje rust mogen gunnen.'

Maddy stond op om het gordijn goed dicht te schuiven, waarbij ze een glimp opving van een oude man die ineengekrompen lag van de pijn. Er ging een huivering door haar heen. Ze draaide zich weer naar Paul. Aan de andere kant van zijn bed hing ook een gordijn. Ze kon de patiënt die erachter lag niet zien, alleen een bundel licht die door de stof schemerde. Paul lag met zijn knieën opgetrokken tegen zijn borst. Ze had het gevoel dat ze bijna door hem heen kon kijken. Pas op dat moment besefte ze werkelijk dat hij stervende was. Hij was er half wel en half niet.

Ze had nooit goed raad geweten met ziekte. Ze had altijd de behoefte gehad weg te lopen voordat het zover kwam als nu met Paul. Maddy dacht aan de afschuwelijke dingen die ze vroeger tegen haar moeder had gezegd: als het geen kanker was, werd het niet serieus genomen. Dan was er niets aan de hand.

Ze had nog nooit zo'n hekel aan zichzelf gehad als op dit moment. Paul leek niet meer op de man met wie ze in het voorjaar naar bed was geweest. Ze kende hem niet eens. Het liefst zou ze de gang op zijn gelopen. Dan had ze in één keer door kunnen lopen, de deur uit naar de witte rozen in het park. In plaats daarvan dwong ze zich een stoel dicht bij het bed te trekken. Ze was bang dat ze hem pijn zou doen of iets zou morsen.

'Na wat er tussen ons is gebeurd, ben ik degene die voor je moet zorgen,' zei ze.

Paul lachte, een kort droog lachje dat snel wegstierf. 'Ben je gek geworden? Ik ben een hopeloze narcist in de klauwen des doods. Je wilt mij niet.'

Hij moest ophouden met praten, want hij kon bijna geen lucht meer krijgen. Hij draaide zijn gezicht weg; zijn ledematen waren krachteloos, alsof zijn spieren nergens meer aan vast zaten. De kanker zat in zijn ruggengraat. Als het einde kwam, ging het absurd snel. Zijn botten waren broos geworden als kant, een prachtige verwoesting. 'Ik hou van haar. Dat wist je best.'

Hij lag roerloos. Maddy dacht dat ze hem hoorde huilen.

'Er stond een reusachtige boom in onze achtertuin,' fluisterde Maddy. 'Als je erin klom, kon je de hemel aanraken. We hingen er belletjes en linten in om de vogels te lokken. Maar ze reageerden alleen op het geluid van Allies stem. Mij hoorden ze niet.'

'Goed zo.' Paul hield zijn ogen gesloten, maar hij had duidelijk een glimlach om zijn lippen. 'Brave meid. Amuseer me. Ik wist dat ik op je kon rekenen. Ik wist dat je een goed verhaal zou kunnen vertellen. Vertel me meer over haar.'

Toen ze terugkwam in het Lion Park, meldde de receptioniste dat ze bezoek had. Haar moeder zat in het restaurant op haar te wachten. Maddy wilde eigenlijk naar boven om even te gaan liggen, maar ze liep het restaurant in.

Lucy had een glas witte wijn besteld, hoewel ze meer trek had in whisky. Naast haar glas stond een schoteltje gesmolten ijs. De temperatuur was gestegen. Het hotel had airconditioning in de openbare ruimtes, maar toch was het er bedompt. Dat herinnerde ze zich ook al van vroeger.

'Het ziet er hier nog hetzelfde uit. Alleen ouder.'

De afgelopen paar avonden was Lucy langs het hotel gelopen. Dit was de plek waar ze voor het eerst had beseft dat je jezelf kon kwijtraken als je niet uitkeek.

'Ik heb hier een kamer genomen omdat ik me herinnerde dat jij erover vertelde,' zei Maddy. 'En je had die asbak. Ik had iets beters verwacht.'

'Het was de eerste keer dat ik in Londen was. De eerste keer dat ik van huis was, eigenlijk. Toen was ik hier ook voor een bruiloft. Ik zie dat ze de oude stenen leeuw nog hebben.'

'Vertel eens, mam, ben ik de laatste mens op aarde die te horen heeft gekregen dat Paul zo ziek is?'

'Hij is nogal op zichzelf. En hij was er vreselijk aan toe. Allie heeft me verteld dat ze vóór de diagnose eigenlijk niet meer met hem wilde trouwen, maar ze heeft hem niet in de steek gelaten. Zo is ze.'

'Huichelachtig?'

'Trouw.'

'O ja, natuurlijk. Altijd Allie. Wat zij doet is goed. Allie is trouw. Allie krijgt altijd alles.'

Lucy lachte tot ze zag dat haar dochter het meende. 'Ze heeft een ongeneeslijk zieke man gekregen.'

'Ik zou kunnen helpen,' zei Maddy. 'Ik zou mijn steentje kunnen bijdragen door hem te verzorgen.'

Lucy stak haar hand over de tafel en pakte die van haar dochter.

Maddy dacht al haar hele leven dat haar moeder niet van haar hield, niet zoals ze van Allie hield. Het bewijs was gekomen toen Maddy op een dag haar moeders slaapkamer binnenstapte, waar de rolgordijnen naar beneden waren en alle lampen uit. Lucy had haar ogen dicht. Ze merkte dat er iemand in de kamer was, en toen ze haar ogen opendeed schrok ze omdat ze Maddy in de deuropening zag staan. 'Ik kan niet...' zei haar moeder, en verder niets. Maddy was weggerend. Ze had zeker geweten wat het betekende: ik kan niet voor je zorgen. Ik kan niet van je houden. Nu vroeg ze zich af of ze zich misschien had vergist. Misschien had haar moeder bedoeld: ik kan niet verdragen dat je me zo ziet. Daarvoor hou ik veel te veel van je.

'Er valt niets te verzorgen, Maddy. Het is voorbij. Dit gaat alleen hen aan. Deze man wordt Allies echtgenoot, of hij nu stervende is of niet. Zij is de enige die hem kan bijstaan.'

Maddy trok zich los en sloeg haar handen voor haar gezicht. Ze roken naar ziekenhuiszeep, een schone, doordringende lucht. Ze wilde absoluut niet dat haar moeder haar zag huilen. Lucy bestelde nog een glas wijn. Dit was de dochter die niets voelde, die ze nooit had kunnen bereiken.

'Je kunt iemand niet dwingen van je te houden, weet je.

Dat heb ik met jullie vader ontdekt. Ik wilde hem niet als hij mij niet wilde. Ik heb gezien wat dat met een mens kan doen.'

'Ik heb iets vreselijks gedaan,' zei Maddy. 'Iets onvergeeflijks.'

'Geloof me, niets is onvergeeflijk,' zei Lucy.

Toen Maddy naar haar kamer ging om te gaan liggen, bleef Lucy in de bar achter. Ze bestelde een whisky-soda. Ze wist dat ze geen erg goede moeder was geweest, vooral niet voor Maddy. Ze had gedacht dat het beter was om afstand te houden. Dan zouden haar dochters haar niet zo missen als haar iets overkwam. Ze zouden er minder kapot van zijn als ze toch altijd al alleen waren geweest.

Toen ze had gehoord dat Maddy in het Lion Park logeerde, had Lucy het hotel gebeld. Ze had niet eens geweten of Teddy Healy nog leefde. Maar het meisje van de receptie dat ze had gesproken had haar verzekerd dat dat het geval was, en toen was Maddy ook over hem begonnen. Misschien was het voorbestemd of misschien had het niets te betekenen, maar het had Lucy hoe dan ook tijd geleken om terug te gaan. Er zaten een paar oudere mensen aan de bar, maar pas toen er laat op de avond een man binnenkwam die de barkeeper aansprak, wist ze zeker dat het Teddy was. Ze herkende zijn stem. En zijn gezicht kwam haar bekend voor, zelfs na al die jaren. Teddy leek haar totaal niet te herkennen. Lucy was intussen dan ook een vrouw van in de vijftig en hij een oude man.

Teddy was altijd een goede peetoom voor de drie kinderen van zijn broer geweest. Hij vergat nooit een verjaardag en had geen diploma-uitreiking gemist. Maar een groot deel van zijn leven was drinken het enige geweest wat hij serieus had genomen. Bij de bank waar hij had gewerkt waren een paar vrouwen die hadden laten merken dat ze beschikbaar waren, maar

Teddy was op zijn hoede. Als hij in zijn jongere jaren naar vrouwelijk gezelschap had verlangd, belde hij een bedrijf dat die diensten aanbood. Het was doodeenvoudig: er kwam een knappe vrouw bij hem thuis, ze gingen met elkaar naar bed en hij betaalde haar. Daarna ging hij naar het Lion Park om zich te bezatten. Dat was de constante in zijn bestaan: de bar van het hotel. Het moment dat hij naar boven ging en opnieuw meemaakte wat hem was overkomen.

Vele jaren geleden was Teddy op een avond zo dronken geworden dat de portier van het Lion Park hem eruit had gegooid. Dat was in de jaren zestig gebeurd, toen het er wild aan toe ging; overal waren drugs en toch was Teddy degene die op straat werd gezet. Er was een meisje naar hem toe gekomen en ze had iets tegen hem gezegd. Ze was heel mooi en had hem streng toegesproken. Het waren andere tijden, toen jonge vrouwen nog met vreemden praatten. Deze had hem in een taxi geholpen en gezegd dat hij zou sterven aan levercirrose als hij niet ophield met drinken. Ze zei dat hij aan anderen moest denken en niet alleen aan zichzelf. Je wist nooit wie je kon helpen, zei ze. Dat is tenslotte je plicht als mens.

Daarna was Teddy zijn drankgebruik gaan minderen. Hij ging reizen, naar Afrika en het Midden-Oosten, plaatsen waar het landschap indrukwekkend was, waar het leven al eeuwig zijn loop had en zijn armzalige bestaan volledig onbelangrijk leek. Hij dronk nog steeds, maar niet op dezelfde manier. Hij ging er niet aan ten onder. Het grootste deel van zijn geld gaf hij weg, aan scholen in de landen die hij bezocht of aan kinderen van wie hij het lesgeld betaalde. Hij nam ook de kosten van de universitaire opleiding van zijn neefjes op zich. En hij ging op bezoek bij bejaarden in tehuizen en las hen voor. Iedereen zei dat hij daar een prachtige stem voor had. Daarom ging hij boeken inspreken voor slechtzienden. Als hij maar genoeg goed deed in de wereld, zou die jonge vrouw die hij had ontmoet misschien gelijk krijgen, dacht hij; dan zou hij misschien terugwinnen wat hij die avond van het ongeluk was kwijtgeraakt.

Nu had Teddy inderdaad leverproblemen en longemfyseem, zoals die jonge vrouw lang geleden had voorspeld, maar hij ging nog steeds eenmaal per jaar naar Afrika, naar Nigeria. Hij was betrokken geweest bij de bouw van een school daar, en nu hielp hij geld inzamelen voor een huis waar meisjes konden slapen, zodat ook zij onderwijs konden volgen. Maar hij kwam nog steeds terug naar de bar van het Lion Park, en niet alleen omdat het een aangename plek was. Dit was de plaats waar zijn leven een verkeerde wending had genomen.

Het viel Lucy op hoe fragiel hij oogde, als een man die niet buiten zijn middagdutje kon.

'Teddy Healy. Bent u het echt?'

Teddy hief zijn koffiekop naar haar op. Tegenwoordig dronk hij nog maar zelden meer dan een paar glazen whisky. 'Aangenaam,' zei hij. Hij had duidelijk geen idee wie ze was.

'Ik ben Lucy Green. Lucy Heller, tegenwoordig.'

Teddy Healy staarde haar aan. Een knappe, donkerharige vrouw. Een volkomen vreemde. Toen deed ze iets met haar gezicht, produceerde ze een soort halve glimlach, en hij zag het meisje dat ze jaren geleden was geweest, toen ze hier had gelogeerd.

'Lucy,' zei hij. 'Ja.'

'Toen ik terug was in Amerika heb ik geprobeerd u te schrijven, op het adres van dit hotel, maar de brieven kwamen ongeopend terug.'

'Brieven en ik, dat is nooit een goede combinatie geweest.'

'Ik heb vaak aan u gedacht, meneer Healy.'

'Dat is lief van je,' zei hij. 'Dank je.'

'Mijn dochter woont in Londen. Een van mijn dochters. Ze staat op het punt van trouwen, maar haar verloofde is ernstig ziek. Ze verwachten niet dat hij nog lang zal leven.'

'Hou je verre van brieven en het huwelijk,' zei Teddy Healy. 'Dat is de beste raad die ik kan geven.'

'Juist,' zei Lucy. Ze wist hoeveel verdriet die zaken hem hadden bezorgd.

'Het doet me verdriet dat je dochter het zo moeilijk heeft,' vervolgde Teddy. 'Het is heel triest voor haar.'

'Dank u. Ik had toen ook veel verdriet om u. Ik had hier jaren geleden terug moeten komen. Dat was ik wel van plan, maar ik had het te druk met mijn eigen leven. Ik heb meer fouten gemaakt dan ik kan tellen.'

Teddy Healy haalde zijn schouders op. Hij bestelde nog een kop koffie en ook een voor Lucy. 'Ach, het verleden... Pfft.'

'Mijn dochter zegt dat het hier nog steeds spookt.'

'Dat heb ik gehoord.' Teddy keek even op en zag dat ze zich niet zo makkelijk liet afschepen. 'Jij gelooft toch zeker niet in die onzin?'

'Ik heb één keer een spook gezien,' zei Lucy. 'Als getuige was ik niet veel waard. Ik viel flauw en stootte mijn hoofd.'

'Je hebt een goed langetermijngeheugen,' zei Teddy. En dat was jammer; daar had hij zich altijd zorgen over gemaakt. Dat hij niet alleen zijn eigen leven maar ook het hare kapot had gemaakt. 'Ik neem aan dat je ook nog weet dat ik een lafaard was.'

'Ik weet nog dat ik dacht dat het allemaal mijn schuld was.'

'Dat is echt dom van je. Het was mijn schuld. Ik heb jou je jeugd afgepakt. Dat valt niet meer goed te maken, neem dat maar van me aan.'

'Denkt u dat heus? Je zou ook kunnen zeggen dat u me mijn jeugd hebt teruggegeven.'

Teddy lachte. 'Dat kan ik me niet voorstellen.'

'Toch is het zo. Mijn vader is getrouwd met een vrouw die hij hier heeft ontmoet en we zijn met z'n drieën in New York gaan wonen. Ik liet elke dag mijn hond uit in Central Park en ik was gelukkig, iets wat ik niet had verwacht ooit nog te zullen worden. Wat ik op de zevende verdieping van dit hotel heb gezien, was een man die geen schuld droeg. Dat herinner ik me heel goed. Kom mee, dan zullen we het zien.'

'Eerlijk gezegd kom ik nooit meer boven. Niet sinds ik minder ben gaan drinken.' De barman bracht hun koffie. 'Zet maar op mijn rekening.' Teddy keek naar de klok. Het was bijna halfelf, het gevreesde tijdstip.

'Ik vind dat we naar boven moeten gaan om ermee af te rekenen, meneer Healy.' Ze was al opgestaan.

'En anders kom ik niet van je af, hè, Lucy?'

Ze schudde haar hoofd. Hij herinnerde zich dat ze toen ook zo koppig was geweest.

Ze namen de lift naar boven. Lucy herinnerde zich niet dat die zo klein en gammel was. Op de bovenste verdieping stapten ze uit. De zevende. Er was wat reparatiewerk verricht langs de deurlijsten, waar het tamme konijn dat in het hotel woonde toen Lucy een meisje was repen behang had losgetrokken, maar verder zag alles er slecht onderhouden uit.

'Mijn dochter heeft een kamer op deze verdieping.'

'Ze had wel een beter hotel kunnen vinden,' zei Teddy.

'Dat geldt voor ons allemaal.'

Teddy grinnikte. Hij zag bleek.

Toen ze bij kamer 707 aankwamen, klopte Lucy aan en deed de deur open. De kamer was leeg en het was er koud.

Tegen een van de muren stonden een paar reservematrassen. Lucy liet de deur openstaan en Teddy en zij keken vanuit de gang naar binnen. Teddy wierp haar een zijdelingse blik toe en ze voelde zijn onzekerheid. Allebei herinnerden ze zich alles. Ze wisten misschien niet meer wat ze die dag bij het ontbijt hadden gegeten, maar ze wisten nog precies wat er in deze kamer was gebeurd.

Het was halfelf. Toen Lucy's man bij haar weg was gegaan, had ze vaak aan Teddy Healy gedacht. Ze wist dat liefde niet iets was waar je domweg op kon rekenen. Ze dacht terug aan het meisje dat ze was geweest; in veel opzichten was ze nog steeds dezelfde. Ze had haar vertrouwen in anderen verloren toen ze klein was, lang voordat ze naar Londen was gekomen.

Ze hoorden een paar gasten op de zesde verdieping enigszins aangeschoten lachen. Het was halfelf, en daarna werd het vijf over halfelf en kwart voor elf. Er was geen spoor te bekennen van een geest of wat het dan ook was geweest.

'Waar is hij gebleven?' vroeg Teddy Healy.

Lucy boog zich dicht naar hem toe. 'U bent een goed mens. Misschien was dat het enige wat u moest weten. Dat bent u altijd geweest. U bent goed voor mij geweest.'

'Wat ik voor jou heb gedaan stelde niets voor.'

'Dat hebt u helemaal mis, meneer Healy. Het betekende alles voor me.'

Maddy bracht de volgende dag alleen door. Dat was niets bijzonders voor haar, maar vandaag was het anders. Vandaag had ze liever bij haar familie willen zijn. Ze ging naar buiten in een spijkerbroek, teenslippers en het T-shirt waarin ze had geslapen. De hittegolf was nog niet voorbij en veel restaurants waren door hun ijs en koude frisdranken heen.

Maddy had de sleutel van haar kamer en wat geld op zak. Ze voelde zich ontheemd en verloren. Met moeite vond ze het deel van het park terug waar de gigantische witte rozen bloeiden, en daar ging ze op een bankje zitten. Op de bank recht tegenover haar lag een man te slapen. Het was stil in het park. Maddy kon het verkeer op Brompton Road niet horen. Het was alsof de tijd hier langzamer ging. Voor één keer dacht ze na over de dingen die ze had gedaan en dat stemde haar niet tevreden. Toen de man in zijn slaap begon te kreunen, stond Maddy op. Ze liep urenlang rond. Aan het eind van de dag deden haar voeten pijn, en daarom stapte ze laat in de middag een café binnen, waar ze lauwe cola dronk. Niemand viel haar lastig. Een paar mensen wierpen een steelse blik in haar richting en wendden hun blik weer af. Een knappe vrouw die niet op haar best was. Ze had haar haar niet gewassen, alleen opgestoken. Haar kleren waren gekreukt en ze maakte een gespannen indruk, alsof ze zich weleens gelukkiger had gevoeld.

Maddy belde een paar maal naar het hotel van haar moeder om te informeren hoe het met Paul ging, maar Lucy was er nooit. Ze liet zes berichtjes achter bij de receptie. Ze belde het ziekenhuis, maar toen de telefoniste opnam en vroeg wie ze wilde spreken, hing ze op.

Het was bijna donker toen Maddy het café uit kwam. Ze had de hele dag geleefd op frisdrank en chips. De lucht was grijsblauw en weids. Bij een tuinhek een paar straten achter het hotel stond een rozenstruik met bloemen die in de vallende schemering bijna bloedrood leken. Toen Allie en zij zichzelf lang geleden op een avond onder de plataan hadden gesneden, had Maddy beseft dat niets haar kon deren als ze besloot geen pijn te voelen. Ze vond het best dat haar zus hoop koesterde, maar zelf zou ze nergens in geloven. Ze leek meer op haar moeder dan ze ooit had kunnen denken.

Die avond at Maddy in het restaurant van het hotel. Ze zat aan de bar.

'U bent hier vaker dan Teddy,' zei de barkeeper. 'Een vaste klant. Hij ontvangt zijn post zelfs hier.' Hij stak een envelop omhoog. Er zat een oud kiekje in van een meisje en een hond die op een bankje zaten. De barman had er stiekem in gekeken. *In dank*, had de afzender op de achterkant van de foto geschreven.

'Nou, na deze week ben ik geen vaste klant meer,' verzekerde Maddy hem. 'Ik ga naar huis.' Ze bestelde soep en wijn, maar dronk alleen de wijn en raakte de soep niet aan. Die was waterig en er dreven kleine stukjes groenten in. Ze had trouwens toch geen honger.

'Ik heb gehoord dat we ons spook kwijt zijn,' zei de barkeeper. 'Ik heb geen idee hoe dat komt, maar het is een wonder. Teddy heeft een keer geprobeerd op hem te schieten, maar de kogel ging dwars door hem heen. Volgens mij is een geest de kern van een persoon, ontdaan van alle franje. Een kring van lichtgevende energie. Daar schijnen we allemaal uit te bestaan.'

'Je klinkt alsof je erin gelooft,' zei Maddy.

'Ik heb hem een paar keer gezien,' vertrouwde de barman haar toe. 'Dan dwaalde hij als een bang vogeltje door de gang. Arme ziel. Ik denk dat hij eindelijk zijn rechtmatige plekje in de hemel heeft gekregen.'

Toen Maddy weer boven was, streek ze met haar hand langs de muur op zoek naar het kogelgat in het pleisterwerk rond de deur van kamer 708. Daarna ging ze de kamer binnen, kleedde zich uit en trok haar blauwe jurk aan. De spiegel was zo klein dat ze op de bureaustoel moest gaan staan om zichzelf te kunnen bekijken. De jurk stond haar goed; Allie had de juiste keuze gemaakt. Ze kende Maddy. De kleur was perfect.

Maddy had altijd de indruk gewekt niemand nodig te hebben, maar vanbinnen was ze gebroken, een en al botten en zwarte linten, bloed en duisternis. Met de bureaulamp nog aan viel ze in slaap in de warme, benauwde kamer, nog steeds gekleed in de jurk voor de bruiloft. In haar droom hoorde ze gefluister: het was de stem van een man en ze liet zich erdoor leiden. Er was een spoor van stenen, dat ze volgde tot ze Paul zag. Hij was in witte stroken gewikkeld en ook zijn ogen waren wit. Begraaf me onder de plataan, zei hij. In haar droom stond Maddy met haar blote voeten op scherpe stenen, waardoor haar voeten gingen bloedden. Natuurlijk, wilde ze zeggen, ik doe alles wat je wilt, maar ze kon niet praten. Ze viel in stukken uiteen. Een hand, een arm, een been. Ze vroeg zich af of ze zichzelf met naald en rode draad weer aan elkaar kon naaien. Ze vroeg zich af of ze de kracht zou hebben de schop op te tillen en het graf te graven waar hij om had gevraagd. Er groeiden witte rozen, maar ze kon ze in het donker niet zien. Ze zou gewoon moeten aannemen dat ze er waren.

Allie zat aan zijn bed toen het gebeurde. Het was acht minuten voor halfzes 's ochtends. Dat had ze gezien op de klok, zoals mensen vaak rare, alledaagse dingen opmerken op momenten dat alles onwerkelijk lijkt. Allie zag de tafel. Ze zag een glas water met een rietje erin. Het was het zilverkleurige tijdstip tussen de nacht en de ochtend in, als de hemel nog donker is maar in de hele stad lichtjes aanfloepen. Het was stil, zoals het in de winter is als de eerste sneeuw valt. Maar het was vijftien augustus, de ochtend na haar trouwdag. Ze waren een week eerder getrouwd dan gepland.

De vorige dag had de arts Allie in zijn kantoortje geroepen om te zeggen dat hij dacht dat Paul geen etmaal meer zou leven. Misschien niet eens de rest van de dag. Zijn bloeddruk en hartslag zakten weg en hij reageerde nog maar nauwelijks op zijn omgeving; de dosis morfine die hij kreeg was zo hoog dat hij erdoor werd vergiftigd. Allie bedankte de arts en bleef doodstil zitten, niet in staat zich te verroeren.

'U hoeft me niet te bedanken,' zei de arts. Hij heette Crane. Hij had een hart van goud en had waarschijnlijk beter geen arts kunnen worden. 'U mag me slaan, als u wilt.'

Het enige wat Allie wilde, was zijn telefoon gebruiken. Ze belde Pauls ouders om hun te zeggen dat ze meteen naar Londen moesten komen. Zijn moeder zou er kapot van zijn. In het najaar, toen Paul de chemokuren had ondergaan waar hij zo ziek van was geworden, had hij elk weekend naar zijn ouders gewild. En toen de ziekte aan het begin van die zomer zo snel was teruggekomen, had hij meer naar die bezoekjes uitgekeken dan ooit. Het was een vermoeiende reis, maar dat vond hij niet erg. Vaak moest Allie rijden. Paul had het stuur nooit eerder uit handen gegeven, maar nu deed hij onderweg een dutje. In die tijd begon ze in te zien wat er gebeurde. En ze begon van hem te houden.

Ze had niet gelogen tegen Maddy: voordien had ze niet van hem gehouden. Toen ze ja zei op zijn huwelijksaanzoek, had ze dat gedaan omdat het haar de logische volgende stap leek. Het was er de juiste tijd voor, ook al was het niet de juiste man. Paul was inderdaad moeilijk en egocentrisch. Hij trok altijd een muur op om zich heen. Het effect van zijn charme, die haar in eerste instantie had aangetrokken, was gesleten. Er kwam een moment dat Allie zo verlangde naar het einde van hun relatie, dat het haar niets kon schelen dat hij andere vrouwen had versierd toen hij op z'n kwaadst was. Maar nadat afgelopen zomer de ziekte was teruggekeerd, was alles volkomen onverwachts veranderd.

Tijdens die tochtjes naar Reading moest Paul vaak overgeven uit het raampje, of ze stopten langs de weg of bij een theehuis omdat hij zo misselijk was dat hij de autorit niet meer kon verdragen. Maar zodra hij in het dorp kwam waar hij was opgegroeid, was hij gelukkig. Het huis heette Lilac House en het was al jaren in de familie. Het was niet overdreven groot of luxe, gewoon een mooi klein buitenhuis, met achter in de tuin een cottage omgeven door buxusstruiken. Er stond een rij heel grote, oude seringen in de tuin. Sommige waren paarsrood, andere violet of roomkleurig, maar in de zomer vormden ze met hun hartvormige bladeren een groene haag.

Paul observeerde vogels, iets wat Allie tot die tijd niet had geweten. Er bleek heel veel te zijn wat ze niet wist. Dat hij zachtaardig was, bijvoorbeeld. Als ze onderweg stopten om thee te drinken, vond hij het niet te veel moeite om een praatje te maken met oude mensen en nam hij de tijd om het weer en de toestand van de wereld met ze te bespreken. Hij ging graag bij een fruitstalletje langs om een mand appels voor zijn moeder mee te nemen. 'Zorg dat je de mooiste uitzoekt,' riep hij naar Allie toen hij zelf niet meer uit de auto kon komen om ze uit te kiezen.

'De allerbeste appels van het heelal,' verklaarde hij als ze bij de auto terugkwam.

'Ik was vegetariër toen ik tien was,' vertelde hij op een keer.

'O ja?' Dat verraste Allie. Hij hield van een goed stuk vlees en stoofschotels.

'Mijn opa was het ook en ik wilde hem plezieren. Hij was een fantastische oude man. Huisarts. Ik bewonderde hem mateloos. Wat hij ook deed, ik deed het na.'

'En wat deed je nog meer toen je tien was?' vroeg Allie. Paul had al problemen met zijn ogen.

'Ik droomde van jou,' zei hij.

'Kletskoek.' Ze lachte.

'Voetballen,' zei hij. 'Koken.'

'Néé.'

'Jawel hoor. Pannenkoeken met jam, pudding en appeltaart. Groentestoofschotels. Ik kon het goed. En ik droomde van jou,' hield hij vol. 'Geloof het of niet, maar het is waar.'

Als ze er waren, zat Paul altijd in een trui en met een wollen deken om zich heen op het gazon van Lilac House. Hij kon bijna alle vogels herkennen aan hun lied. Hij had een voorliefde voor verschoppelingen, vogels die door anderen als plaag werden beschouwd: raven, eksters, torenvalken. Aan de andere kant kon hij ook sentimenteel zijn: hij was dol op tortelduiven en zei dat er geen vogels waren die lieflijker klonken dan zij. Hij strooide zaad en broodkruimels op het gras en bleef zo stil mogelijk zitten, terwijl de vogels zich om hem heen verzamelden.

'Hij heeft een absoluut gehoor,' vertelde Frieda Allie op een avond, toen ze samen in de keuken het eten klaarmaakten.

'Dat wist ik niet,' zei Allie.

Hoewel het huis niet overdreven luxueus was, was het heel mooi; het bezat ornamenten uit een ander tijdperk, toen ambachtslieden kunstenaars waren. Er waren fraaie sierlijsten en schoorsteenmantels met gebeeldhouwde uilen, en in de keuken een oude gootsteen van aardewerk en een fornuis met zes branders. Op de grenen tafel stond een enorme vaas met snijbloemen uit de moestuin. Ze verspreidden een zoete lucht.

'Eigenlijk had hij musicus moeten worden,' zei Pauls moeder.

Ze had gesneden groenten in de gootsteen geschoven om ze te wassen. Maar opeens bleef ze roerloos staan en leek zich in zichzelf terug te trekken. Zwijgend boog ze zich voorover, door wanhoop overmand. Ze snikte zonder geluid en zonder tranen, terwijl het kraanwater in de gootsteen liep.

Allie liep naar Pauls moeder en sloeg haar armen om haar heen. Ze had het gevoel dat alleen zij tweeën dit konden begrijpen. Alleen zij wisten hoe het voelde om Paul in de tuin te zien zitten en te weten dat hij hun ontglipte.

'Dit mag niet gebeuren, niet met hem,' had Frieda gezegd.

Er lagen snippers ui en wortel in de gootsteen. Als Allie haar ogen half dichtkneep en door de keuken keek, voorbij de bos seringen in de vaas, leek alles paarsrood.

'Ik vind het zo verschrikkelijk,' zei Allie.

'Hoe kan ik doorleven als hij er niet meer is?' had Frieda gevraagd. 'Hij is anders dan anderen, weet je. Hij verbergt zijn ware ik omdat hij zo kwetsbaar is. En nu is het einde gekomen. Er is geen weg meer terug.'

Ze huilden allebei, en toen vermanden ze zich en gingen verder met koken. In dat opzicht leken ze op elkaar: vrouwen die overal het beste van maakten, zelfs van hun eigen vergissingen. Die avond maakten ze een paar van Pauls lievelingsgerechten klaar. Runderstoofpot, waar hij geen hap van door zijn keel kon krijgen. Te machtig, maar niettemin zijn lievelingseten. Hij vond het heerlijk ruiken en riep vanuit de woonkamer: 'Goddank ben ik geen vegetariër, dames.' Maar soms was het aroma al genoeg; hij zou de stoofpot niet meer hebben kunnen verteren. Frieda had ook doperwtjes gekookt en gepureerd. Dat zou beter gaan, daar kon hij misschien een beetje van eten. Saffraanrijst. Hij vond de kleur mooi en was een groot liefhebber van de Indiase keuken. Aardbeienmousse met slagroom. Alleen de aanblik van het toetje zou voldoende zijn. Pauls vader hielp hem uit de tuin naar binnen. Omdat hij te zwak was om in de eetkamer aan tafel te zitten, gingen ze naar de bank in de woonkamer. Daar strekte hij zich op uit, uitgeput van het kleine stukje lopen.

'Fantastisch dat je dat allemaal speciaal voor me hebt gemaakt, mama!' hoorde Allie hem zeggen toen Frieda hem zijn diner op een dienblad bracht. Dat vond ze geweldig aan hem, zijn grote waardering voor zijn ouders en oudere mensen in het algemeen, de aardige dingen die hij deed en waar ze nooit iets van had geweten, de manier waarop zijn gezicht opklaarde als hij over voetbal praatte, en over zijn grootvader en dit huis waar hij was opgegroeid. Eindelijk hield ze van hem, nu het te laat was. Hij had niet eens meer de energie om van de bank af te komen. 'Je moet niet zo goed voor me zorgen,' zei hij tegen zijn moeder. 'Dat verdien ik niet.'

In die weekends sliepen ze samen in het eenpersoonsbed in de logeerkamer. Vroeger was het Pauls kamer geweest, en al zijn oude sporttrofeeën stonden en hingen er nog, bekers en plaquettes. Hij vroeg altijd of het raam open kon blijven, zodat hij naar de vogels kon luisteren.

'Hier droomde ik van jou,' vertelde hij Allie toen ze in bed stapten.

'Leugenaar,' zei ze. Ze sloeg voorzichtig haar armen om hem heen.

'Toen ik hier woonde keek ik altijd uit het raam en wilde ik ontsnappen, en nu wil ik alleen nog maar hier zijn.'

Allie twijfelde er niet aan dat Frieda wist dat het niet lang meer zou duren. Ze was oncologieverpleegkundige geweest, en haar vader plattelandsarts. Toen ze de diagnose hoorde, had ze meteen geweten dat de kans op genezing klein was. Frieda vond het niet raar dat Allie en Paul diezelfde dag nog zouden trouwen. Ze vroeg alleen wat ze kon doen. Allie opperde dat ze bloemen kon meebrengen. Frieda had gewild dat het nog seringentijd was, en dat ze meer tijd hadden. Maar ze had altijd al een praktische instelling gehad. Ze maakte haar man wakker uit zijn dutje en zei: 'Het is zover. We moeten afscheid nemen.'

Allie telefoneerde met de ambtenaar van de burgerlijke stand die hen zou trouwen en zei hem dat het haar speet dat ze hem op zo'n korte termijn nodig hadden. Toen belde ze haar moeder in het hotel en vroeg haar ouders zo snel mogelijk te komen.

'Alleen jullie tweeën,' zei Allie tegen haar moeder. 'Andere mensen kan ik er nu niet bij hebben.'

Toen ze haar telefoontjes had gepleegd, kwam dokter Crane naast haar zitten en pakte haar hand. Hij wist dat dit de dag was.

'Het zou wel heel stom van me zijn als ik het niet had zien aankomen,' zei Allie. 'Ik bedoel, zijn moeder is verpleegster geweest en zij had me al verteld dat het er slecht voor stond. Ik heb toch maar bruidskleding gekocht. Maar geen jurk met een sluier en kant en zo. Dat zou dom zijn geweest.'

'Liefde heeft niets te maken met het hier en nu,' zei dokter Crane.

Allie keek hem verrast aan. Had ze gezegd dat ze van Paul hield of wist hij dat gewoon? Het was een vreemde opmerking voor een dokter. Misschien had ze hem verkeerd verstaan. Ze had de hele nacht niet geslapen. Ze droeg een lichtbruine broek met een zwart T-shirt en sandalen. Het was warm, maar Allie had een grijze trui aangetrokken over haar T-shirt. Als ze moe was, kreeg ze het altijd koud. Haar blonde haar had ze in een paardenstaart gebonden. Ze was zeven kilo afgevallen zonder er moeite voor te doen. Dat was haar nog nooit overkomen. Ze had zich dan ook nooit eerder zo gevoeld.

'Maar ik heb te maken met het hier en nu,' zei ze tegen de dokter.

Ze bleven een tijdje samen zitten en toen gingen ze terug naar Pauls kamer, zodat dokter Crane zijn bloeddruk en hartslag kon controleren. Voordat hij wegging, legde de dokter zijn hand op Allies schouder en op dat moment liet ze zich bijna gaan.

'Dank u,' kon ze nog net uitbrengen.

Toen haastte ze zich naar de damestoiletten. Ze wilde Paul niet lang alleen laten, dus deed ze snel een plas, waste haar handen en liep vlug terug naar zijn kamer. Dag en nacht bestonden niet echt in het ziekenhuis, maar het was de tijd van de wisseling van de dienst en dus was het stil. De gang was net een plek in de ruimte, ergens tussen twee werelden. Voor de deur van Pauls kamer bleef Allie staan, net zoals ze vroeger voor de deur van haar moeders kamer had gedaan wanneer ze naar bed ging. Dan had ze haar ogen gesloten en een geheime bezweringsformule gezegd waar ze zelfs Maddy niets over had verteld en die ze had bedacht om haar angsten te bedwingen. Ze was heel bang geweest dat er iemand zou doodgaan terwijl zij de wacht had. Ze had gedroomd over de Dood, en soms had ze hem horen praten. Hij had haar vaak uit haar slaap gewekt en in die nachten voelde haar huid koud aan. Dan was ze uit bed geslopen en had om de hoek van de deur gegluurd om zich ervan te vergewissen dat haar moeder nog leefde. Misschien was wat ze had gefluisterd meer een gebed dan een bezweringsformule geweest.

Ik zal alles doen, ik zal alles geven. Maar laat er vandaag alsjeblieft niemand doodgaan.

Toen Allie de kamer weer binnenkwam, lag Paul geagiteerd te woelen, kennelijk van de pijn. Soms kwam het einde zo snel dat het niet te bevatten was, had Pauls moeder Allie verteld. En dokter Crane had haar gewaarschuwd geen hoop te koesteren als de kanker terugkwam. Zo was deze ziekte: mysterieus, eigenzinnig, met haar eigen regels. Net als je dacht dat alles voort zou blijven kabbelen, kwam het tot een uitbarsting. Ze hoefde geen mondkapje meer voor, want er was niets meer om hem tegen te beschermen.

Paul gloeide van de koorts. Hij was mooi, alsof hij van binnenuit werd verlicht. Een vallende ster. Allie pakte een nat waslapje en hield het tegen zijn voorhoofd. Ze voelde de hitte door het opgevouwen doekje.

Laat hem vandaag niet doodgaan.

'Lieve Allie,' zei Paul toen hij besefte dat ze er was. 'Ga naar huis. Laat mij nou maar.'

Allie ging op de rand van het bed zitten. 'We gaan trouwen,' zei ze.

'Je kunt ervan afzien,' zei Paul. 'Je hebt je plicht gedaan. Ik ben een slecht mens.'

'Ja, dat weet ik. Dat vind ik juist zo leuk aan je.'

Ze had gehoopt dat hij zou lachen, maar dat deed hij niet.

'Echt slecht, Allie. Ik heb iets gedaan wat ik je niet kon vertellen, zelfs niet om je te kwetsen. We kunnen niet trouwen.'

Ze had het geweten toen ze haar zus in de bruidsmodezaak zag; zij had Maddy altijd kunnen doorzien, ook al konden anderen dat niet.

'Het maakt niet uit wat je hebt gedaan. We gaan vandaag trouwen.'

'Ik dacht dat we op de twintigste gingen trouwen.'

Allie zei niets.

'Ik snap het,' zei Paul. 'Lieve schat.'

De patiënt in het bed naast Paul, het bed waar het bezoek langs moest om bij Paul te komen, was gestorven. Bij de andere patiënt, die achter het gordijn bij het raam lag, was een been afgezet. Het was een jonge Amerikaan, een postdoctoraal student uit New Jersey. Zijn familie zou binnenkort arriveren, maar nu had hij nog geen bezoek. Toen Paul zijn ogen dichtdeed, ging Allie even bij zijn kamergenoot kijken, Rob Rosenbloom. Rob was wakker. Ook hij had een infuus met morfine.

'Hallo,' zei hij. 'Hoe gaat het met je vriendje?'

Rob was halverwege de twintig. Hij was lang en slungelig, had een wilde donkere haardos en blauwe ogen. Hij studeerde aan de London School of Economics en op een dag had hij de knobbel in zijn been ontdekt. Hij was een fanatiek roeier en was in Londen bij een club gegaan, dus hij dacht dat de bult een verrekte spier was. Dat was het niet.

Nu vertelde hij Allie dat Paul voortdurend in zichzelf praatte. Er was iets wat hem kwelde, maar dat vertelde Rob haar niet. 's Nachts huilde Paul en dat moest Rob aanhoren.

'We gaan vanochtend trouwen,' zei Allie. 'Hier. In deze kamer. We zullen je tot last zijn. Ik hoop dat je het niet erg vindt.'

'Natuurlijk niet.'

'Nou ja, het is geen groot gezelschap, dus hopelijk valt het mee met de drukte. Alleen Pauls vader en moeder en mijn ouders. Maar we zullen het je toch knap lastig maken om bij te komen van de operatie.'

'Hij heeft spijt van alles wat hij heeft gedaan,' zei Rob. Rob had het lichaam van een atleet, afgezien van het been natuurlijk, en een open, toegankelijk gezicht. Hij zag er nog jonger uit dan hij was. Hij werkte voor een bedrijf in Manhattan dat hem een halfjaar vrijaf had gegeven om in Londen te gaan wonen en gebruik te maken van de studiebeurs die hem was toegekend. 'Hij vindt niet dat hij je waard is.'

'Kun jij gedachten lezen?' vroeg Allie. 'Hoe weet je dat allemaal over Paul? Hij praat nooit over zijn gevoelens.'

'Ik luister naar hem.' Rob keek haar aan alsof hij haar kende. 'Het spijt hem vreselijk, Allie.'

'Zal ik zorgen dat je je ontbijt krijgt? Ik kan bellen om de verpleegster. Ze hebben uitstekende pap, maar de eieren kan ik niet aanbevelen.'

'Hoeft niet, hoor, het is goed zo,' zei Rob.

'Ja, tuurlijk.' Allie lachte. 'Het is prima zo.' Zonder enige aanleiding was haar neus gaan lopen. 'Ik had niet gedacht dat ik ooit van iemand zou gaan houden. Ik dacht niet dat ik daartoe in staat was.'

'Het is een mooie dag voor een bruiloft,' zei Rob. 'Ik zal graag het glas op jullie heffen. Of liever twee glazen, want op één been kun je niet lopen.'

Dat ontroerde Allie. Ze liep naar Rob, bukte zich en drukte een kus op zijn voorhoofd. Hij rook als een jongen, als iemand die niet in een ziekenhuisbed thuishoort.

'Hij heeft echt ongelofelijk veel spijt,' zei Rob.

Toen Allie zich oprichtte, stroomde het traanvocht uit haar ogen en haar neus. 'Neem me niet kwalijk.' Ze snoot haar neus. 'Ik ben niet veel waard vandaag.'

Rob lachte. 'Welkom bij de club.'

'O, sorry!'

'Niet nodig,' zei Rob. 'Het is fijn om een mooie vrouw aan je bed te hebben.'

Allie belde om Robs ontbijt te laten brengen.

'Paul slaapt,' zei ze tegen de verpleegster. Die had voor Paul ook een dienblad meegenomen, dat ze zolang op een plank zette. Het was een symbolische maaltijd van appelmoes en een zachtgekookt ei. Sinds Paul was opgenomen had hij niets meer gegeten. Zijn lichamelijke functies gaven er lukraak de brui aan, had dokter Crane gezegd: zijn gezichtsvermogen, spijsvertering, spieren, botten, ademhaling, hersenen.

Maar het was geen gewone slaap, besefte Allie toen ze naast hem in bed ging liggen. Het was een soort bedwelming, een slaap waarin je heel ver weg bent. Zijn ogen waren open. Het was het laatste soort slaap, waaruit je nooit meer helemaal wakker wordt. Ze lagen met hun gezicht naar elkaar toe. Paul zei iets, maar Allie kon hem niet verstaan, zelfs niet toen ze haar oor bij zijn mond hield. Ze dacht dat het iets over een leeuwerik was. Het was niet haar bedoeling geweest van hem te gaan houden, maar het was gebeurd. Zelfs het kleinste beetje informatie over hem, zijn voorliefde voor tortelduiven bijvoorbeeld, leek nu het belangrijkste wat er bestond. Ze wilde het voor altijd onthouden. Ze wilde alles weten over duiven, hun gewoonten, hun beenderstructuur.

'Dit is onze dag,' zei Allie tegen Paul. Ze had dwaas genoeg een brok in haar keel. Net een golfbal of een rond stukje bot.

Haar ouders kwamen als eersten aan. Ze zagen er vreselijk uit. Allies moeder had geen oog dichtgedaan en haar vaders gezicht was opgezet en rood. Bob Heller hield zijn emoties altijd in. Als hij ging huilen, zou Allie verloren zijn. Ze kon nu niet aan andere mensen denken. Daarom had ze haar zus niet uitgenodigd. Ze wilde het eenvoudig houden. Dat was de enige manier waarop ze zich erdoorheen kon slaan. Van minuut tot minuut.

Lucy was bij het appartement van haar dochter langsgegaan om haar bruidskleding op te halen. Ze had een snoer van turkooizen kralen voor Allie meegenomen dat van haar eigen moeder was geweest, iets wat tegelijk geleend, blauw en oud was. Volgens het gezegde moest er ook nog iets nieuws bij, en dat waren de flatjes die Lucy onderweg had gekocht; ze was snel The French Sole in geschoten, want Allie had geen tijd gehad om de schoenen op te halen die ze had besteld.

'Ik was niet van plan me te verkleden. Ik wilde dit aanhouden,' zei Allie met een blik op haar broek en trui. 'Het kan toch niemand iets schelen. We hoeven hier geen mondkapjes meer te dragen. Die fase zijn we voorbij.'

'Doe je bruidsjurk aan,' riep Rob van achter het gordijn. Hij kon er niets aan doen dat hij het gesprek kon volgen. Allie stond nog geen halve meter bij hem vandaan.

'Wie is dát?' wilde Allies vader weten.

'Rob Rosenbloom. Hij komt uit New Jersey. Hij weet niet dat het onbeleefd is om dingen te roepen in een ziekenhuiskamer. Toch, Rob? Wij Amerikanen hebben geen manieren.'

'Ik wilde alleen maar helpen,' zei Rob. De Hellers liepen om het gordijn heen om zich voor te stellen en zich te verontschuldigen voor het feit dat ze de kamer min of meer in beslag namen.

Allie besloot Robs advies op te volgen; hij was per slot van rekening een buitenstaander en kon waarschijnlijk rationeler oordelen over wat Allie een krankzinnige onderneming leek. Een bruiloft in een ziekenhuis: wie deed dat nou? Een gesprek met haar ouders alsof dit een gewone dag was en ze van mening verschilden over haar kleding, in plaats van snikkend aan Pauls bed te zitten. Allie ging naar de damestoiletten. Ze trok haar kleren uit en staarde naar zichzelf in de spiegel. Er kwam een vrouw binnen die aarzelend bleef staan.

'Ik ga trouwen,' zei Allie.

Ze stond daar in een bh, een broekje en dikke sokken. Ze zag er te onverzorgd uit om iemands bruid te zijn. Haar witte pakje hing over de bank die in de ruimte stond. De vrouw kwam naar haar toe en omhelsde haar. Samen in het ziekenhuis zijn was net zoiets als samen aan het front vechten: je hoefde niet alles van iemand te weten om die persoon te kennen. De realiteit van ieders leven bestond uit medicijnen, potten thee uit de kantine, zorgen en verdriet. Dat was genoeg.

'God zegene je,' zei de vrouw.

'Dank u,' zei Allie terwijl ze elkaar loslieten.

De andere vrouw liep door naar een wc-hokje en Allie ging verder. Toen de vrouw haar handen kwam wassen, was Allie aangekleed. Ze had zelfs haar haar gekamd. De vrouw knikte goedkeurend. 'Heel mooi.'

Allie bedankte haar en pakte haar gewone kleren. Elke kleine vriendelijkheid voelde als iets enorms. Ze ging terug naar Pauls kamer. Intussen waren Pauls ouders er ook. Frieda zat op een stoel bij het bed. Bill praatte op gedempte toon met Allies vader. Voor de zomer begon had Allie niet eens geweten dat Paul zijn ouders elke zondag belde. Hij kon het verschil tussen de triller van een nachtegaal en het kwinkeleren van een leeuwerik horen doordat Frieda hem dat had geleerd. Goed, hij was verwend en zelfzuchtig, maar hij was ook een trouwe zoon die van zijn moeder hield en steeds weer naar huis wilde, naar Lilac House. Hij had geweten hoe hij van iemand moest houden en zij niet.

'Je vindt nooit meer een man als Paul,' had Frieda tegen Allie gezegd in een van die weekends, toen Pauls ziekte terug was gekomen. 'Liefde kan ingewikkeld of eenvoudig zijn,' had ze vervolgd.

Allie had gelachen. 'Paul is zo'n ingewikkeld mens.'

'Maar van hem houden is simpel,' had Frieda geantwoord.

Allie had geluisterd naar wat haar toekomstige schoonmoeder had verteld. Om van iemand te houden die zo ingewikkeld was, moest je je overgeven aan één gemoedstoestand – hoe je van hem hield –, wat er ook gebeurde. Als je dat deed was het inderdaad simpel.

'Dan zal ik dat doen,' had Allie besloten. Pauls moeder, die bij hun eerste ontmoeting een afstandelijke indruk had gemaakt, een behoedzame vrouw die al een hele stoet vriendinnetjes van Paul voorbij had zien komen, had haar armen om Allie heen geslagen.

'Het spijt me van daarnet,' had Frieda later gezegd, gegeneerd dat ze haar gevoelens had getoond. 'Ik zweer dat je me nooit meer zult zien huilen.'

Ze had woord gehouden, tot op dit moment. Dat Allie Frieda nu zag instorten werd haar te veel. Ze liep snel weer Pauls kamer uit, de hal in, voordat iemand haar zag. Daar vermande ze zich. Ze hield zichzelf voor dat ze in een toneelstuk speelde en een rol had waar ze zich aan zou houden. Ze zou niet hysterisch worden, weglopen of iets anders doen dat Pauls ouders zou kunnen kwetsen. Ze bleef staan bij een openbare telefoon, belde Georgia en vroeg haar bij het huwelijk aanwezig te zijn.

'Ik ben er in tien minuten,' zei Georgia.

Toen Allie de kamer weer in liep, snoot Frieda net haar neus. 'Dag lieverd,' zei ze. Ze had een boeket witte rozen meegebracht en kwam Allie omhelzen. 'Een prachtig pakje,' zei ze. 'Precies goed.'

'Zijde,' zei Allie. Het leek volslagen waanzin om een normaal gesprek te voeren.

'Denk eens aan al die zijderupsen die ergens hard aan het

werk zijn. En nu ga je trouwen. Paul zal een getrouwd man zijn.'

Frieda werd overmand door de gedachte aan wat er ging gebeuren en barstte weer in tranen uit. Ze leek bijna te ijlen, en fluisterde tegen haar man dat er iemand tegen de muur geleund stond. Ze had dit allemaal eerder gezien, als kind. Haar vader was per slot van rekening arts geweest en kwam bij de mensen thuis. Frieda was ervan overtuigd dat het de engel van de dood was.

'Daar geloven we niet in, schat,' zei haar man zachtjes. 'We geloven in het hiernamaals.'

De verpleegster kwam binnen en vroeg iedereen de gang op te gaan, zodat ze Paul kon verzorgen.

'Ik ben zelf verpleegster,' zei Frieda. 'Ik kan blijven.'

'Niet bij uw eigen zoon,' zei de verpleegster. 'Dat is geen goed idee. U mag terugkomen zodra ik klaar ben. Ik beloof dat ik snel zal zijn.'

Frieda liet zich niet makkelijk overhalen te vertrekken.

'Kom mee, dan gaan we snel een kop thee halen,' zei haar man. 'We nemen wegwerpbekertjes, dan kunnen we ze mee terug nemen en tegen die tijd is mevrouw hier klaar.'

Voordat Frieda wegliep, draaide ze zich om naar Allie. 'Ze heeft waarschijnlijk gelijk. Ik denk niet dat je dit op je trouwdag wilt zien. Kom met ons mee, Allie.'

'Nee hoor, dat hoeft niet,' zei Allie.

Allie had tenslotte wel vaker akelige dingen gezien. Ze had haar moeder gezien na haar operatie, toen ze niet in staat was uit bed te komen. Ze had de tere blauwe aderen op haar schedel gezien als ze haar pruik afzette. Er was geen plaats voor gêne of afkeer. In die dingen was Allie niet kinderachtig; dat had ze wel afgeleerd. Ze bleef toen de anderen weggingen. Ze ging naast Paul zitten en pakte zijn hand.

'Hallo,' zei hij.

'Hallo,' antwoordde Allie.

Eerst verschoonde de verpleegster de lakens. De afgelopen dagen had hij zijn ontlasting in bed gedaan. Het was zo moeilijk hem te verplaatsen dat ze dat niet meer probeerden, en een luier zou zijn huid irriteren en bovendien wilde Allie dat niet hebben. Geen luiers. Ook al zou hij het niet eens meer merken of niet meer de kracht hebben er iets om te geven, zij gaf er wel om. Hij had de hele week niet gegeten, dus het was toch niet veel, alleen een soort vossenkeuteltje.

In de herfst had ze hem in hun suite in het Pulitzer Hotel in Amsterdam willen vertellen dat het voorbij was. Mevrouw Ridge had hun tripje betaald. Daarom hadden ze eerste klas gereisd. De woorden hadden Allie op de tong gelegen. Ze had op het punt gestaan ze te zeggen, toen er opeens een reiger op de lantaarnpaal naast hen kwam zitten.

'Hij weet dat je over hem hebt geschreven,' zei Paul. 'Hij komt zijn respect betuigen.'

Paul vond de houding van de Nederlanders tegenover reigers prachtig. De mensen lieten hun ramen openstaan en verwelkomden ze in hun huis. Als er een reiger bij je binnenkwam, zouden je kansen keren. Als je hem melk, brood en bier gaf, zou hij je voor eeuwig dankbaar zijn.

'Misschien moeten we hierheen verhuizen,' had Paul gezegd. 'We zouden gelukkig zijn in Amsterdam. We gaan aan het water wonen, zetten alle ramen open en laten de reigers door ons huis vliegen. Alsof je boek werkelijkheid wordt.'

Allie keek Paul aan. Dit was hun leven nu. De verpleegster waste hem oppervlakkig en hield zich toen met zijn katheter bezig. Zijn gezicht vertrok van pijn.

'Ik haat verpleegsters,' gromde hij.

Allie glimlachte. 'Ik dacht dat je hier juist voor de verpleeg-stertjes lag.'

'Je kunt beter gaan.' Paul had zijn ogen open.

Was hij echt wakker? Allie had altijd gezegd dat ze met een man met blauwe ogen zou trouwen, en toen had ze Paul ont-moet. Hij had zijn moeder ongetwijfeld verteld over de rozen die ze naar Kensington Palace had gebracht. Waarschijnlijk had hij gezegd: als ik met deze vrouw trouw, moet ze witte rozen hebben.

'Het is vast zomer,' zei Paul. 'Ga weg als je weet wat goed voor je is.'

'Ik denk dat ik nog een tijdje blijf. We gaan trouwen, weet je nog?'

'Ga weg zonder je schuldig te voelen.'

'Dat kan ik niet,' zei Allie. 'Ik ben van je gaan houden.'

'Klaar,' zei de verpleegster. Ze controleerde het infuus en gaf hem wat meer morfine. Pauls ogen vielen dicht.

De trouwambtenaar arriveerde en beloofde de plechtigheid kort te houden. Toen Georgia binnenkwam, drukte ze Allie tegen zich aan en hield het boeket vast terwijl Allie voorzichtig naast Paul in bed schoof, zodat ze dicht bij elkaar konden zijn tijdens de ceremonie. Nadat de trouwambtenaar had verklaard dat niets een wettig huwelijk in de weg stond, tekende Allie de huwelijksakte. Pauls vader hield zijn hand vast en probeerde hem te helpen een X te zetten, maar uiteindelijk moest hij voor Paul tekenen. Daarna tekenden Lucy en Bill als getuigen. Frieda moest gaan zitten; ze hield haar hoofd gebogen.

En toen was het gebeurd: ze waren getrouwd.

'Ik ben blij dat jij het meisje bent op wie hij verliefd is ge-worden,' zei Frieda toen ze zich weer onder controle had. 'Had ik je dat al gezegd? Dat had ik je eerder moeten zeggen.'

Aan de andere kant van het gordijn lag Rob Rosenbloom zachtjes te snikken, maar ze deden alsof ze hem niet hoorden. Allie schoof de gouden trouwring van tweeëntwintig karaat die ze hadden uitgezocht om haar vinger en deed toen hetzelfde bij Paul. Zijn ring was te groot, dus schoof ze hem om zijn middelvinger. Hij was degene die voor tweeëntwintig karaat had gekozen. 'Het echte spul,' had Paul bij de juwelier gezegd. 'Geen troep van achttien karaat voor jou.'

Georgia bukte zich om Allie te omhelzen toen Paul en Allie officieel man en vrouw waren. Ze had de bos rozen nog in haar hand. 'Ik heb het boeket min of meer gevangen, dus ik ben de volgende.'

Rob had een verpleegster gevraagd bij een bakker in de buurt een taart te bestellen. Die werd in kleine punten op plastic bordjes uit de kantine binnengebracht. De anderen schoven het gordijn open, zodat Rob mee kon doen.

'Ik wist niet dat zich hier een aantrekkelijke man verborgen hield,' zei Georgia.

Rob grijnsde en pakte zijn stuk taart aan. Zijn neus en ogen waren rood. Hij had een infuus in zijn arm. Soms werd hij 's nachts wakker in de overtuiging dat zijn been er nog was en alleen maar sliep. Iedereen prees de taart die hij had besteld. Een taart van cakedeeg met witte gesponnen suiker erop. Eenvoudig, precies zoals Allie had gewild.

'Hoe wist je dat?' vroeg Allie aan Rob.

'Ik ben paranormaal begaafd,' zei hij, maar hij had precies gehoord wat ze allemaal wilde, midden in de nacht, als Paul door pijn gekweld in zijn slaap lag te praten.

Allie nam één hapje van de taart, en toen kreunde Paul en trok zijn knieën op.

Allie dacht aan de nacht dat ze haar zusje was gevolgd het moeras in. Toen ze de blauwe reiger had gezien, was ze zonder aarzelen het water in gelopen. Neem me mee hiervandaan, had ze gefluisterd. Ze hadden elkaar heel lang aangekeken, en in die ogenblikken had Allie geloofd dat hij haar mee zou nemen. Maar toen was hij weggevlogen en had haar daar achtergelaten, tot haar knieën in het ijskoude water.

'Ik geloof dat we allemaal wel wat rust kunnen gebruiken,' zei Lucy Heller. 'Ik heb een kamer voor jullie geboekt in ons hotel,' vertelde ze Pauls ouders, die dat waardeerden maar zeiden dat het niet nodig was geweest. Hun goede vriendin Daisy Ridge had een huis in Kensington en had hen te logeren gevraagd, maar eigenlijk bleven ze liever in de bezoekerskamer van het ziekenhuis slapen. Frieda was niet van plan haar zoon alleen te laten.

'Stel dat hij me nodig heeft?' zei ze tegen Allie. Ze klonk als een klein meisje.

'Natuurlijk blijven jullie. De verpleegsters zullen jullie dekens geven, en wat jullie verder maar nodig hebben.'

Allies ouders kusten haar gedag. Haar schoonvader, want dat was Bill nu, opperde dat ze misschien beter naar huis kon gaan om een paar uur te slapen, maar dat wilde Allie niet. Frieda begreep het.

'Ga even theedrinken, dat kost niet veel tijd. Of neem een kom soep.' Frieda had een recordertje en een cassette met vogelgeluiden meegebracht. 'Ik dacht dat hij dit misschien fijn vond om te horen.'

Allie omhelsde haar schoonmoeder. Ze wilde niet weggaan, maar Georgia drong aan. 'Een paar minuten maar,' beloofde ze.

Allie liet zich door Georgia meeloodsen naar het restaurant. Frieda nam de wacht over, want dat was het nu. Minuut na minuut. In The Orangery zouden ze een lunch hebben gekregen van koude zalm met roomsaus, een salade met frambozen, walnoten en vinaigrette, een terrine van gegrilde groenten, plakken lamsvlees en krieltjes. Nu bestelde Georgia een pot thee, twee oudbakken koffiebroodjes met suikerglazuur, een kom vegetarische soep en tarwecrackers.

Ze lieten de soep staan en beperkten zich tot de thee en de mierzoete broodjes. Allie nam twee hapjes. Georgia bood aan de nacht in het ziekenhuis te blijven. In de perioden dat Paul opgenomen was geweest om te worden behandeld, was Georgia vaak bij Allie in bed gekropen en had haar armen om haar vriendin geslagen als die huilde. Soms had Georgia met haar mee gehuild. Ze was de enige die had geweten dat Allie het uit had willen maken met Paul voordat de ziekte werd ontdekt. Daarna hadden ze niet meer gepraat over haar verlangen hem te verlaten.

Georgia had een paar maal overwogen Allie te waarschuwen voor haar zus. Ze had Paul en Maddy samen in de taxi gezien. Ze had de uitdrukking op Maddy's gezicht gezien en ze had het geweten. Eigenlijk was Georgia nooit erg dol op Paul geweest. Ze vond hem oppervlakkig, te knap en te veel met zichzelf bezig. Paul had Georgia nooit iets over háár gevraagd; ze betwijfelde of hij wist wat ze deed bij de uitgeverij en of hij wel doorhad dat ze samen met Allie aan *Waar de reiger woont* had gewerkt. Ze had de vormgeving van heel wat kinderboeken verzorgd en had daar verscheidene prijzen voor gekregen, maar *Waar de reiger woont* was haar lievelingsboek. De charme van het ontwerp was gedeeltelijk gelegen in de prachtige lay-out die Georgia had bedacht. Je kon het verhaal in twee richtingen lezen: van voor naar achter keerde de reiger terug naar zijn reigervrouwtje en het hemelgewelf. Van achter naar voor bleef hij bij zijn ene grote liefde op aarde.

'Misschien kan ik vannacht beter hier blijven,' bood Georgia aan.

'Dat hoeft niet. Echt niet. Ik heb mijn schoonouders.'

Daar moesten ze allebei om lachen. Nu had ze dus toch schoonouders. Hoezeer ze Frieda ook respecteerde, Allie wist dat ze zich in bepaalde kwesties zou moeten voegen naar Pauls moeder. Frieda wilde dat Paul bij de rest van de familie werd begraven, in het dorp, en daar zou Allie nooit tegenin gaan, hoewel het vreselijk ver weg was. Zo ver weg dat ze er niet eens aan wilde denken.

'Nu heb ik straks lastige schoonouders zonder dat ik een man heb.' Allie bedoelde het grappig, maar ze was bijna in tranen.

'Lieverd,' zei Georgia. 'Frieda is dol op je. En terecht.'

'Je moet geen aardige dingen tegen me zeggen,' waarschuwde Allie. 'Dan hou ik het niet droog.'

Ze namen afscheid op de gang. 'Geef hem een kus van me,' zei Georgia.

'Jij hebt Paul nog nooit willen kussen.'

'Ik bedoel de buurman met het ene been. Rob. Het is een schatje.' Georgia aarzelde. 'Zal ik echt wel weggaan?'

'Ik kan het aan,' zei Allie. 'Ik heb trouwens geen keus.'

'Nou, gelukkig maar dat je niet van hem houdt,' zei Georgia. 'Toch?'

Allie sloeg haar armen om haar vriendin. Ze liet niet los.

'Maar dat doe ik wel,' zei ze.

'Jezus, Allie, daar had ik geen idee van.' Georgia was perplex. 'Dat heb je me niet verteld, lieverd.'

'Ik wist het niet.'

'Die kloteliefde ook,' zei Georgia.

'Ja, dat moet mij weer overkomen.'

Allie nam de trap terug naar Pauls kamer. Toen iedereen weg was, was Pauls moeder ingestort. De verpleegster had haar iets kalmerends gegeven. De cassette met vogelgeluiden stond op. Allie herinnerde zich hoe ze met Paul bij Lilac House in het gras had gezeten. Nu leek dat het belangrijkste wat ze ooit samen hadden gedaan.

'Frieda,' zei Allie.

'Het spijt me vreselijk,' zei Frieda. 'Ik ben helemaal op.'

'Ze heeft twee dagen niet geslapen,' vertelde Pauls vader.

Haar schoonouders gingen naar de bezoekerskamer om even te gaan liggen. Er waren daar dekens en kussens voor mensen die de wacht hielden. De verpleegsters waren ongelofelijk lief. Het was het tijdstip waarop de minuten steeds langzamer omkropen. Allie zette de cassetterecorder uit. Aan de andere kant van het gordijn was Rob in slaap gevallen. Zijn morfinepomp en die van Paul bewogen in een verschillend ritme, maar toch was het geluid kalmerend. Allie deed haar schoenen uit, het paar dat haar moeder die ochtend voor haar bij The French Sole had gekocht. Ze trok haar jasje uit, zodat ze alleen nog maar een topje en haar rok aan had, en ging naast Paul op het bed liggen. Hij lag op zijn zij en ademde heel langzaam.

'Zal ik je het verhaal van de reiger en zijn vrouw vertellen?' fluisterde Allie.

'Dat ken ik uit mijn hoofd.'

'Maar je weet niet wat er gebeurde toen hij zijn vrouw op aarde verliet voor zijn reigervrouwtje. Toen hij hoog de hemel in vloog, tot ver boven de bomen.'

Ze probeerde haar armen om hem heen te slaan, maar hij

kreunde toen ze hem aanraakte, dus bleef ze alleen dicht bij hem liggen.

'Ze lijmde veren over haar hele lijf. Ze leerde zichzelf vliegen. Ze volgde hem, zodat ze hem een laatste keer kon zien. Niets kon haar tegenhouden. Ze moest en zou afscheid nemen. Haar liefde was sterker dan de wetten van tijd en zwaartekracht, ook al was het te laat.'

Allie was gaan huilen. Ze wilde Rob in het bed ernaast niet storen en ze wilde geen toestanden maken. Ze probeerde net zo langzaam als Paul te ademen. Eerder op de dag had de dokter gezegd dat Paul niet lang meer zou leven. Hoe wisten dokters dat soort dingen? Of kreeg hij omdat hij zo'n hevige pijn had via het infuus een hoeveelheid morfine die niemand kon overleven?

'Ik zal je nooit laten gaan,' zei ze tegen Paul.

'Ga maar,' meende ze hem te horen zeggen.

Allie kroop zo dicht bij Paul als ze durfde zonder hem aan te raken. Ze hoefden elkaar niet meer aan te raken, ze waren nu met elkaar vervlochten. Ze viel naast hem in slaap en droomde dat ze een witte jurk aan had en dat het haar bruiloft was. Ze zag het moeras en haar blote voeten zaten onder de modder. Het was tijd, dat wist ze.

Toen ze in het donker wakker werd, had ze het ijskoud. Ze wist niet waar ze was, maar wel wie er naast haar lag. Ze liet zich uit bed glijden en liep om naar de andere kant. Daar ging ze op een harde plastic stoel zitten. Ze zag dat Pauls trouwring van zijn vinger was gegleden. Zijn ogen waren open, maar zagen niets. Ze besefte niet eens dat het ging gebeuren totdat het zover was. Buiten waren vogels, zelfs midden in de stad. Er kwam een geluid uit zijn keel dat Allie door merg en been ging. Dit was het hier en nu. Precies dit moment. Paul opende zijn mond en er ontsnapte een vreemde ademtocht, alsof zijn ziel hem verliet. Toen Allie die met uitgestoken hand probeerde te vangen, glipte ze tussen haar vingers door, zo vluchtig dat het was alsof je met twee onhandige kolenschoppen van handen het licht wilde vangen, of in het donker snelstromend water met je vingers wilde zeven.

De begraafplaats was maar anderhalve kilometer bij Lilac House vandaan. Iedereen uit de families Rice en Lewis lag er begraven. Je kon er de gele koolzaadvelden zien liggen, en de lage heuvels waar Frieda en haar vader tot in de week van zijn dood hadden gewandeld. Frieda vond het fijn dat Pauls graf vlak naast dat van zijn opa zou zijn. Vreemd dat zulke dingen troost konden bieden.

'Hoor je?' zei Frieda tegen Allie, die nu haar schoondochter was. Uit de bomen klonk het lage koeren van duiven. 'Dat zou hij mooi hebben gevonden.'

Allie droeg een zwarte jurk die ze van Georgia had geleend. Ze was zo afgevallen dat ze hem van binnen, langs de achternaad, met spelden had moeten innemen. Allie en de familie Rice hadden besloten tot een bescheiden plechtigheid aan de rand van het graf. Allie stond tussen haar ouders in. Ze had tegen haar eigen vrienden en die van Paul gezegd dat ze maar niet moesten komen, en ze had Maddy een briefje gestuurd om uit te leggen dat de plechtigheid besloten zou zijn. Paul was altijd terughoudend geweest over zijn ziekte, en ze wilde dit in zijn geest doen. Er was één vriendin van de familie, Daisy Ridge, samen met haar begeleidster, een verpleegster met wie ze gearmd over het heuvelige terrein liep. Omdat mevrouw Ridge geen nakomelingen had, had ze Paul als haar kleinzoon beschouwd. Het was een afschuwelijke dag voor haar, en halverwege de uitvaart moest ze vlak bij het graf op een bankje gaan zitten om bij te komen.

'We hadden Daisy niet moeten laten komen,' zei Bill Rice. 'Het is te zwaar voor haar.'

Allie ging naast de oude vrouw zitten. Ze hielden elkaars hand vast en luisterden naar de geestelijke en de duiven in de bomen.

'Het was toch zo'n lieve jongen,' zei mevrouw Ridge. 'Zijn moeders oogappel.'

Allie boog haar hoofd. Ze was zo dom geweest; ze had zoveel tijd verspild.

De families werden door twee chauffeurs opgewacht en teruggebracht naar het huis. Mevrouw Ridge ging naar boven om een dutje te doen in de logeerkamer voordat ze werd teruggebracht naar Londen. Pauls voetbalbekers stonden nog op de boekenplank. Er hingen foto's van hem met de verschillende teams waarin hij had gespeeld. Allie hielp de verpleegster, die Bernadette heette. Ze schoven allebei een arm onder die van mevrouw Ridge en brachten haar naar bed.

'Ik mocht nooit betalen als we samen gingen lunchen,' zei mevrouw Ridge. 'Hij belde me tweemaal per week. Raad eens wie het is, zei hij dan altijd. Net een kleine jongen. Alsof ik zijn stem niet herkende.'

Allie bleef bij mevrouw Ridge tot ze in slaap viel, zodat de verpleegster een hapje kon gaan eten. Het was een lange dag. Warm en benauwd. De reis vanuit Londen was vermoeiend geweest en de terugreis zou erger zijn. Tegen die tijd zou de avond vallen en de weg eindeloos lang en donker lijken. Allie keek naar de foto's van Paul als jongen. Hij had toen al dezelfde glimlach die hij altijd had gehouden, een beetje onbetrouwbaar en heel charmant. Ze stond bij het raam en keek naar de velden die hij altijd had gezien als hij 's ochtends opstond.

Mevrouw Ridge sliep. Ze had haar hele vermogen aan Paul vermaakt, maar moest haar testament nu veranderen. Ze zou alles nalaten aan de meisjesschool waar de vrouwen in haar familie op hadden gezeten. Ze zou tuinen laten aanleggen, en de namen van alle vrouwen van de familie Ridge zouden op een bronzen plaquette worden gegraveerd die aan een stenen muur werd gehangen. Er zou ook een tuin komen ter nagedachtenis aan Paul, met planten die vogels aantrokken: zonnebloemen, kruisbessenstruiken, pruimenbomen.

Mevrouw Ridge was zo stil dat Allie zich over haar heen boog om zich ervan te vergewissen dat ze nog ademde. Dat deed ze, zij het heel licht. Haar huid was als perkament en ze stak ziekelijk bleek af tegen de blauwe deken. Ze had haar rust nodig. Allie liep de trap af, maar ze kon zich er niet toe zetten naar de woonkamer te gaan, waar iedereen aan de lunch zat. Ze ging naar buiten en liep een eindje de weg af. Ze had het gevoel dat ze kilometersver door zou willen lopen. Als ze dat deed, zou ze misschien teruggaan in de tijd, zoals haar boek anders verliep voor wie op de allerlaatste bladzijde ervan begon. Dan kon de lezer er een gelukkige afloop aan maken. Dat was een geheim geweest, hoewel de meeste lezers er intussen van op de hoogte waren. Ze liep een hele tijd door, maar het bleef dezelfde weg met dezelfde bomen en gele velden erlangs en dezelfde hemel erboven.

Na enige tijd keerde Allie om. Er was niets veranderd. Ze was nog steeds in het hier en nu. Een passerende auto toeterde en er zwaaide iemand naar haar, maar behalve de familie Rice kende Allie niemand in Reading.

Bij de bocht naar Lilac House stond haar moeder haar op te wachten.

'Het is hier prachtig,' zei Lucy. 'Wist je dat er een huisje achter in de tuin staat? Het heet The Hedges, en Frieda en Bill hebben er gewoond toen ze pas getrouwd waren.'

'Paul wilde dat wij er gingen wonen.' Allie was naast haar moeder gaan staan. 'Hij zei dat het de volmaakte plek zou zijn om te schrijven. Ik zei dat hij getikt was. Ik zou nooit zo afgelegen willen wonen.'

Ze liepen over het gazon naar The Hedges en gluurden naar binnen. Het was een schattig huisje. Ze wandelden eromheen en ontdekten een gekromde perenboom.

'Ik had een betere moeder moeten zijn,' zei Lucy.

'Mam, je had Maddy op geen enkele manier tevreden kunnen stellen. Ze is gewoon tegendraads.'

'Ik bedoel niet voor Maddy. Voor jou. Ik wilde niet dat je me nodig zou hebben en dan net zo verloren zou zijn als ik was toen ik mijn moeder kwijtraakte. Maar je werd te zelfstandig. Je kon alles zo goed. Daar is Maddy altijd vreselijk jaloers op geweest. Ze was net als ik. Kwetsbaar. Niet in staat te laten zien hoeveel verdriet ze had.'

'Wil je dat ik het haar vergeef?' vroeg Allie. 'Weet je wel wat ze heeft gedaan?'

'Maakt het iets uit? Volgens mij heeft ze zichzelf meer verdriet gedaan dan ze jou ooit zou kunnen doen. Ze houdt zich schuil in die hotelkamer van haar, totaal verslagen. Ze heeft er behoefte aan dat jij haar nodig hebt. Dat heeft ze altijd gewild.'

Ze keken door het keukenraam naar binnen. Er stond een oude zeepstenen gootsteen. De vloeren waren van geschuurd kastanjehout, de planken afgesleten door alle voetstappen die er jarenlang waren gezet. Allie bedacht dat Paul gelijk had gehad: hier hadden ze gelukkig kunnen zijn.

'Je bent een goede moeder,' zei ze.

Lucy liet haar arm om haar dochters middel glijden. Ze was niet altijd een goede moeder geweest, maar ze had haar best gedaan. 'Ik zou alles voor jullie over hebben gehad.'

'Dat wist ik,' zei Allie.

'Maddy niet.'

Allie keerde zich af van het keukenraam. Daarbinnen kon ze hun leven zien, zoals het had kunnen zijn. Ze wist nu wat spijt was. Er zaten vogels in de heggen; ze zag ze niet, maar ze hoorde hun gekwetter. Dit gebeurde er als je van iemand ging houden. Je stond in de tuin en luisterde naar de vogels. Je keek door het raam naar binnen.

'Frieda zal zich wel afvragen waar we gebleven zijn,' zei Lucy.

Ze liepen arm in arm over het grasveld.

'Ik had hier best kunnen wonen,' zei Allie.

Frieda stond bij de achterdeur van Lilac House. Ze zwaaide naar hen en zij zwaaiden terug. Ze had een blauw schort over haar zwarte rouwjurk aangetrokken. De hele nacht was ze bezig geweest een groot stuk vlees te braden, zodat niemand honger zou krijgen.

'Hoe moet ik dit doen?' vroeg Allie haar moeder.

'Je doet je best,' zei Lucy. 'Meer kun je niet doen.'

Iedereen ging voor het donker weg, ook Allies ouders, die samen met mevrouw Ridge en haar verpleegster in een auto met chauffeur werden teruggebracht naar Londen. Allie was in de tuin, waar de seringen zo hoog stonden dat ze de weg niet kon zien. De bladeren waren stoffig, zoals altijd in augustus, als het echt warm werd. Bill was naar bed gegaan, maar Allie en Frieda wilden niet naar binnen; ze zaten op houten stoelen te luisteren naar de roep van de vogels. Er waren nog steeds stukken blauwe hemel, ook al was het bijna tien uur. De lucht was zo zwaar en drukkend dat elke seconde een eeuwigheid leek te duren.

'Mijn vader heeft me verteld dat er drie engelen zijn,' zei Frieda. 'Hij was een heel serieuze, lieve, verstandige man. Hij kwam altijd op tijd. Je kon van hem op aan. Je hebt de engel van het leven, zei hij, en de engel van de dood, en dan is er nog de derde engel.'

'Van die eerste twee heb ik weleens gehoord,' zei Allie.

'De engel van het leven of de engel van de dood reed achter in de auto mee als mijn vader een visite ging afleggen, maar hij wist pas welke van de twee het was als hij op zijn bestemming aankwam. En zelfs dan verraste het hem vaak nog. Ze waren soms moeilijk uit elkaar te houden.'

Ze dronken ijsthee die Frieda had klaargemaakt. Allie zag de schoorsteen van The Hedges, het huisje waar Paul en zij nu hadden moeten wonen.

'En de derde?'

'Tja, dat is de eigenaardigste. Je weet niet eens zeker of hij een engel is of niet. Je denkt dat je iets aardigs voor hem doet, je denkt dat jij degene bent die voor hem zorgt, terwijl hij in werkelijkheid jouw leven redt.'

Allie begon te huilen. Ze wilde dat ze in de keuken van The Hedges was en haar best deed een pruimentaart te bakken of appels stond te snijden voor een appeltaart. Ze wilde dat Paul op de bank zat en plagende opmerkingen naar haar riep over haar baklust.

'We zien het totaal niet aankomen,' zei Frieda. 'Hij weet ons te vinden als we dat het minst verwachten en hij verandert ons leven.'

'Ja, dat gebeurt volkomen onverwachts,' beaamde Allie.

'Ik ben blij dat je hebt besloten vannacht te blijven.'

Ze gingen samen naar binnen, deden de afwas en borgen het vaatwerk op. Allie wachtte tot ze Frieda naar boven hoorde gaan, naar haar slaapkamer, en deed toen de lampen uit. Op dit late uur zongen de vogels nog steeds, in verwarring gebracht door de lange zomerdagen. Allie wachtte bij het raam in de hoop dat hij voorbij zou lopen op weg naar zijn bestemming, wat die ook mocht zijn. Maar ze viel in de stoel in slaap, en toen ze de volgende ochtend wakker werd en over de gele velden aan de overkant van de weg naar buiten keek, was hij verdwenen.

Ze stond op het bordes van The Orangery. Het was haar trouwdag, de dag die ze hadden gepland. Het hek naar Kensington Palace stond al open, maar het restaurant was nog dicht. Allie had haar witte zijden pakje aan. In het gras zaten een paar roodborstjes. De heggen waren zo groen dat ze zwart leken. De hemel was zomers lichtblauw met alleen een paar hoge wolken. Eens had hun trouwdag zo ver weg geleken en nu was hij aangebroken. Ze had de reservering voor het Ritz in Parijs nooit afgezegd, en de treinkaartjes voor die middag zaten in Allies tas, samen met haar paspoort. In weerwil van alles wat ze had gezegd en wat ze zichzelf had voorgehouden, had ze tot het eind hoop gekoesterd; net als het reigervrouwtje in het moeras had ze op haar geliefde gewacht, ervan overtuigd dat hij terug zou komen. Allie zag hem steeds voor zich zoals hij in het ziekenhuisbed had gelegen, in elkaar gekropen, broodmager, onder een wit laken en een ziekenhuisdeken. Vandaag was de roerloze lucht vochtig. Later op de dag zou het opklaren, maar dat maakte voor haar niet uit. Ze was weduwe.

Langzamerhand kwamen er toeristen aan bij het paleis. Er was een tentoonstelling van Diana's jurken, al die prachtige kleren die ze had gedragen. De inktblauwe zijden jurk waarin ze op een avond met een filmster had gedanst. Het korte roze jasje bezet met kleine spiegelende lovertjes dat ze op haar India-reis had gedragen. Een terreinknecht die afval aan het verzamelen was staarde Allie onbeleefd aan, verbaasd haar in haar zijden pakje op het terras te zien zitten van een restaurant dat de luiken nog gesloten had, maar hij zei niets. Allie probeerde te besluiten wat haar volgende stap zou zijn. De deur naar haar leven was dichtgeslagen. Ze bevond zich in haar eigen toekomst, alleen. Niets was gelopen zoals ze had verwacht.

Ze keek voorbij de heggen naar het grasveld. Er kwam een vrouw op haar af lopen. Allie had het Lion Park gebeld en een boodschap achtergelaten bij de receptie. Ze had gezegd dat ze graag wilde dat haar zus in haar blauwe jurk naar The Orangery kwam. Het was een goede keuze geweest. De jurk was volmaakt. Maddy was vanaf het hotel komen lopen, het hele park door. Zonder te weten wat ze moest zeggen ging ze naast Allie zitten. Ze huiverde in de zijden jurk, die ze voor haar gevoel niet zou mogen dragen.

'Het uitzicht is hier schitterend, hè?' zei Allie. Ze keken uit over het grasveld. Aan het eind van haar verhaal werd de reiger doodgeschoten door stropers die dachten dat hij gewoon een kraai was. Zijn reigervrouwtje en zijn vrouw op aarde rouwden samen om hun echtgenoot. Geen van beiden kon het verdragen alleen te zijn.

'Het spijt me,' zei Maddy. Er drupten tranen op haar jurk; ze wist dat ze de zijde daarmee zou bederven, maar ze kon er niets aan doen. 'Het spijt me zo. Ik heb alles verkeerd gedaan.'

Er vormde zich een rij bij de ingang van Kensington Palace.

De heggen verspreidden een peperachtige geur. Allie dacht aan de rozen die ze voor Diana had gekocht op de ochtend dat ze Paul had ontmoet, en hoe volmaakt ze waren geweest, zelfs in de zomerhitte. Ze dacht aan de dag dat Maddy en zij hadden geprobeerd de vloek op te heffen die op hun moeder rustte. Ze had Maddy nooit verteld dat haar geheime woord de naam van haar zusje was geweest.

'Hoe gaan mensen verder met hun leven?' vroeg Allie. 'Daar kan ik maar niet achter komen.'

'Jij bent de moedige van ons tweeën.'

'Ik? Doe niet zo gek. Dat ben jij altijd geweest. Jij was degene die in dat nest hoog in de boom klom. Jij was degene die deed wat je wilde. Jij belde die vrouw met wie pap samenwoonde. Ik deed altijd wat ik dacht dat er van me werd verwacht. Tot het te laat was.'

'Laten we naar Diana's jurken gaan kijken,' opperde Maddy. 'Dan hebben we wat afleiding.'

'Ik heb ze al gezien,' zei Allie. 'Ik weet hoe ze eruitzien. Ik heb een beter idee.'

Ze zouden naar Parijs gaan. Het was Allie niet uit haar hoofd te praten. Ze gingen bij Maddy's hotel langs om haar paspoort en bagage op te halen, en daarna rechtstreeks naar Waterloo Station. In de taxi liet Allie haar hoofd tegen de rugleuning rusten. Ze zou kleren gaan kopen in Parijs. Niets van wat ze had leek onvervangbaar. Als het waar was dat je elk boek op twee manieren kon lezen, van voor naar achteren of andersom, had ze haar richting gekozen. Haar moeder en die van Paul zouden het allebei begrijpen.

'Weet je zeker dat je niet van gedachten wilt veranderen?' vroeg Maddy toen ze bij het station aankwamen. 'Ik zou het je niet kwalijk nemen.'

Allie dacht aan wat de arts in het ziekenhuis haar had gezegd. Liefde had niets te maken met het hier en nu. Dat had Frieda bedoeld toen ze zei dat het simpel was om van Paul te houden, hoe ingewikkeld hij ook was. Je hoefde er niet over na te denken, je deed het gewoon.

'Jij bent de enige die snapt hoe ik me voel,' zei ze tegen haar zus.

In Waterloo Station ging Allie op een bankje zitten terwijl Maddy naar het hotel van hun ouders belde. Ze vertrokken die middag en Maddy was van plan geweest samen met hen naar huis te reizen. Ze had een ticket naar New York gekocht en dat kon ze niet meer ruilen. Ze zou haar geld nooit meer terugkrijgen. Niet dat dat ertoe deed.

'Weet je wel hoe jullie ons in angst hebben laten zitten?' vroeg Lucy toen ze had opgenomen. 'We waren in alle staten! We moeten over een uur naar het vliegveld en we konden jullie nergens vinden. We hebben de politie al gebeld.'

'Maak je geen zorgen,' zei Maddy. Ze moest schreeuwen om zich verstaanbaar te maken. 'Alles is goed met ons. Als we genoeg hebben van het reizen, komen we naar huis.'

En toen was het tijd om te vertrekken. Het was een gedrang vanjewelste; dat weekend zou het prachtig weer worden en niemand wilde de kans missen de laatste paar zomerse dagen in Frankrijk door te brengen. Gelukkig was er een kruier die Allie en Maddy hielp hun plaatsen te vinden, vlak voordat de trein het station uit reed. Al snel denderden ze met ruim 250 kilometer per uur voort. Door het raam zagen ze blauwe, zwarte en groene vegen van het landschap voorbij flitsen. Londen, dat achter hen lag, was een vage vlek.

Het hinderde hen niet dat ze hun bruiloftskleren droegen. Zijde was goed onder alle weersomstandigheden en heel geschikt om in te reizen. Ze bleven niet stilstaan bij het verleden, maar praatten over de mensen die bij hen in de trein zaten. Ze verzonnen verhalen over hen, en toen ze eenmaal waren begonnen konden ze niet meer stoppen. Ze probeerden te raden wie verliefd was en wie een gebroken hart had, wie een moord had gepleegd en wie een leven had gered.

II

Lion Park Hotel
1966

Alles was geel in het park. Als het regende, dwarrelden de blaadjes van de bomen. Als de zon scheen, kleurde het hele park goud.

Frieda Lewis was negentien en werkte sinds vier maanden in het Lion Park Hotel in Knightsbridge. Ze maakte het liefst de kamers op de zevende verdieping schoon. Van daaruit had ze aan de achterkant uitzicht op de binnentuin, waar de stenen leeuw stond, en aan de voorkant op de boomtoppen van Hyde Park.

Ze was een keer buiten op de raamdorpel gaan staan, hoog boven het verkeer en de uitlaatgassen, en had als betoverd gekeken naar de wiegende bomen en de wolken die door de lucht zeilden. Brompton Road was net een straat met speelgoedautootjes die netjes op een rij stonden. Maar plotseling was ze duizelig geworden en had ze snel door het raam naar binnen moeten kruipen. Hoewel haar hoofd bonsde, was ze opgetogen geweest. Ze had het gevoel gehad dat haar iets bijzonders te wachten stond, alsof er elk moment een wonder kon gebeuren. Weliswaar werkte ze als kamermeisje in een Londens hotel, maar dat was niet hoe ze zich vanbinnen voelde.

Frieda was een eigenzinnig meisje, dat volgens haar ouders haar toekomst had vergooid. Hoewel ze was toegelaten tot de universiteit, had ze gekozen voor het echte leven. Een huwelijk en kinderen hoorden daar beslist niet bij. Ze wilde geen doorsneebestaan, en al helemaal niet het leven dat haar vader voor haar had uitgestippeld. Hij was huisarts in Reading en meende te weten wat het beste voor iedereen was. Wat hij goed voor haar vond, wilde zij pertinent niet. Ze wilde leven op een manier die hij verafschuwde en die hem zou kwetsen. Even had ze zelfs overwogen om zich aan de poëzie te wijden. Ze had gevoelens die niemand echt begreep en uit dat soort eenzaamheid worden vaak dichters geboren.

Ook had ze het uitgemaakt met haar vriend. Bill had niet anders verwacht dan dat ze met elkaar gingen trouwen, maar ja, iedereen heeft bepaalde verwachtingen. Iedereen meende haar te kennen, maar wat wisten ze eigenlijk van haar? Helemaal niets. Omdat ze verlangde naar een grootser, meeslepender leven zat ze in Londen, tot groot verdriet van haar ouders in Reading. Een provinciaaltje dat wanhopig verlangde naar het leven in de grote stad. Zoiets doet een meisje zonder talent, had haar vader gezegd, maar geen begaafde, intelligente vrouw die op de universiteit thuishoort.

Hoewel haar ouders Frieda losgeslagen vonden, was ze nog braaf vergeleken bij de andere kamermeisjes van het Lion Park, die allemaal jong waren en zich wilden vermaken. Als ze met de hele groep uitgingen leken ze met hun zwartomrande ogen wel een horde Cleopatra's. Ze droegen een minirok of spijkerbroek, grote oorringen en hoge laarzen, en rookten als ketters. De meisjes die in het hotel werkten, waren ondergebracht op de tweede verdieping. In het ergste geval sliepen ze met z'n drieën of vieren op een kamer, maar dat vonden ze niet erg. Er werden elke avond spontaan feestjes gehouden en ze gingen in een gezellig, uitgelaten groepje naar een concert of nachtclub. Ze bezochten regelmatig restaurant Casserole op King's Road of speurden op de antiekmarkt in Chelsea naar oud zijden ondergoed of victoriaanse blouses met satijnen biesjes. Vaak leenden ze elkaars kleren, zodat bijna alle meisjes Frieda's zwarte jurkje al een keer aan hadden gehad. Het jurkje was voor achttien zuurverdiende ponden bij Biba in Kensington gekocht en zo kort dat je het aan de onderkant met twee handen moest vasthouden als je uit een taxi stapte. Katy Horace had in dat jurkje Mick Jagger een nacht aan de haak geslagen, of nou ja, eigenlijk een uurtje, maar het was Mick geweest, beweerde ze, en dat had ze aan Frieda's jurk te danken.

Het Lion Park Hotel stond bekend om zijn vrijgevochten gasten: mensen uit de muziekwereld, dichters met een slechte reputatie, mannen die van mannen hielden, vrouwen die hun echtgenoot hadden verlaten, drummers op tournee die de hele nacht oefenden en de andere gasten tot wanhoop dreven door op het meubilair te trommelen, jonge vrouwen met zelfmoordplannen, en stellen die maar niet konden besluiten of ze elkaar wilden beminnen of vermoorden. Het hotel zag er een beetje groezelig uit – het meubilair was aftands en de vloerbedekking versleten – maar de privacy van de gasten was er gewaarborgd. Het Lion Park leek op het Chelsea Hotel in New York, zeiden ze. Alles was toegestaan zolang je maar niet iemand om zeep bracht. Wat de leiding betreft was het geen punt als je een vampier was, mits je de rekening maar op tijd betaalde.

Als er een beroemde gast in het hotel verbleef, stonden er 's avonds vaak tientallen meisjes voor de ingang, die uitzinnig gilden bij iedere jonge langharige man die ze in het oog kregen. De omwonenden klaagden over de groupies, maar kon-

den er niets tegen doen. Vrijheid van meningsuiting betekende immers ook de vrijheid om te gillen. Als de fans te
luidruchtig werden en ook het verkeer belemmerden, werd de
politie er soms bij gehaald, maar meestal hield Jack Henry, de
nachtportier, toezicht op de menigte.

Jack Henry beweerde voor de grap dat hij pas echt aan zijn
trekken kwam sinds hij groupies binnenliet om ze de kamer
van een beroemdheid te wijzen. De meisjes van het Lion Park
vonden hem een oude viezerik, hoewel hij waarschijnlijk niet
veel ouder dan dertig was. Jack had beslist zijn slechte kanten,
maar je kon erop rekenen dat hij zijn mond dichthield. Tegen
de juiste vergoeding kon hij de gasten aan bijna alles helpen:
een mooie vrouw, een dokter die een overdosis niet rappor-
teerde, flessen absint of een voorraadje Vesparax, en wat het
belangrijkst was, alles op een zeer discrete manier.

Niemand wist bijvoorbeeld dat Jamie Dunn een kamer op
de zevende verdieping had, zelfs de kamermeisjes niet. De
meeste mensen hadden dan ook nooit van hem gehoord. Hij
was niet erg bekend en zeker niet beroemd, gewoon een Ame-
rikaanse zanger die een platencontract had gekregen. Jamie
was naar Engeland gekomen om een paar concerten te geven,
maar die waren allemaal op een fiasco uitgelopen. De mensen
hadden geklaagd dat ze hem nauwelijks konden horen, want
hij had een ijle, engelachtige stem. Het publiek wilde tegenwoordig elektrische muziek. Zelfs Bob Dylan was overstag gegaan. Jamie wist dat hij een band zou moeten formeren en
meer herrie moest maken. Bovendien had hij een paar eigen
nummers nodig. Dat had hij te horen gekregen van de verte-
genwoordigers van zijn platenmaatschappij, dat wil zeggen,
het was zijn platenmaatschappij zolang hij leverde wat ze van
hem verlangden en niet werd afgedankt, zoals met talloze an-

dere getalenteerde, hoopvolle jongemannen voor hem was gebeurd.

Nu had hij zichzelf opgesloten op kamer 708, waar hij tevergeefs probeerde teksten te schrijven. Na twee dagen hield hij op met eten en zocht zijn heil in de alcohol. Dat was altijd het begin van een periode waarin hij zichzelf klem zoop. Net als Rimbaud moest hij vlammen om te kunnen scheppen, maar zijn vuur schitterde niet en dat wist hij zelf ook. Het enige wat hij ermee bereikte was dat hij ontzettend dronken werd. Omdat hij maar vijfenzeventig kilo woog bij een lengte van een meter negentig, zag hij er binnen een paar dagen uitgemergeld uit. In zijn hotelkamer was het een bende. Wasgoed slingerde op de grond en overal stonden volle asbakken en vuile koffiekopjes. Hij douchte zich niet meer omdat water en zeep hem zouden kunnen afleiden van het schrijven, en had zijn lange haar met een leren bandje in een staart gebonden. Zijn krachtige gelaatstrekken had hij te danken aan zijn voorouders. Zo was zijn grootmoeder van Cree-indiaanse en Oekraïense afkomst, zijn grootvader was half Iers, half Italiaans en zijn moeder een Poolse Jodin. Net als die van de meeste New Yorkers was zijn afstamming een allegaartje.

Hij was al vier jaar niet meer naar de kapper geweest en vrouwen smolten voor hem zonder dat hij er ook maar iets voor hoefde te doen. Hij geloofde in het lot, in tekens, symbolen en voorbeschikking, de hele santenkraam. Dat hij iets aan zijn been mankeerde was een teken dat hij voor iets bijzonders in de wieg was gelegd. De onophoudelijke pijn bewees dat hij niet voor een gewoon leven was bestemd. Als hij dat been niet had gehad, was hij naar Vietnam gestuurd en had hij waarschijnlijk niet meer geleefd.

Hij geloofde vooral in bezweringen. Daarom had hij met

zichzelf afgesproken dat hij zijn haar zou afknippen als hij één goed liedje kon schrijven. In dat geval zou hij zijn dierbare bezit opofferen door het te verbranden op het kookplaatje dat hij door de huishoudelijke dienst boven had laten brengen. Dan zou hij afstand doen van het deel van zichzelf dat zo zwak was dat hij soms wekenlang in bed bleef liggen als hij niet kon schrijven en de last van de wereld te zwaar op hem drukte.

Jamie was een ziekelijk kind geweest met een aangeboren heupafwijking. Toen hij twaalf was, had hij al een paar operaties achter de rug. Pijn was zijn vaste metgezel en hij had maanden achter elkaar in het Queens County Hospital gelegen. Daarna had hij een metalen beugel moeten dragen, die zo knelde dat hij er littekens aan over had gehouden. Als hij over zijn been streek voelde hij een serie putjes die hem herinnerden aan wat hij had moeten doorstaan en waar hij nu als compensatie recht op had. Vroeger op school was hij vreselijk gepest en nu had hij een afkeer van zichzelf, van zijn eigen vlees, bloed en botten, maar het meest nog van de eeuwige pijn. Hij had zijn hele jeugd Demerol en morfine gekregen en was op de middelbare school overgestapt op drugs. Nu gebruikte hij het liefst heroïne en verlangde voortdurend naar de volgende shot. De mooiste momenten had hij vlak voor en tijdens de roes. Dan kreeg hij zijn beste invallen, als hij ze tenminste kon onthouden. Zijn schriften stonden vol aantekeningen waar hij geen touw meer aan vast kon knopen.

Godzijdank was hij bestand tegen afzondering en kon hij zich goed afsluiten voor het rumoer in het hotel. Dat had hij geleerd in zijn jeugd, met drie broers die eeuwig aan het ruziën waren. Tijdens zijn eerste avond in Londen was er een scène op de gang geweest, net toen hij aan het werk wilde gaan. Het leek wel alsof hij thuis was. Maar dat was geen probleem, want hij negeerde het gewoon, zoals hij met zijn broers ook altijd had gedaan. Omdat hij zijn moeders lieveling was, had hij een aparte positie in het gezin ingenomen. Het had hem weinig gedaan als zijn broers elkaar aftuigden. Hij had niet eens partij gekozen.

Toen de herrie op de gang te erg werd, schreeuwde hij: 'Koppen dicht, verdomme.' Hij bonkte op de muur naast zijn bed en al snel hield het lawaai op.

De volgende avond gebeurde het weer. Het klonk als dezelfde ruzie, maar zijn broers hadden tenslotte ook jarenlang over hetzelfde gebakkeleid. Toevallig was Jamie dronkener dan de vorige avond, dus stormde hij de gang op met een inderhaast mee gegriste lamp als wapen. Maar toen hij daar stond, slechts gekleed in een gerafelde spijkerbroek, trof hij alleen een verschrikt kamermeisje aan dat bezig was geweest de bedden open te slaan. Ze had lang bruin haar en grote ogen. Ze leek wel een engel zoals ze daar stond, zo mooi en puur dat Jamie nauwelijks naar haar kon kijken zonder zich nederig te voelen. Dit was zo'n ogenblik waarover hij graag had willen schrijven, als hij dat had gekund.

'Sorry,' zei Jamie, in het besef dat hij wellicht bedreigend overkwam met zijn lange, onverzorgde verschijning, zijn kreupele gang en de lamp, die hij vasthield alsof het een speer was. Misschien dacht ze wel dat hij niet goed snik was. 'Ik hoorde iets, maar dat zal ik me wel hebben verbeeld.'

'We hebben een spook,' zei ze. 'Dat zeggen ze tenminste.'

Het kamermeisje was Frieda. Haar collega's hadden haar gewaarschuwd voor kamer 707. Bijna geen enkele gast hield het daar een hele nacht uit. Meestal ontvluchtten ze daarna het hotel en vroegen hun geld terug. Het verhaal ging dat iemand zijn rivaal in die kamer had gedood, maar niemand wist er het fijne van. Als een van de meisjes naar binnen ging om het bed open te slaan, was het er opvallend koud. Soms was er een gast die speciaal naar kamer 707 vroeg, meestal een schrijver op zoek naar inspiratie, of een gitarist of drummer die zijn moed wilde bewijzen door in de spookkamer te overnachten, maar zich ondertussen wel een stuk in zijn kraag dronk.

'Ik geloof niet in spoken, hoor,' ging Frieda verder. 'Maar ik denk wel dat er een bepaalde trilling in de ether kan hangen.'

Jamie lachte. 'Dat heb ik weer, een spook.'

'Het hotel heeft een spook, jij niet.' Ze kon achter Jamie langs bij hem naar binnen kijken, want de deur stond halfopen. Zijn kamer was een puinhoop. Frieda had al dagenlang het bordje NIET STOREN aan zijn deur zien hangen. Ze meende een sliert rook te zien en hoopte maar dat hij het hotel niet in de fik zou steken. 'Zal ik uw kamer doen?'

'Ik heb zelf al grondig huisgehouden. Door dat spook kan ik me niet concentreren, verdomme. Kom even iets drinken. Ik heb gezelschap nodig, levend gezelschap.'

'Nu meteen?' vroeg Frieda lachend.

'Je werkt hier wel, maar je bent toch zeker de baas over je eigen leven? Of ben je hun slavin?'

Op dat soort uitdagingen ging Frieda altijd in. Wonderlijk genoeg had deze jongeman haar antiautoritaire inslag goed aangevoeld, terwijl bijna niemand dat van haar wist. Hoewel ze eruitzag als een heilig boontje, was ze dat helemaal niet. Ooit had ze haar biologiedocent bij de politie aangegeven omdat hij hen dierproeven liet doen met zwerfkatten. Daarna was ze naar school gegaan en door het raam geklommen om de katten los te laten. Een paar waren met haar mee naar huis gelopen, en daardoor was ze betrapt en voor straf een week geschorst. Toen de directeur langs hun huis reed, had hij de katten in de tuin gezien. 'Van jou hadden we zoiets nooit verwacht,' had hij gezegd. Toen was ze al recalcitrant en dat was ze nog steeds. Dus juist omdat het niet mocht, nam ze Jamies uitnodiging aan.

Eerst zette Jamie het raam open, want er hing een penetrante, rokerige lucht in de kamer. 'Sorry, het stinkt hier nogal. Is whisky oké?' Jamie trok een T-shirt aan. Hij zag er aantrekkelijk uit, veel knapper dan Mick Jagger. Een paars suède jasje was achteloos op het bureau gesmeten en sokken slingerden door de kamer. De half verorberde portie fish-and-chips die hij had laten bezorgen, stond op het bureau en had daar een vetvlek gemaakt.

Frieda's moeder was een fanatieke huisvrouw en had waarschijnlijk een hartstilstand gekregen als ze deze kamer had gezien. Mevrouw Lewis was haar hele leven bezig geweest om haar huis brandschoon te houden, heerlijke maaltijden te bereiden en nooit een bord in de gootsteen te laten staan, en wat had ze daarmee bereikt? Helemaal niets, volgens Frieda.

Frieda knikte. 'Whisky is prima.' Ze had wel vaker kamers gezien waar het een troep was, maar dit sloeg alles. Niet dat het haar iets kon schelen. 'Een feestje gehad?' vroeg ze.

'Sorry, ik ben dag en nacht aan het werk en weet niet eens welke dag het is. Vind je dat ik vaak "sorry" zeg?' Snel maakte hij het bed op. Daar was hij niet handig in. Ten slotte gooide hij er maar een deken overheen.

'Waar werk je aan?' vroeg Frieda.

Hij gaf haar een glas whisky. Het glas was niet bepaald schoon, maar ze had gelezen dat alcohol alle bacteriën doodde. Je kon het bijvoorbeeld over een wond gieten als je geen ander ontsmettingsmiddel bij de hand had. Ze werd altijd heel snel dronken. Eén glas alcohol en baf, ze ging al onderuit. Daarom nam ze een piepklein slokje. Ze huiverde toen de whisky in haar keel brandde, en ze voelde zich erg stoer en volwassen.

'Ik schrijf songteksten. Als ik aan het werk ben, maak ik een hoop rommel en vergeet de wereld om me heen.'

Dichters stonden bekend om hun wereldvreemdheid, dus Frieda rekende het hem niet aan. Jamie had wel iets anders aan zijn hoofd dan zich druk te maken over zulke praktische zaken. Ze zag een gitaar tegen de muur staan. Er slingerde ook bladmuziek rond. Ze wist wel dat er beroemde mensen in het Lion Park verbleven, maar in tegenstelling tot Katy en een paar andere meisjes, had ze er nooit eentje in levenden lijve ontmoet. Het rare was dat het leek alsof ze Jamie al heel lang kende. Ze voelde zich helemaal niet opgelaten. Misschien schiep het een band dat ze diep vanbinnen ook een dichter was.

'Zing eens iets,' zei Frieda.

'Wat krijg ik ervoor terug?' Jamie keek haar grijnzend aan. Als hij een vrouw zag, kon hij het niet laten haar te versieren. Vermoedelijk kwam het doordat hij als kind zo lang in het ziekenhuis had gelegen, waar hij met de verpleegsters had geflirt omdat hij snakte naar een vriendelijk woord. Hij was zich bewust van zijn charme en maakte er handig gebruik van. Had hij dat niet gedaan, dan zou hij nog steeds in Queens wonen. Zijn ene broer werkte als kok in een goedkoop restaurant, zijn andere broer was uitgezonden naar Vietnam en de derde woonde nog bij zijn moeder in het souterrain en had tijdelijke baantjes, of dat beweerde hij tenminste, want niemand had hem ooit zien werken. Alle drie hadden ze een hekel aan Jamie. Ze noemden hem een mazzelpik en een egoïstische klootzak. Maar het kon hem niet schelen als iemand hem verweet dat hij zijn talenten gebruikte. Ze gingen hun gang maar. Jamie was niet van plan lijdzaam over zich heen te laten lopen als hij slechts hoefde te glimlachen om zijn zin te krijgen. Glimlachen en een liedje schrijven, dat was alles.

'Ik geef je een titel,' zei Frieda, die een overvloed aan ideeën had. Ze hoefde er niets voor te doen, de ideeën borrelden spontaan in haar op. Ze verzon een plot voor een film, een verhaal voor een roman of een reclamespotje voor de tv. Haar ex-vriend Bill noemde haar een droomster, maar ze kon het eenvoudig niet laten. Haar hoofd zat vol invallen. 'Als je een titel hebt, komt de rest vanzelf. Dat heb ik tenminste gelezen.'

Jamie schonk zijn glas weer vol. Ineens besefte hij wat hij had gemist: een muze, iemand die hem kon inspireren. Daarom zat hij nu in een impasse en kon hij geen letter op papier krijgen. Frieda had het witte schort aan dat alle kamermeisjes tijdens het werk droegen, een kledingstuk dat Jamie associeerde met sneeuw en zuiverheid. Ze zag eruit als een sexy verpleegster. Ze zag eruit als een engel die op de rand van zijn bed zat. Eigenlijk was ze zijn type niet, maar ze was lief en eerlijk, het tegendeel van Jamie zelf.

Hij had zich weleens misdragen, maar nooit opzettelijk. Zijn verlangen naar roem, en niet te vergeten zijn drugsgebruik, hadden hem egoïstisch gemaakt. Als kind had hij allerlei manieren bedacht om te ontsnappen, niet alleen uit het ziekenhuis, maar ook uit het leven dat hij leidde. Zijn moeder zei dat ze altijd had geweten dat hij het huis uit zou gaan zodra hij kon lopen. Als het moest zou hij liegen, stelen, bedriegen en alleen aan zichzelf denken, maar hij zou weg weten te komen.

'Goed,' zei Jamie tegen Frieda. Hij vond haar verfrissend

en interessant. De meeste meisjes durfden niets tegen hem te zeggen en als ze hun schroom hadden overwonnen, bleek dat ze niets te vertellen hadden. 'Laten we maar eens zien of het werkt. Wat heb je voor titel?'

Ze hoefde er niet over na te denken. Het viel haar spontaan in. '*De geest van Michael Macklin.*'

Jamie lachte. 'Hoe verzin je het!'

'Michael Macklin is het spook dat je op de gang tekeer hebt horen gaan. De liefde is hem fataal geworden. Hoe weet ik niet precies, maar het had in elk geval iets met de liefde te maken.'

'*De geest van Michael Macklin.*' Jamie liet de titel op zich inwerken.

'Je weet best dat het een geweldige vondst is. Nu moet je zingen, dat heb je beloofd! Eén liedje maar.'

Jamie zong voor haar, geen eigen repertoire, want zijn nummers waren nog niet af – en ook niet erg goed – maar *Greensleeves,* waar de meeste vrouwen van gingen zwijmelen.

Vrouwen werden erdoor geraakt, al wist hij niet waarom. Al een paar keer was er een vrouw verliefd op hem geworden toen hij dat lied zong. Er sprak een soort radeloosheid uit, een gevoel van miskenning dat vrouwen vreemd genoeg zo romantisch vonden dat ze week werden. Bij Frieda gebeurde het ook; dat zag hij aan de manier waarop ze naar hem keek, met open mond en opperste concentratie. Het was een koud kunstje om een vrouw te veroveren, en het gaf hem een kick. Bovendien was ze een knap meisje om te zien, origineel en intelligent. Hij voelde zich alleen een beetje geremd doordat hij al een vriendin had, of eigenlijk een heuse verloofde, want dat was de tweede reden dat hij in Londen zat, al vergat hij dat soms. Hij ging trouwen.

Toen hij was uitgezongen, klapte Frieda. 'Ik kan niet over je liedjes oordelen, maar je hebt een prachtige stem, subliem.'

'Echt waar?' vroeg Jamie, verbaasd door haar directheid. Hij was egocentrisch, maar ook kwetsbaar en vol zelfhaat. Vaak wilde hij overal de brui aan geven. Dan vroeg hij zich af of alles wat hij deed waardeloos was. Maar nu dit meisje iets lovends zei, geloofde hij haar.

'Schitterend. Heel ontroerend. Beter dan Mick Jagger.'

'Je kent Jagger niet eens,' wierp Jamie tegen.

'O nee? Laat ik het zo uitdrukken: Mick is als een blok gevallen voor mijn zwarte jurkje.'

Ze vond het idioot van zichzelf dat ze dat had gezegd, alleen om te zorgen dat Jamie haar aantrekkelijk zou vinden. Ze had geen enkele ervaring met rockzangers. Bill, haar ex, had uitsluitend met Mick Jagger gemeen dat hij een man was, maar daarmee hield alle gelijkenis op. Bill studeerde scheikunde aan de universiteit van Reading en werkte parttime in een laboratorium, waar hij onderzoek deed naar kankercellen. Toch had Frieda niet het idee dat ze tegen Jamie had gelogen. Nu ze op zijn bed whisky zat te drinken voelde ze zich anders, eerder het losbandige meisje voor wie haar ouders haar aanzagen, een meisje voor wie Mick Jagger belangstelling zou kunnen hebben.

'O ja? Mick, hè?' Jamie geloofde haar voor geen cent. Ze leek hem niet het type om met een van de Rolling Stones naar bed te gaan, eerder iemand die ging voor de eeuwige liefde. Jamie merkte wel dat ze indruk op hem wilde maken en probeerde zijn lachen in te houden. Hij doorzag anderen altijd heel snel, ook al begreep hij weinig van zichzelf.

'Ik had de jurk niet zelf aan,' gaf Frieda toe. 'Maar hij is wel van mij.'

'Indirecte seks.' Jamie grinnikte. Ze leek hem geen gewoon kamermeisje, eerder een studente. 'Om even beroemd als Mick te worden zal ik gauw met een paar eigen nummers moeten komen, anders is mijn contract bij de platenmaatschappij niet meer waard dan een vodje papier. Ik moet op z'n minst de A- en B-kant van een single kunnen vullen.'

'Met wat hulp vloeien de teksten vanzelf uit je pen. Je hebt al één pakkende titel en een goed begin is het halve werk.' Frieda dronk haar glas leeg en stond op. Ze had de whisky sneller naar binnen gegoten dan ze van plan was geweest, dus nu was ze aangeschoten terwijl ze nog in minstens tien kamers de bedden moest openslaan.

'Wacht even,' riep Jamie. 'Ik heb nog geen liedje. Ik dacht dat je me zou helpen.'

'Laat maar eens zien of je er morgen een af hebt,' zei Frieda. Ze wist dat sommige mensen gevoelig waren voor een ultimatum of uitdaging. Zelf was ze dat in elk geval wel. Als er werd gezegd dat ze iets niet kon, had ze het in een mum van tijd voor elkaar. Dan ging het op dezelfde manier als met de katten die ze uit het biologielokaal had bevrijd. Door haar actie was haar vroegere buurt nu vergeven van de zwerfkatten, die buiten in het veld leefden en de konijnenpopulatie decimeerden. Soms overzag ze de gevolgen niet helemaal.

'Oké.' Jamie salueerde. Hij leek opgemonterd door de uitdaging. Misschien had niemand hem ooit aangespoord om zijn best te doen. Frieda zag ineens wat er met charisma werd bedoeld. Hij bezat een onweerstaanbare aantrekkingskracht, die hij niet zelf in de hand leek te hebben en die haar het gevoel gaf dat zonder hem alles grauwer en saaier zou zijn.
'Denk je werkelijk dat ik het kan?' vroeg hij.

Even kreeg ze de echte Jamie te zien, waardoor ze zich nog

meer tot hem aangetrokken voelde, nog meer met hem verbonden door de poëzie.

'Laten we erom wedden. Als ik morgenavond terugkom en je hebt het nog niet af, krijg ik dat paarse jasje van je. Dan heb je een stok achter de deur.'

'Afgesproken,' stemde hij in. 'Maar wat krijg ik als ik win?'

'Een liedje,' beloofde Frieda. 'Een fantastische A- of B-kant.'

Jamie trok het gezicht waarmee hij de verpleegsters altijd voor zijn karretje had gespannen. 'Meer.'

'Vind je dat niet genoeg?' vroeg Frieda verward. 'Een kus,' stelde ze voor. 'Misschien,' zei ze er snel achteraan, hoewel ze besefte dat ze hem dolgraag wilde kussen.

Misschien had Jamie de songtekst wel geschreven die hij Frieda had beloofd, als Stella hem niet om elf uur had gebeld. Hij kon een vrouw nu eenmaal niets weigeren, helemaal niet als hij op het punt stond met haar te trouwen.

Hij pakte zijn jas, trok zijn laarzen aan en ging naar de lobby. De portier bestelde een taxi voor hem. Voordat Stella hem belde, had hij twee zinnen geschreven: 'Ik ben altijd van jou als ik bij je ben. Wij horen bij elkaar.' Het klonk leugenachtig in zijn eigen oren.

'Hou het netjes,' riep Jack Henry, de portier, hem na toen hij in de taxi stapte. Misschien had hij daar wel aanleiding voor gegeven, dacht Jamie.

De taxi bracht hem naar Kensington, waar Stella's ouders woonden, maar die waren op vakantie, dus hadden Stella en haar zus Marianne het rijk alleen. Jamie begreep niet dat die ouders hun dochters alleen durfden te laten. Zelfs hij was nog altijd betrouwbaarder dan de twee zussen, die volledig losgeslagen waren, altijd samen optrokken en zich voortdurend in de nesten werkten. Als hij wilde, had hij luxueus bij hen in Kensington kunnen logeren, in plaats van in een derderangshotel zonder roomservice, maar Stella en hij maakten zo vaak ruzie dat hij er niet zou kunnen schrijven. Die avond had hij ook beter in het Lion Park kunnen blijven om aan zijn tekst te werken en een kus van Frieda te verdienen, maar in plaats daarvan klopte hij bij Stella aan.

De familie Ridge was rijk, puissant rijk, en Stella was razend knap. Ze had alles wat een man zich kon wensen, vooral een man met een hang naar zelfdestructie. Ze was precies de verkeerde voor Jamie, want ze leken te veel op elkaar. Vuur met vuur. Dat is altijd een slechte combinatie, die tot brandoffers en rampen leidt. Stella was niet geschikt als muze. Daarvoor was ze te zelfzuchtig, te veeleisend en te overdonderend. En ze had nog een schaduwkant: ze was verslaafd aan heroïne.

'Je zit de hele tijd in dat sjofele hotel,' zei Stella toen ze de deur voor hem opendeed. 'Misschien heb je wel een scharreltje en ben je er daarom zo vaak. Wij gaan trouwen, hoor. We moeten samen optrekken.'

'Zeur niet. Ik zit daar om te schrijven, niet voor mijn lol.'

'O nee?' vroeg Stella. 'Ik dacht dat het creatieve proces voldoening gaf, dus jij moet niet zeuren.'

'Als je zoveel van creativiteit weet, waarom doe je dan zelf niets kunstzinnigs?'

'Ik ben van mezelf al een kunstwerk.' Stella liet haar beeldschone glimlach zien.

Ze gingen naar de woonkamer, waar Marianne met haar vriend Nick heroïne aan het snuiven was. Ze waren allemaal rijkeluiskinderen, behalve Jamie. Hij was de vreemde eend in de bijt en daarom adoreerden ze hem. Ze vonden hem ongekunsteld en grappig. Later, als hij beroemd was, zou hij hen uitnodigen voor feestjes in Hollywood. Ze zouden waarschijnlijk hun schouders ophalen als ze wisten dat hij uit hun portemonnee pikte, wat hij regelmatig deed. Geld interesseerde hen niet en Jamie juist wel.

Hij dacht vaak aan zijn moeder. Ze had zich altijd zorgen over hem gemaakt en deed dat waarschijnlijk op dit moment weer, in haar appartement in Queens. Hij had van haar altijd een muts en handschoenen naar school moeten dragen, terwijl hij al werd gepest vanwege de beugel om zijn been. Die beugel had hem een wanstaltig uiterlijk gegeven. Sommige jongere kinderen waren bang voor hem als hij door de gangen stommelde. Hij herinnerde zich hoe zijn moeder aan zijn bed zat als hij weer eens geopereerd was. Ze hield van hem, maar hij was een ondankbaar kind dat haar vaak had teleurgesteld, behalve in één opzicht: zijn moeder had gehoopt dat hij ambitieus zou worden, en dat was hij. Het was haar droom dat hij iets zou bereiken in het leven en daarin zou hij haar niet teleurstellen.

De moeder van Stella en Marianne had daarentegen nog nooit een luier verschoond. Dat had Stella hem op een avond met tranen in haar ogen verteld, terwijl ze absoluut geen huilebalk was. Hun moeder was depressief geweest en had veel gereisd. Het kwam waarschijnlijk door het tekort aan aandacht in hun jeugd dat de zussen vonden dat ze overal recht op hadden. Jamie had medelijden met Stella, hoewel ze alles bezat wat haar hartje begeerde. Hij begreep waarom ze haar best deed zich krengerig te gedragen.

De eerste keer dat Jamie bij haar thuis was geweest, had hij kennisgemaakt met Daisy en Hamlin Ridge. Hij had niet beseft dat Stella hem had uitgenodigd om haar ouders dwars te zitten, maar dat werd hem snel genoeg duidelijk toen mevrouw Ridge hem aankeek. Ze was een lange, elegante vrouw, die al meteen een hekel aan hem had.

'Is dit je vriendje? Hij lijkt me geen beroemdheid.'

'Aangenaam kennis te maken,' antwoordde Jamie. Hij vond het een sport om mensen te ontwapenen, hen te verrassen en voor zich in te nemen, maar bij Daisy Ridge werkte dat niet. Ze liet zich niet zo snel inpakken.

Vader Hamlin liep weg om de krant te lezen.

'Ze is alleen in je geïnteresseerd omdat ze weet dat ik jullie omgang afkeur,' zei mevrouw Ridge tegen Jamie. 'Besef dat goed.'

'Ik stel uw eerlijkheid op prijs,' zei Jamie.

'Wat ben je toch ongelooflijk bot,' verweet Stella haar moeder.

Daisy haalde haar schouders op. 'Hij waardeert het tenminste dat ik eerlijk ben. Whisky?' vroeg ze Jamie.

'Graag.' Hij knikte.

'Je moet niets van haar aannemen,' zei Stella.

'Kom, we gaan,' riep Marianne vanuit de gang. De zusjes beschermden elkaar altijd. Vooral Marianne had een hekel aan scènes en wist hoe overstuur Stella kon raken. 'Nick wacht op ons.'

'Tegen Nick heb je geen bezwaar omdat hij rijk is en niet Joods,' zei Stella tegen haar moeder. 'Zo is het toch?'

Hamlin keek vaag geïnteresseerd op van zijn krant.

'Knap hoor, met die opmerking over Joods heb je zowaar je vaders aandacht getrokken,' zei Daisy tegen haar dochter, terwijl ze Jamie een glas whisky aangaf. 'Denk je dat je goed voor mijn dochter zult zijn?'

'Laten we gauw weggaan,' zei Stella tegen Jamie, die liever

zijn whisky had opgedronken. 'Ze geeft geen moer om Marianne en mij. Dat heeft ze nooit gedaan en zal ze nooit gaan doen.'

'Kom, we gaan,' riep Marianne. Ze had de chauffeur voor laten rijden en droeg een lichtgeel geverfde bontjas.

Toen Jamie weg wilde gaan, pakte mevrouw Ridge hem bij de arm. Verbaasd keek hij haar aan. 'Doe haar geen verdriet,' zei ze zo zacht dat alleen hij het hoorde. 'Ik meen het.'

Op de achterbank van de auto snoof Stella een lijntje heroine van een tijdschrift dat op haar knieën balanceerde. 'Ik geloof niet dat mijn moeder ons ooit heeft aangeraakt. Ze had belangrijker dingen te doen.'

'Ze is getraumatiseerd,' merkte Marianne op. 'Een hoop narigheid achter de rug. Liefde en dood, je weet wel.'

'Iedereen is getraumatiseerd, dat is geen excuus,' wierp Stella tegen. 'Kijk maar naar Jamie,' zei ze plagend. 'Die is pas echt verknipt.'

Hij kneep haar en Stella grijnsde. Natuurlijk zou hij haar verdriet doen. Daarom wilde ze hem juist.

'Mijn moeder heeft haar tweelingzus verloren,' legde Marianne uit. 'Haar zus was verliefd op iemand, maar ze maakte een eind aan haar leven omdat die vent haar liefde niet beantwoordde, en die vent was toevallig mijn vader.'

'Wat een bofkont was mijn moeder, hè?' zei Stella. 'Zij kreeg de felbegeerde Hamlin Ridge.'

Stella's vader was voor zaken in New York geweest en daar hadden Jamie en Stella elkaar op een feest leren kennen. Door een raar toeval hadden ze een gemeenschappelijke kennis, hoewel het minder raar was als je bedacht dat die kennis in drugs handelde. In de ogen van een dealer is iedereen gelijk, het zijn allemaal dollartekens, meer niet.

Daarna was Stella nog twee keer in New York geweest en had ze bij Jamie gelogeerd in zijn piepkleine appartement in Chelsea. Ze was dol op New York. Als een echt stadsmeisje wist ze overal adresjes om aan drugs te komen. Toen hun gemeenschappelijke dealer, die het feest had georganiseerd, werd opgepakt, had ze Jamie gerustgesteld en hem meegenomen naar East 10th Street. Jamie had in de taxi op haar gewacht, terwijl zij drugs scoorde. Dat was hun eerste officiële afspraakje geweest en ook de eerste keer dat hij heroïne had gespoten. Voor die tijd had hij die alleen gesnoven of gerookt. Heroïne leek op Demerol, maar werkte sneller en beter. Bovendien bleef hij er helderder bij. Door samen te gebruiken waren ze verliefd op elkaar geworden. Hun bloed had zich vermengd en ze waren één geworden.

Ze praatten erover hoe hun leven eruit zou zien als ze met elkaar zouden trouwen. Daarna hadden ze het over de trouwdatum, hoewel Stella's ouders een beroerte zouden krijgen, of misschien juist wel daarom. Jamie was muzikant, katholiek en Joods. Daarbij kwam dat hij verslaafd was aan heroïne. Alles bij elkaar had Stella de ideale man gevonden om haar ouders overstuur te maken. Hij was hun nachtmerrie: een verslaafde muzikant die vrijdags geen vlees at en wiens genen terug te voeren waren op het getto. Het kon bijna niet beter, subtieler, pijnlijker. Haar ouders zouden zeggen dat Stella haar leven vergooide – dat zeiden ze inderdaad – maar het was haar leven en ze mocht ermee doen wat ze wilde. Bovendien liep ze graag met Jamie te pronken. Hij was zo knap en zag er zo tragisch uit. Hij was in alle opzichten het soort man met wie ze niet mocht omgaan.

Dus op de avond dat meneer en mevrouw Ridge weg waren en hun dochters het hele huis tot hun beschikking hadden, begroette Jamie Marianne en haar vriend en ging op het kleed zitten. Met gebogen hoofd snoof hij het lijntje op dat Nick voor hem had klaargelegd. Hier voelde hij zich een stuk beter dan in het haveloze Lion Park, waar hij geen letter op papier kon krijgen. Of nee, hoe kon hij dat nu denken? Als hij wilde, kon hij in een halfuur een songtekst schrijven. Ergens in de komende week was nog vroeg genoeg. Nu hij hier was en high werd, had hij zelfs geen pijn in zijn heup. Beter nog, hij voelde niet eens dat hij een heup hád.

Stella lag op de grond met haar hoofd in zijn schoot. Ze had lichtblond haar, zo blond dat ze bijna onzichtbaar was. Ze leek wel een sexy sneeuwvlok, schitterend en ongrijpbaar. Ze voelde zich niet geliefd, was boos en huilde soms in haar slaap. Jamie had het idee dat ze door het lot bij elkaar waren gebracht, ook al zouden ze elkaar waarschijnlijk tot waanzin drijven. Hij dacht aan het kamermeisje van het hotel, dat had gezegd dat hij een songtekst kon schrijven als hij de hele nacht door zou werken. Stella zou zoiets nooit tegen hem zeggen. Ze had zich nog nooit hoeven inspannen en vond het ook niet nodig dat hij dat deed. Het was in allerlei opzichten een verademing om bij haar te zijn.

'Je stinkt. Laten we in bad gaan,' zei Stella.

'Mij best. Laat het maar vollopen. En doe er badschuim bij.'

'Doe het zelf. Ik ben je dienstmeid niet.'

'Verwend nest,' zei Jamie grinnikend.

Omdat hij gelijk had en ze juist op hem viel omdat hij haar op zulk gedrag aansprak, stond ze op en trok hem overeind. Haar andere vriendjes hadden altijd precies gedaan wat ze hun opdroeg. Die waren dodelijk saai. Jamie leek in staat om haar zelfs te slaan als hij erachter zou komen wat ze in zijn afwezigheid uitspookte. Ze was niet van plan alle mannen uit haar leven te bannen voordat ze met hem was getrouwd. Ze wilde niet als haar moeder worden, die met iemand zat opgezadeld die niet eens van zijn krant opkeek als ze tegen hem praatte. Dan had ze nog liever ruzie, een man die tegen haar in ging.

Stella en Jamie gingen de trap op, een wenteltrap met kastanjehouten spijlen en balustrades. Zelfs het plafond was van hout. Ze liepen naar de slaapkamer en openden de witte reliëfdeur die was versierd met bladgoud. Jamie had nog nooit een huis gezien met zoveel houtwerk.

Hij lag op het grote bed, terwijl Stella het bad liet vollopen. Op het bed lag een overvloed aan kussens en een donzen dekbed, waardoor het leek of het in zijn geheel uit veertjes bestond. Jamie rook de geur van citrusvruchten en jasmijn, Stella's parfum dat ze uit Frankrijk liet komen. Een groengetint licht viel door de boogramen die uitkeken op een parkje aan de overkant van de straat. Terwijl hij daar op een bed vol kussens lag, omhuld door dons en jasmijngeur, voelde hij zich een tijdje volmaakt behaaglijk. Hij had nergens pijn. Zou het zo zijn als hij dood was, vroeg hij zich af. Hij trad bijna uit zijn lichaam en voelde zijn geest al wegdrijven, maar voordat hij in een roes zou raken dwong hij zichzelf terug te komen. Hij keek naar de schaduwen die de klimop op het plafond wierp, intens gelukkig dat hij even bevrijd was van zijn gewone leven.

Jamie sliep toen Stella hem kwam halen, dus ging ze alleen in bad. Ze bleef in het warme, olieachtige water zitten totdat het zo sterk was afgekoeld dat ze rilde van de kou en de puntjes van haar blonde haar groen waren uitgeslagen van het badzout. Zij was het lastige kind en Marianne het makkelijke. Volgens haar moeder was het altijd zo geweest, alsof haar moeder ook maar iets van haar wist.

Toen ze naar bed ging, sliep Jamie nog, wat betekende dat ze niet met hem hoefde te vrijen. Dan kon ze zich inbeelden dat hij de ideale man voor haar was en zij de ideale vrouw voor hem, dat het op den duur allemaal goed zou uitpakken.

Frieda werd om middernacht wakker in haar kamer op de tweede verdieping. Ze had twee kamergenotes – Lennie Watt en Katy Horace – maar die lagen nog vast te slapen. Buiten werd er gevochten en ze was wakker geworden door het geschreeuw van dronken mannen. Ze liep naar het raam. Jack Henry gooide een van de stamgasten de deur uit. Frieda zag dat de nachtportier de portefeuille van de andere man pakte, er geld uithaalde en hem weer terug in zijn jaszak deed. Jack Henry was een smeerlap. Dat had ze altijd al vermoed. Ze kon mensen goed inschatten, meestal tenminste. Haar kamergenote Lennie, een bijdehante meid, was ook wakker geworden. Lennies moeder had vroeger in het hotel gewerkt en Lennies oudere zus Meg was hoofd van de receptie. Omdat Meg Watt het werk van de kamermeisjes verdeelde en hun werkrooster opstelde, was het verstandig haar te vriend te houden. Meg trok haar zus voor en ze matste Frieda nu ook.

'Dat is Teddy Healy,' merkte Lennie op over de man die op de stoep in elkaar was gezakt. 'Die kun je maar beter vermijden. Ze zeggen dat hij iemand vermoord heeft.'

Frieda snoof verontwaardigd. 'Daar geloof ik niets van.'

'Volgens Meg heeft hij iets ergs gedaan.'

'Maar ook dan kunnen we hem niet buiten laten liggen, vind je wel?'

Doordat ze vaak mee mocht als haar vader visite ging rijden, had Frieda misschien zijn bezorgdheid voor mensen in nood overgenomen. Samen met Lennie sloop ze naar beneden om te kijken of de arme kerel nog bij bewustzijn was. Dat was het minste wat ze voor hem kon doen. Ze trokken allebei een regenjas over hun nachtjapon aan en liepen op hun tenen de trap af, giechelend als schoolmeisjes die kattenkwaad uithaalden. Als ze gesnapt werden, zwaaide er wat. Op het overtreden van de regels stond een boete en de hotelmanager, een Griek die Ajax heette, had geen gevoel voor humor. Gelukkig rookte die nare Jack Henry net een sigaret, terwijl de barman de lounge aan het sluiten was. Nu hoefden ze de nachtportier niet om te kopen.

'Jij houdt de wacht,' zei Frieda.

Terwijl Lennie in de deuropening bleef staan, ging zij naar buiten. Teddy Healy lag met een stuk in zijn kraag naast het hotel. Het was een bijzonder koude nacht. Frieda ging op haar hurken naast hem zitten.

'Hallo?' fluisterde ze. Geen reactie. 'Ik ga uw pols voelen.' Frieda pakte zijn hand. Tot haar eigen verbazing wist ze precies wat ze moest doen. Ze had haar vader immers talloze malen deze handeling zien uitvoeren. Ze telde zeventig slagen in een minuut. Dat was niet alarmerend. Er zat wat bloed op Healy's voorhoofd, maar hij was niet gewond.

Frieda had haar vader mogen helpen als ze met hem op huisbezoek ging. Dat had ze altijd prachtig gevonden. Voordat hij haar moeder in de steek had gelaten, was ze dol op hem geweest, een echt vaderskindje dat niet goed met haar moeder kon opschieten. Maar toen had haar vader hen voor een andere vrouw in de steek gelaten.

Het deed Frieda verdriet dat ze haar vader zo diep had teleurgesteld, maar het was allemaal begonnen met zijn vertrek. Daarmee had hij haar vertrouwen beschaamd en dat was voor haar de grote ommekeer geweest. Toen had ze plotseling besloten naar Londen te gaan, omdat ze vond dat ze lang genoeg rekening met zijn gevoelens had gehouden.

'Wat hebben we hier?' vroeg haar vader altijd als hij bij een patiënt kwam, ongeacht de omstandigheden, of het nu om een terminale ziekte, een gebroken arm of buikgriep ging. Dokter Lewis droeg twee polshorloges om te zorgen dat hij nooit te laat kwam. Tegen Frieda zei hij dat een zieke geen tijd had om op je te wachten. Als hij een kind onderzocht, mocht het vaak met een van zijn horloges spelen. 'Nu heb je de tijd in de hand,' zei hij dan.

'Hoort u me?' vroeg Frieda aan de man op het trottoir. 'Als u niets zegt, laat ik een ambulance komen.' Controleer altijd of de patiënt bij bewustzijn is. Vraag naar zijn naam en de datum. 'Welke dag is het vandaag?'

Teddy Healy mompelde iets. Hij leefde in elk geval.

'Hoort u me?' herhaalde Frieda. 'U moet antwoord geven, meneer.'

'Ga weg,' zei Teddy Healy. 'Laat me toch met rust.'

'Welke datum?'

'Vrijdag, verdomme.'

'Dat is goed genoeg,' zei Frieda. 'Sta op. Ik zal u helpen.'

De man was in de veertig, ongeveer even oud als haar vader. Het was een beetje raar om hem overeind te moeten helpen. 'Wat hebben we hier?' zou haar vader vragen. Een laveloze dronkaard, iemand die de weg kwijt is, een leverpatiënt?

'Opschieten,' siste Lennie vanuit de deuropening. 'Anders zijn we erbij.'

Frieda hield een naderende taxi aan en toen die stilstond, hielp ze Teddy erheen. 'Waar moet u naartoe?'

'Ha ha, naar de verdommenis.'

'Zover hoeft het niet te komen. Uw polsslag is prima, maar

als u doorgaat met drinken, gaat uw lever eraan.'

'Ik wou dat ik met dat spook kon ruilen.'

Frieda voelde zich verkillen. Volgens Lennie was hij een moordenaar. Misschien was het wel waar. 'Welk spook?'

Teddy Healy deed zijn ogen open en keek haar aan met een blik die een jonge vrouw niet zou mogen zien, een blik van pure angst. Of hij nu een moordenaar was of niet, hij was in elk geval radeloos. Ineens werd Frieda bang voor wat er in deze man omging. Ze vroeg zich af hoe haar vader erin slaagde om te gaan met de angsten en geheimen van zijn patiënten. Misschien probeerde hij dat duistere gebied wel te omzeilen door zich op de kwaal – het gebroken been of de rugpijn – te concentreren, terwijl hij de psyche aan de therapeut of de priester overliet.

De taxichauffeur hielp haar om Teddy in de wagen te sjorren. Ze zocht in zijn portefeuille naar zijn adres. Er zat een foto in van een vrouw met blond haar die recht in de lens keek. Ze was verbleekt en vervaagd, iemand die ondanks haar schoonheid langzaam aan het verdwijnen was. Er zat geen contant geld in de portefeuille, dus gaf Frieda de chauffeur het beetje dat ze zelf in haar jaszak had.

'Ik breng hem thuis,' beloofde de taxichauffeur. 'Maak je geen zorgen.'

Frieda rende terug naar het hotel. Lachend stormden Lennie en zij hand in hand de trap weer op.

'Je bent gek dat je hem durfde aan te raken,' zei Lennie.

'Mijn vader is arts, dus ik heb wel ergere dingen gezien.'

'Dan snap ik dat je die man zo goed kon helpen, maar niet waarom je in het Lion Park werkt.'

Katy, het derde meisje op hun kamer, was door alles heen geslapen. Zij was degene die Frieda's jurkje had geleend en beweerde dat ze met Mick Jagger naar bed was geweest. Achter haar rug werd ze mevrouw Jagger genoemd, of het meisje van Mick. Niemand geloofde haar.

'Ik heb gezien wat je deed, maar je had zijn taxi niet hoeven betalen,' zei Lennie. 'Je bent te goed voor deze wereld.'

'Jij had hetzelfde gedaan.'

'Om de donder niet.' Lennie sloeg haar bed open en kroop erin. 'Er is er maar één voor wie ik zorg, dat ben ik.'

Frieda kroop ook in bed, maar ging nog niet slapen. Uit de la van haar nachtkastje pakte ze een pen en een schrijfblok, waarop ze een paar woorden krabbelde. Ze keek ernaar, streepte iets door en schreef er iets bij. Ze hoorde aan Lennies rustiger ademhaling dat haar vriendin in slaap viel. Ze hoorde dat Katy zich omdraaide. Terwijl ze naar die geluiden luisterde, schreef ze over een man in een zwarte jas die door een eindeloos lange gang liep, en een mooie vrouw met lang, blond haar. Ze schreef over een hotel waar de gasten nooit vertrokken en over het soort liefde dat sterker is dan de dood. Ze schreef urenlang en verloor elk gevoel voor tijd. Haar nachtjapon voelde klam aan en haar haar plakte tegen haar schedel doordat ze zo transpireerde. Haar hart bonsde. Ze had een nieuw blaadje nodig om verder te kunnen schrijven, dus liep ze naar het bureau om een velletje van het roomkleurige postpapier te halen waarop ze altijd haar brieven schreef. Bovenaan zette ze in hoofdletters DE GEEST VAN MICHAEL MACKLIN, en daarna schreef ze haar slordige kladversie van het schrijfblok in het net over.

Ten slotte borg ze doodmoe haar schrijfsel op in de la van het nachtkastje. Ze ging in bed liggen, maar was veel te opgewonden om haar ogen dicht te doen. Het leek of de woorden vanzelf uit haar waren gestroomd; eindelijk had ze poëzie geschreven. Een vreemde kracht had haar aangezet tot het noteren en aan elkaar rijgen van de woorden. Zij was slechts een doorgeefluik geweest. Terwijl haar kamergenotes sliepen, was Frieda in een andere dimensie geweest. Ze was weggegaan en teruggekomen, maar niemand had haar afwezigheid opgemerkt.

De volgende ochtend gonsde het in het hotel van de bedrijvigheid, wat altijd wees op de komst van een grote ster. Het gerucht ging dat John Lennon was gearriveerd en dat hij een plek zocht waar hij onopvallend kon verblijven. Iedereen die hem toevallig tegenkwam moest hem daarom negeren. Ajax, de hotelmanager, gaf de kamermeisjes een strenge preek. Ze waren werkneemsters die zich waardig moesten gedragen, geen gillende fans zoals de horde meisjes voor de ingang. Ze mochten alleen hun mond opendoen als iemand het woord tot hen richtte. Wie zich daar niet aan hield riskeerde ontslag. In het Lion Park draaide alles om privacy. De boetes werden verdubbeld.

Omdat Frieda pas 's avonds hoefde te werken, ging ze een eindje wandelen. Het was prettig om uit de buurt te zijn van de rumoerige groupies. Ze had weinig geslapen, want ze was blijven piekeren over de dronken man op de stoep en over haar gedicht. Ze nam aan dat ze een songtekst had geschreven. Misschien was het niet eens een geweldige tekst, maar ze kreeg er hetzelfde gevoel bij als bij *Greensleeves,* dus zo slecht kon hij ook niet zijn. Ze droeg haar zwarte jurkje en zwarte laarzen en had haar ogen opgemaakt met Lennies eyeliner. Als ze aan Michael Macklin dacht, de man uit haar liedje, kon ze wel huilen, hoewel ze helemaal niets van hem wist. Ze had hem min of meer zelf verzonnen.

Ze ging op een houten bankje in een plantsoen zitten. Ze hield van de geuren van Londen. De lucht vibreerde er van al het leven. Hoewel de blaadjes geel kleurden, was het nog heerlijk weer. Ze had dit omheinde parkje een keer toevallig ontdekt. Het was het soort plek waar iemand zich op het platteland kon wanen. Meisjes uit de provincie zochten soms het groen op, ondanks hun verlangen naar het grotestadsleven. Ze kon het verkeersrumoer amper horen door de heg, ook al zat ze vlak bij Brompton Road en trilde het bankje onder het gedreun van het passerende verkeer.

Eigenlijk had ze nu in Reading in de collegebanken moeten zitten. Haar vader had altijd gedacht dat ze een goede arts zou worden. Ze had er aanleg voor, had hij beweerd, want ze was niet huiverig voor bloed en ziekte. Bovendien stelde ze vragen als ze met hem mee op huisbezoek ging. Dat was een goed teken, het getuigde van een onderzoekende geest. Ze was zelfs niet bang voor de dood, die ze accepteerde als iets wat nu eenmaal bij het leven hoorde. Die houding was nodig om het artsenbestaan vol te kunnen houden: geen gevoelsuitbarstingen, geen spijt, maar de nuchtere aanvaarding dat er aan alles een einde kwam; als het niet nu was, dan toch zeker later wel.

Frieda was vijftien toen haar vader op een avond werd gebeld of hij op huisbezoek wilde komen bij iemand uit een naburig dorp. Ze passeerden een tolbruggetje, waar ze twee shilling betaalden om over te kunnen steken. Langs de rivier stonden wilgen die met hun takken het water beroerden. Het schemerde en de hagen waren zo hoog dat de meeste huizen erachter schuilgingen. Frieda genoot altijd van de autoritjes met haar vader en was absoluut niet bang in het donker.

'Als we op ziekenbezoek gaan, rijdt er een engel met ons mee: de engel van de dood of de engel van het leven,' zei dokter Lewis. 'Soms stapt er een uit de auto. Soms loopt er een met je mee naar binnen.'

De dokter geloofde dat er drie engelen waren. Je had de engel van het leven, die de meeste avonden bij hem in de auto zat. Er was de engel van de dood, die in begrafeniskleding verscheen als er geen hoop meer was voor de patiënt. En dan had je nog de derde engel. Dat was de engel die zich onder de mensen begaf, die soms ziek in bed lag en smeekte om mededogen.

'Maar wij hoeven de engelen toch niet te helpen?' had Frieda gevraagd.

'O nee?'

Daar dacht Frieda over na. Wilde hij haar soms duidelijk maken dat ze verplicht was de zieken en verschoppelingen te helpen, omdat je nooit kon weten of een van hen een engel in mensengedaante was? De dokter besprak onderwerpen met haar waarvoor de meeste mensen haar te jong zouden vinden. Hij betrok haar bij zijn belangrijkste bezigheden. Frieda was de enige die wist dat hij stiekem sigaren rookte. Ze vond hem de knapste, liefste man van de wereld. Hij draaide het raampje in de auto open, pafte erop los en zong uit volle borst. Hij was een grote fan van Frank Sinatra. Die avond zong hij *Fly Me to the Moon*. Toen ze de brug waren overgestoken, reden ze langs de rivier met de wilgenbomen tot ze bij een huisje kwamen waar paarden in de wei stonden.

'Deze keer kun je beter in de auto blijven zitten,' zei haar vader. 'Dit is zo'n situatie waarin een dokter niets kan doen. Hier is een engel nodig, maar niet die met de zwarte jas, als je begrijpt wat ik bedoel.'

'Ik kom ook,' zei Frieda. 'Ik wil met je mee.'

Ze zag twee witte paarden, die glansden in het zachte

avondlicht. Ook al wilde ze nergens bang voor zijn, voor die paarden was ze dat wel. Het was een rare angst. Frieda dacht niet dat de dieren haar kwaad zouden doen of dat ze gevaarlijk waren. Ze voelde eerder de drang om met de paarden mee te gaan, heel ver weg te rennen door het hoge gras. Ze had het thuis naar haar zin en hield van haar ouders, maar als ze eenmaal met de paarden zou meegaan, kwam ze misschien nooit meer terug.

Frieda droeg de dokterstas van haar vader. Dat vond ze fijn om voor hem te doen. Haar vader wist alles van de natuur. Hij was een vogelaar en zat in een actiegroep tegen de vossenjacht, die hij barbaars vond.

Een keer had hij een konijn mee naar huis genomen, dat ze in de koude wintermaanden binnen hadden gehouden. Maar toen het lente werd had de dokter Frieda verteld dat ze het konijn beter vrij konden laten. Ze hadden het weg zien huppelen door de heg. Frieda had beaamd dat het konijn beter af was buiten, waar het door het veld kon rennen tot het al snel een stipje aan de horizon was. Het was nooit bij haar opgekomen om te vragen hoe haar vader aan het dier was gekomen. Toen hij thuiskwam van een congres in Londen had het opgerold op zijn zwarte winterjas achter in de auto gelegen. 'Het is een hotelkonijn. Die zie je niet vaak,' had hij Frieda verteld.

'Dat beest komt mijn huis niet in,' had Frieda's moeder geprotesteerd. 'Konijnen zitten vol ongedierte en ze bijten.'

Frieda had nooit veel aandacht aan haar moeder besteed. Ze heette Violet, een ouderwetse naam voor een ouderwetse vrouw die altijd op de achtergrond bleef. Omdat haar mening nauwelijks telde, was het hotelkonijn natuurlijk gebleven. De dokter had een hok in de keuken gebouwd, waar het de hele winter doorbracht, knagend op wortels, sla en bonen.

'Trouw nooit met een man die altijd zijn eigen weg gaat,' had haar moeder tegen Frieda gezegd. 'Trouw met iemand die rekening met je houdt.' Maar omdat Frieda het eens was met de weg die haar vader nam, had ze geen aandacht aan haar moeders klachten geschonken.

Een vrouw deed de deur open van het huis met de witte paarden. Ze was een knappe, donkere verschijning, maar ze zag er afgepeigerd uit. Ze had gehuild. 'Hij is er niet meer,' zei ze. 'Hij is heengegaan.'

Die avond registreerde Frieda alles haarscherp; het geluid van de klok, de groene wollen vloerbedekking en de houten schoorsteenmantel. De vrouw en haar vader lieten haar alleen in de woonkamer en gingen naar de slaapkamer. Frieda hoorde het getik van de klok, de huilende vrouw en de bromstem van haar vader. Zolang haar vader in de buurt was, had ze het gevoel dat haar niets kon overkomen.

Ineens merkte ze dat ze zijn tas nog had, dus liep ze naar de gang. Haar vader had zijn armen om de vrouw geslagen. Hij noemde haar Jenny en ze hing snikkend tegen hem aan. Frieda zag de dode man op bed liggen. In de kamer hing de vieze geur van ontlasting en bloed. Op de lakens zaten bruine vlekken. De man zag er normaal uit, maar ook weer niet, een wassen beeld zonder ziel, geest of hoe je zoiets noemde. Zonder een sprankje leven. Geen wonder dat de vrouw moest huilen. Toen kreeg haar vader haar in het oog.

'Als jij bij mevrouw Foley blijft, bel ik de ambulance. We kunnen Jim hier niet zo laten liggen.'

Frieda keek hem aan. Als iemand was overleden, sprak haar vader gewoonlijk over 'het lichaam'. Dit was voor het eerst dat hij de dode bij zijn naam noemde. Op de een of andere manier leek vanavond alles anders. Ze was niet bang om met de dode in één kamer te zijn, want voor haar was hij gewoon een lichaam. Maar ze was ontzettend bang voor zijn vrouw, voor al die tranen en emoties.

'Dankjewel, Frieda,' zei de vrouw, die blijkbaar haar naam wist. 'Ik durf nu niet alleen te zijn.'

Op weg naar huis zong Frieda's vader weer *Fly Me to the Moon*, maar deze keer klonk het triester dan op de heenweg. De maan was er trouwens niet eens, of misschien als een kleine sikkel die zich schuilhield achter de bomen.

'Ik ben trots op je,' zei haar vader toen ze weer over de brug reden. 'Jij hebt een bijzondere gave. In plaats van meteen te reageren, kijk je wat er precies aan de hand is. De meeste mensen gaan gillen alsof ze een muis hebben gezien wanneer ze in aanraking komen met de dood.'

'Ik hou van muizen.'

'Precies!' had haar vader bewonderend gezegd. 'Jij houdt van muizen. Dat is heel apart voor een meisje van jouw leeftijd. Je laat je niet van streek brengen door alles waar anderen bang voor zijn. Besef je wel hoe bijzonder dat is?'

Terwijl ze in het plantsoen zat, met haar zwarte jurkje aan, bedacht Frieda dat haar vader nu wel teleurgesteld in haar zou zijn omdat ze zijn verwachtingen niet had waargemaakt. In geen enkel opzicht. Nou ja, alles veranderde nu eenmaal, ook haar vader en zijzelf. Er was niet veel meer om trots op te zijn. Ze was een kamermeisje dat zich opmaakte met zwarte eyeliner, geen studente. Maar ze hield nog steeds van muizen. In het hotel moest ze eigenlijk gif strooien onder de bedden en de bureaus, maar dat deed ze nooit. Af en toe legde ze zelfs stiekem een stukje kaas in de hoek van haar kamer onder de verwarming. De volgende ochtend was het altijd weg.

Op een bankje aan het eind van het park lag een langharige

jongen te slapen. Hij was totaal van de wereld en haalde lang-zaam en raspend adem. Drugs of alcohol, schatte Frieda in. Mogelijk een overdosis, mogelijk een lichte longontsteking. Ze moest zich beheersen om niet in te grijpen, want het liefst was ze naar hem toe gegaan om te kijken of hij niet bewuste-loos was. Maar ze hoefde niet de last van de hele wereld op haar schouders te nemen. Misschien was de jongen op de bank wel de derde engel, maar het kon ook een dakloze alcoholist zijn. Daar hoefde Frieda haar hoofd niet over te breken. Ze was jong en wilde het leven van een jongere leiden, zonder stil te hoeven staan bij sterfgevallen, meningitis, hersenschuddin-gen, levercirrose en de engel van de dood. Ze wilde nadenken over ware, eeuwige liefde, naar muziek luisteren en met ge-spreide armen op een raamdorpel van de zevende verdieping balanceren, zonder bang te zijn om te vallen of te piekeren over de vele manieren waarop botten konden verbrijzelen.

Frieda liep door allerlei zijstraatjes met een omweg terug naar het hotel. Onderweg gluurde ze bij mensen naar binnen en stelde zich voor hoe het zou zijn om een ander leven te leiden. Ze ging een café in, koos een tafeltje bij het raam en bestelde een pot thee en een sandwich met kaas. Van de kaas bewaarde ze in een servetje een paar stukjes voor de muizen. Intussen dacht ze na over de songtekst die ze had geschreven. Het leek alsof die een deel van haarzelf was geworden. De man aan het tafeltje naast haar probeerde met haar te flirten. Eerst wilde hij haar het melkkannetje aangeven, daarna de suiker-pot en toen ze niet reageerde, probeerde hij een praatje aan te knopen.

'Ik hoor dat John Lennon hier in de straat in een hotel zit,' zei hij om indruk op haar te maken.

'Onzin, John Lennon zou deze buurt nooit kiezen.'

Toen ze bij het hotel kwam, moest ze zich door de menigte fans heen wringen. Jack Henry liet haar binnen.

'Het is een compleet gekkenhuis,' zei de nachtportier, die voor zijn doen in een uitstekend humeur was. Hij wist zeker dat hij een wip zou scoren bij een van de meisjes door te beloven dat hij haar naar de kamer zou brengen waar John Lennon geacht werd te logeren.

Frieda herinnerde zich hoe hij de portefeuille van de dronken man had doorzocht. De manier waarop hij naar haar zwarte jurkje staarde, beviel haar niet. Als hij Mick Jagger was geweest had ze het niet erg gevonden, maar hij was Mick Jagger niet.

Op haar kamer haalde ze haar songtekst tevoorschijn en schreef die weer over, waarbij ze veranderingen aanbracht. Toen dat was gebeurd, was ze tevreden. Ze had een pen geleend die bij de receptie lag, met echte Oost-Indische inkt.

Lennie kwam binnen, uitgeput van een hele dag werken. Ze had ruzie met haar zus gehad en Meg had haar voor haar scherpe woorden laten boeten door haar de zwaarste klussen op te dragen. Eerst had ze keukendienst gehad en alle ovens geschrobd. Daarna had ze een suite moeten schoonmaken waar de vorige nacht een vrijgezellenfeest was gehouden. Ze trok haar witte schort uit en liet zich op het bed naast Frieda vallen.

'Mensen zijn varkens.' Lennie lag op haar rug, met haar arm over haar gezicht. 'Waarom ruimen ze hun troep niet achter hun kont op? Ze laten zelfs hun condooms op de grond liggen, gebruikt en wel! Terwijl ze weten dat een kamermeisje hun zooi weer op orde moet brengen. Walgelijk!'

'Luister hier eens naar.' Frieda steunde op haar elleboog. 'Vergeet de condooms en doe je ogen dicht.'

In een ander leven zou ze Lennie nooit hebben ontmoet. Dan had ze vriendinnen op de universiteit gehad, maar die hadden haar nooit zo goed begrepen als Lennie. Het was warm in de kamer, maar door het open raam kwam een lichte bries. Ze hoorden de meisjes op straat Lennons naam scanderen.

'Koppen dicht, idioten,' mompelde Lennie met gesloten ogen. 'Hij is hier niet. Ik heb het aan mijn zus gevraagd en ze zei dat er een kerel is die Lemming heet.'

'Sluit je voor ze af en luister naar mij.'

Frieda liet de jaloezieën zakken zodat het donker werd in de kamer en het lawaai iets minder hinderlijk was. Daarna installeerde ze zich om *De geest van Michael Macklin* voor te lezen. Dat deed ze langzaam en ze legde haar hele ziel erin. Toen ze klaar was, ging ze op haar rug liggen, op het bed naast Lennie.

'Heb jij dat geschreven?' Lennie keek haar met grote ogen aan.

'Ja.'

'Jezus, wat goed. Ben je soms een dichteres?'

'Het is een songtekst,' antwoordde Frieda.

'Dat had ik nooit achter jou gezocht! Jij bent een aparte, weet je dat? Wat kun je eigenlijk niet? Waarom ben je hier kamermeisje als je zo geniaal bent?'

'Vind je het echt goed?'

'Het is beter dan *Yellow Submarine*. Dat kan ik je zo wel vertellen. Het is prachtig en doet me aan iets anders denken, niet de woorden maar de sfeer.'

Lennie bedoelde *Greensleeves*. Dat wist Frieda zeker. Dat was haar bedoeling ook geweest. Ze had een lied willen maken dat je emotioneel overrompelt.

'Als John Lennon hier ooit zou logeren,' zei Lennie peinzend, 'zou ik zeggen: Mijn vriendin heeft een prachtige tekst voor u geschreven, meneer Lennon.' Haar stem klonk slaperig. 'Ze heeft zich vermomd als kamermeisje, maar ze is verdorie een dichteres. Red haar uit het Lion Park Hotel, Johnny boy.'

Lennie viel als een blok in slaap. Frieda deed ook later geen moeite om haar te vertellen dat ze niet gered hoefde te worden. Het was eerder andersom. In kwesties van leven en dood was ze nog steeds een dochter van haar vader. Je wist nooit wie je nog eens zou kunnen redden.

Frieda had de late dienst, dus liet ze Lennie slapen en ging zelf naar de keuken om er met de andere meisjes te eten. Het personeel had recht op vijf avondmaaltijden per week, die bestonden uit wat in het restaurant over was van de vorige dag. Frieda droeg het zwarte jurkje onder haar witte schort. Ze had haar haar gewassen en de krullen eruit gekamd. Haar ogen waren zwart omrand. Er hing een spiegel in de hoge kast aan de andere kant van de lange tafel waaraan het personeel altijd at. Toen ze daarin een glimp van zichzelf opving, vond ze dat ze er verrassend knap uitzag. Ze zag er niet uit als een meisje dat niet bang was voor muizen, zieken en doden.

'Wat heb jij je opgetut!' zei een roddelziek wicht dat naar de naam Vicky luisterde. 'Hoop je soms een beroemde zanger tegen het lijf te lopen?'

'Lennon zit hier niet, suffie. Alleen een vent die Lemming heet,' vertelde Frieda vol leedvermaak.

Ze had zich opgetut voor Jamie. 's Middags was ze bij hem langsgegaan en had op zijn deur geklopt, maar er was geen reactie gekomen. Daarna was ze naar de receptie gegaan om Lennies zus te vragen of hij nog ingeschreven stond.

'Die informatie mag ik je niet geven,' had Meg geantwoord.

'Het is privé, dus het kan me mijn baan kosten. Je weet dat dit hotel bekendstaat om zijn discretie.'

'Meneer Lemming mag hopen van wel. Stel je voor dat al die groupies zich op hem storten, terwijl hij hier zit om vreemd te gaan of zich als vrouw te verkleden.'

Meg trok haar wenkbrauwen op. Als ze niet in functie was geweest, had ze erom kunnen lachen. 'Waarom wil je weten of 708 verhuurd is?'

'Dat is persoonlijk.'

'Als het persoonlijk is, is het een slecht idee. Neem dat maar van me aan.'

Toch liet Meg het register openliggen toen ze naar het kantoortje ging om een rekening op te maken. Frieda bladerde erin tot ze Jamies naam vond. Hij stond nog steeds ingeschreven op kamer 708 en was dus niet vertrokken.

Die avond werkte ze heel snel door, ze maakte de kamers minder grondig schoon dan anders, maar dacht eigenlijk niet dat de klanten van het Lion Park Hotel het in de gaten zouden hebben. Die maakten zich drukker om hun privacy en of de deur wel goed op slot kon. Ze sloeg de bedden open en leegde de prullenbakken, meer niet. De meeste gasten zouden het niet eens merken als ze had gestofzuigd. Die wilden alleen schone handdoeken en met rust gelaten worden.

Zodra ze klaar was liep ze naar de deur van zijn kamer, maar ze was nerveus en haar hart klopte in haar keel. Peinzend bleef ze in de gang staan. Was het een slecht idee om het persoonlijk op te vatten en te denken dat ze meer was dan een gewoon kamermeisje? In de gang was het bijzonder koud. Ze had kippenvel op haar armen.

Voordat ze een besluit had genomen, kwam Jamie naar buiten. Hij zou met Stella uitgaan en was al laat. Elke dag gebruikte hij meer heroïne. Hij had nooit gedacht dat hij er zelf nog eens aan verslaafd zou raken, maar het kon hem niet veel schelen. Hij werd er dromerig en ontspannen van, alsof er van alles zou kunnen gebeuren. Hij had zijn paarse jasje aan, een spijkerbroek met een wit overhemd en de cowboylaarzen die hij toen hij in New York was in West 4th Street had gekocht. Hij voelde zich uitgeteld, terwijl zijn carrière nog niet eens was begonnen.

'Hai,' zei hij, toen hij het meisje in de gang zag staan. Heroïne leek op het bed bij Stella thuis, donzig zacht, wit en uitnodigend.

'Hallo.' Frieda was vergeten het stomme schort uit te doen. 'Daar ben ik weer.'

'Ik ga net weg,' zei Jamie. 'Eigenlijk ben ik al te laat.'

'Ik snap het.'

Ze knipperde met haar Cleopatra-ogen en keek hem toen recht aan, op een manier waarop meisjes dat zelden deden. Heel openlijk en zonder een spoor van verlegenheid. Ze was zelfbewust, wat hij nogal verwarrend vond.

'Maar ik kan eerst wel een drankje gebruiken.' Hij had nog even tijd. Zo laat was het nog niet. Eigenlijk zou hij het liefst in bed blijven mijmeren, half in de realiteit en half mijlenver weg. Het was in deze wereld zo moeilijk om iets voor elkaar te krijgen. Er was ook zoveel afleiding. Maar dit meisje zag hij als een welkome onderbreking, als iemand die hem toegang gaf tot een andere dimensie.

Zulke mensen had hij vroeger gekend, een paar verpleegsters die in het ziekenhuis voor hem hadden gezorgd. Ze hadden de grenzen van tijd en ruimte doorbroken en hem van zijn pijn bevrijd. Eigenlijk hadden ze magische krachten bezeten, maar als ze weggingen, had hij weer alleen onder de witte lakens en katoenen dekens gelegen met een pijnlijk kloppend been, en zich afgevraagd hoe ze hem dat alles, al was het maar een minuutje, hadden kunnen laten vergeten.

Jamie was er al zo lang aan gewend het hier en nu te vermijden dat hij elke mogelijke uitweg aangreep. Hij dacht dat dit meisje hem zou kunnen helpen en tegen zo'n buitenkans zei hij nooit nee.

Ze gingen naar zijn kamer. Jamie schaamde zich niet eens meer voor de rommel. Die had ze immers de vorige keer al gezien en wat maakte het uit? Hij was hier al bijna weg.

Het stonk er zo vreselijk dat Frieda lachend het raam opengooide. 'Mijn hemel, heb je een fikkie gestookt?'

Creatieve mensen waren chaotisch en morsig en borrelden over van de ideeën. Daarom was ze ook niet verbaasd dat de asbak vol zwartgeblakerde snippers papier lag. Er lag ook as op de grond en er zaten zelfs een paar schroeiplekken in de vloerbedekking. Frieda bedacht dat ze die kon camoufleren door het bureau een paar centimeter te verschuiven. Dan zou het niemand meer opvallen.

'Dat is mijn liedje,' zei Jamie, toen hij Frieda naar de ashoop zag kijken. Hij had er water overheen gegooid, waardoor het er nog smeriger uitzag. 'Of liever gezegd: dat wás mijn liedje.'

'Lukte het niet?'

Hij zag er kwetsbaar uit en Frieda had een zwak voor alles wat kwetsbaar was. Ze zag de naalden in de asbak. Haar vader had haar altijd op het hart gedrukt voorzichtig te zijn met scherpe voorwerpen en ze in papier te wikkelen zodat niemand zich eraan kon bezeren. Ze keek nog eens goed naar Jamie toen hij hun glazen inschonk. Zijn hand beefde. Hij was een junk. Frieda's vader zou dat meteen bij de eerste ontmoeting hebben geweten. Alle tekenen wezen erop: de verwijde pupillen, de korstjes op zijn armen en zijn grauwe teint. Het verbaasde haar dat ze het niet eerder had gezien. Meestal was ze een scherp waarnemer die de kleinste bijzonderheden opmerkte, maar hier was ze helemaal aan voorbijgegaan.

'Ik heb het niet afgemaakt,' gaf Jamie toe. 'Ik had er genoeg van.'

'Des te beter voor mij.' Ze snapte niet dat ze zo brutaal durfde te zijn. Wat bezielde haar eigenlijk? Ze had de neiging om de bovenste la van het bureau open te trekken en te kijken wat erin zat. Ze wilde hem door en door leren kennen. 'Want nu krijg ik iets van je,' zei Frieda.

Jamie keek haar vragend aan.

'We hebben gewed om je paarse jasje. Je hoeft het me niet te geven, maar ik constateer dat je onze weddenschap hebt verloren.'

Jamie knikte. 'O ja, dat is waar.' Hoewel het hem aan het hart ging, trok hij zijn jasje uit en gaf het aan Frieda, die het op haar schoot legde. Hij had het jasje gekocht van het eerste geld dat hij met een optreden in New York had verdiend. Naast zijn gitaar was het zijn liefste bezit. Plus zijn cowboylaarzen. Die zou hij voor geen goud willen missen. 'Wie a zegt, moet ook b zeggen, bedoel je.'

'Het hoeft niet,' zei Frieda, al wilde ze het jasje dolgraag hebben. Ze streek met haar hand over de franje. De andere meisjes zouden groen zien van jaloezie.

Jamie maakte een buiging. 'Het is van jou. Een man een man, een woord een woord.'

Frieda verwisselde haar witte schort voor het suède jasje en ging op een stoel staan om zichzelf in de spiegel te bekijken. Was zij dat? Het meisje uit Reading, helemaal opgedoft. Als ze zichzelf zo over straat zag gaan, zou ze denken dat ze een fotomodel was dat naast Jean Shrimpton in een tijdschrift mocht staan. Frieda begon te lachen en dat klonk zo puur dat Jamie erdoor werd geraakt. In een opwelling nodigde hij haar uit om mee te gaan. 'We gaan wat drinken in een club, maar misschien heb je geen zin.'

Ze zouden naar een besloten nachtclub gaan waar Stella en Marianne lid van waren, achter een hotel in Mayfair. Als je niet wist dat de club daar zat, zou je hem nooit vinden. Buiten stond geen nummer of naam, maar hij heette The Egyptian Club en elk drankje kostte er twee keer zoveel als in een gewoon café.

'Ja hoor, dat lijkt me leuk,' zei Frieda.

Misschien kwam het door het paarse jasje, maar ze wilde hem niet laten gaan. Samen liepen ze naar buiten om een taxi te nemen. Dat ene drankje had een wonderlijke uitwerking op Frieda, alsof ze iemand anders was. Jack Henry en Meg herkenden haar niet eens toen ze in haar paarse jasje en zwarte jurkje voorbij de receptie kwam, samen met Jamie die haar door de horde meisjes voor de deur loodste. Zodra de fans Jamie in de gaten kregen, begonnen ze te schreeuwen. Dat kwam door zijn lange haar en het meisje met de Cleopatra-ogen dat hij bij zich had. Jamie en Frieda zagen eruit als beroemdheden. Lachend sprongen ze in de taxi. Frieda had het gevoel dat ze de boel voor de gek hield, maar dat liet haar koud.

'Ik had niet verwacht dat ik herkend zou worden,' zei Jamie. Hij had maar een paar optredens in Londen gehad, die geen succes waren geweest. Iedereen had door zijn muziek heen gepraat en hij had weinig applaus gekregen. Het publiek wilde iets harders horen dan wat hij speelde. Ze wilden muziek die hen door elkaar schudde. 'Ik heb nog geen plaat gemaakt, dus ze kunnen helemaal niet weten wie ik ben. Wat raar.'

Frieda glimlachte. Ze wist dat de meisjes naar John Lennon uitkeken, maar genoegen namen met een surrogaat. En zij mocht er ook zijn, nietwaar? Ze was blij dat ze hier was, weg van de kronkelige weggetjes waarover haar vader zijn patiënten bezocht, weg van huis.

Die ochtend had ze een brief van haar moeder gekregen. Het was niet eens een gewone brief, eerder een lijst. Er stond zelfs een titel boven: *Als hij bij je weggaat.* Haar moeder schreef alleen over praktische zaken, wat je allemaal in orde moest maken, zoals naar de bank gaan, de spullen verdelen en die in kratten en dozen doen, de cadeaus teruggeven die je van hem had gekregen of ze op de veiling zo gunstig mogelijk zien te verkopen. Het ging niet zo goed met Frieda's moeder. Ze had haar man nog steeds niet opgegeven, ook al woonde hij nu in het huisje bij het dorp met de tolbrug en de wilgenbomen. De dokter had tegen Frieda gezegd dat het leven soms ingewikkeld was, maar dat je het ten volle moest leven. Als iemand dat kon begrijpen, was zij het wel. Ze had immers gezien hoe zwaar zijn werk was, als hij 's avonds over de donkere landweggetjes reed met de engel van de dood op de achterbank. Hij moest een tijdje alleen zijn om zich te bezinnen. Het duurde even voordat Frieda besefte dat hij niet alleen was, maar bij de vrouw was gaan wonen die had gehuild. Dan moest Frieda ook maar egoïstisch worden en de tijd nemen om zich te bezinnen. Ze hoopte dat haar vader aan zijn woorden terugdacht als hij ontevreden over haar was. Zelf had ze immers ook maar één leven.

Tot de besloten nachtclub waar de zusjes Ridge lid van waren, werden alleen gasten toegelaten die op de lijst stonden.

Jamie was er bekend. 'Mijn vrienden zijn binnen,' zei hij, terwijl hij Frieda door de menigte trok. Niemand stelde verder nog vragen. Frieda's hand paste volmaakt in Jamies grote, eeltige hand. Het leek wel alsof ze in brand stond. Straks zou ze door zijn aanraking net zo geschroeid zijn als het vloerkleed in zijn kamer.

Het was zo druk in The Egyptian Club dat ze geen tijd had om zich opgelaten te voelen. Hoewel Frieda lang niet zo mooi of rijk was als de andere vrouwen, had zij in de auto gezeten met de engel van de dood. Daaraan dankte ze misschien haar moed. Ook als ze ergens was waar ze niet thuishoorde, raakte ze niet geïntimideerd.

Toen ze bij de tafel van Jamies vrienden kwamen, gaf Jamie Nick een hand en Stella een zoen. Stella liet zich kussen, maar keek afkeurend naar Frieda en nam een haal van haar sigaret.

'Dat is jouw jasje,' zei ze.

'Ik heb het verloren met een weddenschap. Ga zitten,' zei hij tegen Frieda, die op de dichtstbijzijnde stoel neerplofte. Haar zwarte jurkje was wel erg kort. 'Dit is Frieda, mijn muze,' zei Jamie tegen Stella.

'Hoe kan dat nou? Ik hoor verdomme je muze te zijn, niet de een of andere wildvreemde.' Stella's haar was bijna wit en ze droeg een flinterdunne blauwe jurk. Een jas van pythonleer lag slordig in de hoek. Stella keek gekwetst.

'Een muze kies je niet uit. Die overkomt je. Daar is het kunst voor,' zei Jamie.

Frieda kreeg een kleur. Ze voelde zich de andere engel waarover haar vader had verteld, niet een van de engelen die met hem meereed, maar de derde, die zich onder de mensen bevond. Het was alsof ze de opdracht had Jamie te helpen, hem te inspireren.

'Dit zijn Stella, Marianne en Nick,' stelde Jamie haar de anderen voor. Hij wenkte een ober om champagne te bestellen, twee flessen Moët, op rekening van Stella. Dat vond Stella niet erg. Ze zag hem graag geld uitgeven. Het was toch van haar vader, dus kon ze er maar beter vanaf zijn.

Vanavond was ze trouwens in een slecht humeur. 'Als je het maar uit je hoofd laat om met je muze naar bed te gaan.' Om haar hals droeg ze een snoer van wat op het oog saffieren en diamanten waren. Het waren knotsen van edelstenen en de ketting was van tweeëntwintig karaats goud. Ze pakte Frieda's hand. Haar eigen hand was ijskoud en haar pupillen waren verwijd. Ze had lange nagels die spierwit waren gelakt. 'Wat doe jij nog meer dan anderen vermaken en van hun jas beroven?' Ze kneep zo hard in Frieda's hand dat de botjes pijn deden. Stella was gevaarlijk. Dat zijn mensen die gekwetst zijn vaak.

'Ik werk in een hotel.' Alsof ze door een slang was gebeten, trok Frieda haar hand terug. Het voelde als een fysieke aantasting. Ik maak de wc's schoon, ruim de rommel op en verschoon de bedden, wilde ze bijna zeggen, maar in plaats daarvan glimlachte ze alleen. Ze had kunnen weten dat Jamie al een vriendin had. Daar hoefde ze niet geschokt, verbaasd of teleurgesteld over te zijn. Bovendien was een vriendin niet altijd blijvend. Dat stond in haar moeders lijst met wetenswaardigheden over het huwelijk en de liefde. Niets was voor eeuwig.

Marianne hing knikkebollend tegen Nicks schouder. Ze had lang zwart haar tot aan haar middel en droeg aan weerskanten tien gouden armbanden. Haar pony hing voor haar ogen, die verrassend groen bleken te zijn als ze de moeite deed om ze open te doen. Haar huid was even licht als die van

Stella. Frieda zag de aderen in haar armen lopen. Ze zag ook korstjes die rood en zwart afstaken tegen haar witte huid. Marianne had nog net genoeg energie om te zeggen: 'Denk maar niet dat je van Stella kunt winnen. Je zou het niet zeggen, maar ze is slim, veel slimmer dan ik. Of dat was ze in elk geval gisteravond.'

De twee zussen schoten in de lach. Ze hadden allerlei privégrapjes.

'En wat doe jij?' vroeg Frieda aan Stella.

'Alles wat Jamie van me wil,' antwoordde Stella. 'Zolang hij zich niet al te erg misdraagt.'

Toen de champagne werd bezorgd, bestelde Frieda een glas bier, want ze was al aangeschoten van de whisky, dus champagne zou gevaarlijk zijn. Ze vond het veel te lekker en als ze er te veel van dronk, zou ze straks iets doen waar ze spijt van kreeg. Bier was simpel.

Er werd gedanst en de muziek stond zo hard dat die in haar hoofd resoneerde. Een vriend van Jamie, die bij zijn platenmaatschappij werkte, vroeg Frieda ten dans. Eerst wilde ze hem afpoeieren, want hij was veel ouder en ze hield niet van een volle dansvloer. Ze keek liever toe. Bovendien was Jamie er ook nog en ze wilde hem niet graag in Stella's greep achterlaten.

'Ga gerust je gang,' drong Stella aan. Haar zus had gelijk gehad. Stella leek een dom blondje, maar ze was slim en manipulatief. 'Anders ben je zo alleen,' zei ze zoetsappig. 'Het is geen pretje om het vijfde wiel aan de wagen te zijn.'

Stella en Frieda bekeken elkaar keurend.

'Ik weet waar je mee bezig bent,' zei Frieda.

'Goed zo. Ik hou van een eerlijk gevecht, als je denkt dat dit een gevecht is.' Stella keek haar strak aan. Haar ogen waren blauw en wazig. 'Maar voor het geval je het nog niet weet: wij zijn lichtjaren van elkaar verwijderd.'

Plotseling kreeg Frieda het gevoel dat Stella gelijk had, dat ze niet helemaal menselijk was en Frieda nooit van haar zou kunnen winnen.

Jamie, die met de oudere man had zitten praten, fluisterde tegen Frieda: 'Dat is mijn mannetje van de platenmaatschappij.'

'Wees maar niet bang,' fluisterde ze terug. 'Ik zal je ophemelen.'

Eenmaal op de dansvloer voelde ze zich verloren. Haar hart bonsde in haar keel. Het was veel te vol, het licht veranderde telkens van kleur en haar partner kon niet dansen. Heel gênant. Hij was bijna even oud als haar vader. Voordat het nummer voorbij was, zag ze Stella en Jamie opstaan. Jamie hielp zijn vriendin overeind. Frieda bedacht dat ze beter kon weggaan om Lennie op te halen, zodat ze uit kon gaan met iemand die haar echt kende naar een café waar ze tenminste plezier zou hebben. Ze hoorde hier niet, sterker nog, ze wilde hier helemaal niet zijn. Maar ze bleef en dronk iets aan de bar met haar danspartner, de artiestenbegeleider van Capitol Records uit Amerika, die haar uitgebreid over zijn scheiding vertelde. Hij dacht waarschijnlijk dat Frieda graag wilde weten dat zijn vrouw nooit aandacht voor hem had gehad als hij haar nodig had, alleen voor de kinderen. Alsof dat haar iets kon schelen. Na een tijdje begon hij echter over Jamie, en dat interesseerde haar wel. Hij vertelde dat de opnamedatum was verschoven naar de volgende week. De platenmaatschappij was erg enthousiast over hem. Ze waren op zoek naar iemand als Dylan, die zijn eigen teksten zong. Nu moest hij alleen nog een band hebben die hem kon begeleiden. Oké, de concerten waren geen groot succes geweest, maar dat kwam omdat Jamie geen eigen materiaal had gespeeld. Als er een plaat kwam met eigen nummers, werd het een heel ander verhaal. Jamie had iets heel bijzonders.

'Inderdaad,' beaamde ze gretig. 'Maar zoals alle creatieve geesten kan hij wel een voorschot gebruiken. Iemand die zoveel talent heeft als Jamie wilt u vast niet kwijtraken omdat u hem te weinig betaalt.'

De artiestenbegeleider keek haar oplettend aan. Ondanks haar Cleopatra-ogen was het meisje slimmer dan hij had verwacht. Ze deed hem denken aan sommige muziekagenten met wie hij had gewerkt. Je dacht dat je gewoon met ze uitging, maar dan bleken ze ineens allerlei bijbedoelingen te hebben.

'Zit daar maar niet over in. Jamies vriendin zwemt in het geld. Daarom zal het ook niet uitmaken dat ze verslaafd is aan heroïne.'

'Ik moet morgenochtend werken, dus ik ga maar eens,' zei Frieda.

De man van de platenmaatschappij gaf haar zijn kaartje, dat ze liet vallen terwijl ze op zoek ging naar het damestoilet. Ze moest aan drie mensen de weg vragen voordat ze de wc had gevonden en toen bleek er een lange rij te staan.

'Waarom zorgen mensen niet dat ze al high zijn als ze hier komen,' zei een meisje voor haar boos. 'Dan kunnen de anderen tenminste rustig plassen.' Er stonden misschien wel twintig vrouwen in de rij. Uiteindelijk ging de deur open en rolden Jamie en Stella naar buiten. Jamie had zijn arm om Stella heen geslagen en ze zag er slap uit, als een lappenpop, erg mooi maar tot niets in staat, gewichtloos.

Frieda haatte haar – een gevoel dat ze niet echt van zichzelf kende – en daarna haatte ze zichzelf omdat ze zo jaloers was.

Ze was verbitterd en kleinzielig geworden, iemand die niets voorstelde. Vanaf haar plaats in de rij zag ze hen naar hun tafel teruglopen en plaatsnemen in het afgeschermde zitje, zo dicht tegen elkaar aan dat je niet kon onderscheiden waar de één begon en de ander ophield. Stella kroop helemaal tegen Jamie aan. Ze vormden een volmaakt stel, twee mensen die precies bij elkaar pasten.

'Ik blijf hier niet de hele avond staan,' zei Frieda tegen het meisje voor haar.

'Gelijk heb je. Zoek een plek waar je tenminste rustig kan plassen.'

Frieda verliet de nachtclub en ging lopen, omdat ze geen geld had voor een taxi. Ze voelde zich verhit en onnozel. Haar moeders brief schoot haar weer te binnen. Vergeet nooit wat van hem is en wat van jou. Word niet afhankelijk. Zorg dat je een eigen bankrekening hebt. Haal al zijn kasten leeg als hij is vertrokken, want met rommel kom je geen steek verder.

Alles had altijd om de dokter gedraaid en Frieda had hem bewonderd. Haar moeder had alleen maar gezeurd en zich zorgen gemaakt, maar nu vroeg Frieda zich af of ze niet naar haar had moeten luisteren, tenminste af en toe. Misschien had ze er iets van kunnen opsteken.

Ze nam de korte weg, door het park, en liep haastig door het donker. Gelukkig had ze geen champagne genomen. Nu was ze tenminste niet dronken. Het kon haar niet schelen of het park op dit tijdstip gevaarlijk was, want ze was in een onverschillige bui. Ze begon te rennen. Op de middelbare school had ze aan hardlopen gedaan en het was heerlijk om zich te laten gaan. Haar haar stonk naar sigarettenrook, maar die dreef onder het lopen de avondlucht in. Overal in het park vonden ontmoetingen plaats en ze rook hasj. Ze had het gevoel dat zij als enige leefde. Het leek alsof Jamie was wegge-voerd, zo ver weg dat ze hem nooit meer kon bereiken.

Ze stak de grasvelden over en holde over het ruiterpad. Ze had beter een paard kunnen zijn, een wit paard op het platte-land dat in het donker onder een krom gegroeide, zwarte ap-pelboom stond. Doordat ze te veel tijd met de engel van de dood had doorgebracht, wist ze dingen die ze niet zou moeten weten, maar ze begreep nog steeds niets van mensen. Mensen logen, bedrogen, stalen en beminden de verkeerde. Daar was niets tegen te doen. Er bestond geen pilletje dat ervoor kon zorgen dat iemand net zo naar jou verlangde als jij naar hem.

Toen Frieda bij het hotel kwam, leunde ze tegen de muur om op adem te komen. Het was al een tijd geleden dat ze zo lang achter elkaar had gerend. Iemand kuchte. Teddy Healy, de dronkaard uit het hotel, zat op de stoep met zijn rug tegen de muur.

'Alweer?' vroeg Frieda.

Hij keek haar met grote ogen aan, draaide zijn hoofd weg en kreeg een ontzettende hoestbui. Ze vroeg zich af of dat op een beginnend longemfyseem wees. Uiteraard herkende hij haar niet.

'U werd dronken op straat gegooid en ik heb u in een taxi geholpen,' probeerde ze zijn geheugen op te frissen. 'Weet u dat nog?'

'Nee, sorry,' antwoordde Teddy. 'Maar vanavond kon ik tenminste zelf naar buiten lopen, voordat ik in elkaar zakte.'

'Waarom drinkt u zoveel?'

'Jij bent nog jong, hè? Door de drank kom ik zo dicht mo-gelijk bij de dood zonder dood te gaan. Gebrek aan moed, dat lijkt me duidelijk. Ik heb iets verloren en dat krijg ik nooit meer terug.'

'Als u niet almaar aan uzelf denkt en iets voor anderen doet, kunt u er misschien mee ophouden.'

Teddy Healy lachte. 'Ga jij me vertellen hoe ik mijn leven moet beteren?'

'Nee, alleen dat u het leven van een ander beter kunt maken.'

Terwijl ze naar binnen ging, dacht ze na over haar eigen advies. Haar vader zou zoiets gezegd kunnen hebben, en hij had gelijk. Hoe meer je gaf, hoe meer je kreeg. Daar was Frieda van overtuigd. Ze zou voortaan aan deze nacht terugdenken als aan een nachtmerrie waaruit ze bijtijds was ontsnapt. Als ze ooit saffieren kreeg, hoefden die niet zo opzichtig te zijn. Als ze ooit Jamies vriendin werd, zou ze niet zo achteloos met hem omspringen.

Ze trok haar zwarte jurkje uit en schoot een spijkerbroek en een oud T-shirt aan. Lennie lag nog niet in bed. Na even nagedacht te hebben, pakte ze haar sleutels en ging naar de zevende verdieping. Het was er stil en ze zag niemand. Uit de werkkast haalde ze haar poetsmand en een setje schoon linnengoed. Daarna liep ze door de lange, koude gang. Het lag niet in haar aard om het zomaar op te geven. Ze liet zichzelf bij Jamie binnen en deed de deur achter zich op slot. Het was donker en het duurde even voordat ze iets kon onderscheiden. Toen herinnerde ze zich dat haar moeder had geschreven dat je de rommel moest opruimen om te kunnen zien wat zich voor je ogen afspeelde.

Toen ze het licht had aangedaan, monsterde ze de puinhoop die Jamie had gemaakt en ging aan de slag. Ze haalde het bed af, verzamelde het vuile goed en de handdoeken, en bracht alles naar de wasserij op de derde verdieping. Daar stopte ze de was in de machine, die kon draaien in de tijd dat zij aan het schoonmaken was.

De kamer knapte zienderogen op. Ze schrobde zelfs de badkuip en wreef de meubels op met citroenolie. Toen ze stofzuigde, meende ze geschreeuw te horen. Even dacht ze dat ze te veel herrie maakte, tot ze besefte dat het spook bezig was aan de overkant van de gang. Het was halfelf. Ze deed snel de deur open, maar er was niemand te zien. Kamer 707 was dicht en het bordje NIET STOREN hing aan de deurknop, dus misschien was hij wel bezet. Misschien zat John Lennon er wel, of een andere muzikant die niet bang voor geesten was.

Als er iemand weleens een geest moest hebben gezien, was het haar vader wel, want hij had talloze malen aan het bed van stervenden en doden gezeten. Toch had dokter Lewis daar nooit iets over gezegd. Na iemands dood bleef zijn lichaam achter. Daar was niets geheimzinnigs aan, behalve die ene avond dat ze over de tolbrug naar het dorp met de wilgen waren gereden, toen haar vader de overledene bij zijn voornaam had genoemd.

Frieda ging verder met schoonmaken. Ze had er zin in en dacht aan haar moeder, die alle kleren van haar vader in kartonnen dozen had gestopt die ze naar zijn nieuwe adres had gebracht en op het grasveld voor het huisje had gezet. Als het tussen Jamie en haar uitging voordat het feitelijk aan was geweest, dan was dit tenminste een ordelijk einde.

Toen ze klaar was, moest ze nog wachten tot zijn kleren droog waren. Ze ging aan zijn bureau zitten en maakte het laatje open. Daarin vond ze potjes met pillen, een bakje met marihuana, een pijpje en een paar envelopjes van waspapier. Ze maakte er eentje open, stak haar vinger in de witte poeder en likte die af. Haar mond werd gevoelloos. Eigenlijk begreep ze wel dat mensen hun pijn probeerden te verdoven en zichzelf daarmee ongemerkt in de vernieling hielpen. Ze dacht terug aan de bezoeken die ze met haar vader had afgelegd. Hij veroordeelde zijn patiënten nooit. Dat lag niet in zijn aard en ook niet in de hare. Ze veroordeelden alleen maar elkaar.

Frieda borg alles op en schoof de bureaula dicht. Even later trok ze hem weer open om er briefpapier van het hotel en een pen uit te halen. Toen begon ze aan een nieuw gedicht of lied of wat het ook was. Ze noteerde een paar losse woorden en schonk zichzelf een whisky in. Deze keer wist ze dat het glas schoon was, want ze had het zelf afgewassen.

Witte poeder. Hoe ik van je hou. Hoe ik niet van je mag houden. Laat op pad. Wie zit achter mij? Wie voor mij? Wie wacht op mij? Niemand op straat. Niemand waar ik ga. Hoe weet ik wie de engel is? Hoe herken ik zijn gezicht?

Frieda schreef snel en zonder na te denken. Ze kreeg het zo warm dat ze ging transpireren. Over haar borst en rug liep een natte streep. Ze had weer hetzelfde gevoel als bij het vorige vers, alsof ze in een andere dimensie was waar tijd en ruimte niet bestonden.

Het is niet de engel op de achterbank, niet de engel die mee-rijdt. Maar hij kent me wel, hij kent mijn spel.

Boven aan het vel papier schreef ze DE DERDE ENGEL. Ze bleef zitten en dronk haar glas leeg. Ze had het nog steeds warm, maar niet op een vervelende manier. Het leek op hoe ze zich voelde als ze na een eind hardlopen haar bestemming had bereikt en op adem kon komen.

Om de was van Jamie op te halen ging ze naar de derde verdieping. Op de trap naar boven botste ze bijna tegen Len-nie op.

'Jezus, Frieda, wat doe jij hier?'

Lennie zag er ook al aangeschoten uit. Ze had haar mooiste jurk aan, een zilverkleurig mini-jurkje dat ze in de uitverkoop op King's Road had gekocht, en zulke hoge hakken dat ze er amper op kon lopen. Haar haar zat in de war en ze had zich zwaar opgemaakt. Haar gezicht stond schuldbewust, alsof Frieda haar op diefstal had betrapt.

'Ik doe de was,' antwoordde Frieda.

Lennie schudde ongelovig haar hoofd. 'Dat zal wel. Straks beweer je nog dat je van Mars komt.'

'Nou ja, het is Jamies was. Het gaat te ver, ik weet het. Ik zou zijn kleren niet moeten wassen, dus mondje dicht.'

'Ik hou mijn mond,' zei Lennie. 'Ik ga je niet eens vertellen dat het stom van je is. Daar zijn we vriendinnen voor. Stel geen vragen, dan hoor je geen leugens. Dat geldt voor ons allebei.'

Ze keken elkaar strak aan. Frieda had het rare gevoel dat ze tegenover een andere versie van Lennie stond. Dit was niet het meisje dat haar beste vriendin was geworden. Deze Lennie zag er moe uit, met kleine ogen van de slaap. Ze rook naar drank en om haar mond zaten lippenstiftvegen.

'Ik ga naar bed,' zei Lennie. 'Vergeet dat je me hebt gezien.'

Ze gedroeg zich alsof ze betrapt was, maar Frieda had geen idee waarop. Was Lennie op de een of andere kerel gevallen? Was ze net zo stom geweest als Frieda en had ze zich ingelaten met een hotelgast? Maar dat was niets voor Lennie, die haar eigenbelang altijd goed in de gaten hield.

'Ik kom zo,' zei Frieda.

'Je bent me geen verantwoording schuldig,' zei Lennie. 'Ik hoef jouw privézaken niet te weten. Je bent een volwassen vrouw, net als ik.'

Dat was immers het devies van het Lion Park Hotel, voor de gasten tenminste, dus misschien gold het ook wel voor het personeel. Privacy voor alles. Er worden geen vragen gesteld en geen vragen beantwoord. Geheimhouding is het tover-woord, zelfs onder vrienden.

Frieda bracht Jamies wasgoed naar zijn kamer, vouwde het op en legde het op de stoel. Zijn T-shirts waren versleten. Hij had twee overhemden met een paisleymotief, het ene blauw met groen en het andere in verschillende tinten rood, oranje en geel. Ze moesten allebei gestreken worden, wat een kleine moeite was. Frieda was handig en hield van strijken, omdat ze intussen haar gedachten de vrije loop kon laten. Misschien had haar moeder daarom nooit over het huishouden geklaagd.

Toen ze klaar was en alles netjes weg had gelegd, voelde ze zich voldaan. Dat bedoelde haar moeder misschien, dat het echte doel van het huishouden was om dingen op orde te brengen. De kamer rook lekker, naar citroen en zeep. Ze had Jamie een paar extra kussens gegeven en een mooie zijden sprei, die alleen bestemd was voor beroemde gasten. Maar Ja-mie werd vast beroemd, dus het kon best. Ze hoopte maar dat de artiestenbegeleider had geluisterd naar haar verzekering dat hij talent had.

Ze ging even op bed liggen en dacht aan de verwilderde blik in Lennies ogen, alsof ze betrapt was op iets verschrikke-lijks, terwijl ze alleen de trap afliep. Frieda's vader had verteld dat de meeste mensen een geheim leven leidden, maar vaak waren dat geheimen die niemand interesseerden. Ze dacht weer aan de lijst die ze vandaag van haar moeder had gekre-gen. Gebruik bleekwater als je het beddengoed wast waarin jullie samen hebben geslapen, of liever nog, gooi het weg en koop nieuw.

Ze viel in slaap en droomde dat ze met haar vader over een donkere weg reed. In de huizen waar ze langskwamen, ging het licht aan. Elk licht is een leven, zei haar vader in die droom.

Alle mensen zijn evenveel waard en raken even makkelijk beschadigd. Frieda werd wakker omdat in haar droom iemand naast haar op de achterbank kwam zitten. De bank boog door en ze kreeg het ineens koud. Ze vroeg zich af welke engel het was. En als ze zou kijken, zou de engel van de dood, in al zijn glorie of gruwelijkheid, haar dan onmiddellijk meenemen? Ze begon te huilen, ook al voelde ze dat ze wakker werd. Maar toen ze haar ogen opensloeg, zat Jamie op bed met een verwonderde blik naar haar te kijken. Om hem heen hing de geur van rook en alcohol.

'Wat een prettige verrassing,' zei hij.

Frieda drukte haar gezicht tegen zijn borst, zodat hij niet kon zien dat ze had gehuild, maar dat wist hij al.

'Ik weet wat je voelt,' zei Jamie. 'We leven in een harde, wrede wereld, Frieda.'

Hij vertelde haar over zijn been, de lange maanden in het ziekenhuis, de pijn die zijn eeuwige metgezel was. Hij had zich tegen zijn handicap verzet als een soldaat op het slagveld. Heldhaftig had hij geweigerd toe te geven aan zijn geboorteafwijking, dat verdomde been met alle kwellingen die erbij hoorden, de beugels, de operaties en het uitgejouwd worden. Tegen de tijd dat hij over heroïne begon, kon hij in Frieda's ogen al niets meer verkeerd doen.

'Je zou eens met een arts over je drugsgebruik moeten praten,' zei ze. 'Zoek hulp.'

Jamie lachte erom. 'Ik heb veel te veel dokters in mijn leven gezien. Ik weet hoe ik met pijn moet omgaan, maar ik denk dat ik daardoor niet kan schrijven. Alle energie gaat in mijn dromen zitten als ik high ben. Het versuft me en slokt me op. Er zitten allerlei liedjes in me, maar als ik pijn heb, zweven ze weg en kan ik ze niet meer te pakken krijgen.'

Frieda haalde het blaadje tevoorschijn waarop ze *De derde engel* had geschreven. Eigenlijk had ze hem *De geest van Michael Macklin* willen geven, maar dat lied was te indringend. Je kon erdoor verscheurd raken. Om te beginnen zou ze hem deze tekst geven. Het was een plechtig moment. Als Frieda niet zo zelfverzekerd was geweest, zou ze gebeefd hebben. Ze las het voor en toen ze klaar was, keek Jamie haar aan alsof hij plotseling klaarwakker was en haar voor het eerst echt zag.

'Jezusmina,' zei hij. 'Ik wist niet dat je dat in je had.'

'Ik weet ook wel iets over pijn. Mijn vader is arts en ik ging vroeger met hem mee als hij patiënten bezocht.'

'Ik dacht dat je over een geest zou schrijven, maar je hebt een tekst over mij gemaakt. Ik voel me vereerd,' zei Jamie.

Ze gingen met elkaar naar bed, hoewel het uitdrukkelijk tegen de regels was en Frieda bijna zeker wist dat de liefde van één kant kwam. Maar je wist het nooit met dit soort dingen. De tijd kon alles veranderen. Dat stond op haar moeders lijst. Zelfs de liefde. Het was hoe dan ook de moeite waard om bij hem te zijn. Het was als een droom, warm en intens, alsof ze niet meer bij deze wereld hoorden. Jamie wekte gevoelens bij haar op die ze nooit had verwacht en ze deed dingen waarvan ze het bestaan niet wist, vond aspecten van de liefde die dieper en dwingender waren dan ze ooit had vermoed. Natuurlijk wist ze dat hij met veel vrouwen naar bed was geweest, maar dat kon haar niet schelen. Vandaag was zij het en ze kuste hem niet één, maar wel duizend keer.

Jamie zei dat geen enkele vrouw haar plaats kon innemen. Ze was zijn muze, nu en voor altijd. Toen het ochtend werd, kon Frieda het nauwelijks verdragen dat ze hem alleen moest laten. Ze had nooit begrepen hoe mensen de werkelijkheid konden ontkennen, hoe iemand die wist dat hij niet lang meer te leven had kon opstaan, zich aankleden en ontbijten zonder elke seconde aan de dood te denken. En toch deed zij hetzelfde met Stella. Voor Frieda bestond Stella niet. Ze was vervluchtigd tot een blonde leegte, iemand die evengoed boven in de lucht kon wonen. De realiteit was hier, in het Lion Park. Met z'n tweeën in bed. De engel die over hen waakte. Het lied dat als een droom in haar hoofd was opgekomen.

Die ochtend was ze zelf ook dromerig. Ze had zich verslapen en moest stiekem uit Jamies kamer glippen en de trap nemen naar haar kamer op de tweede verdieping. Snel knapte ze zich een beetje op, want ze had ochtenddienst, net als Lennie. Het viel niet mee om aan het werk te gaan als je de halve nacht op was geweest en je met verboden zaken had beziggehouden. Frieda en Lennie waren doodmoe. Ze dronken zwarte koffie in de eetzaal, maar waren natuurlijk te laat voor het ontbijt. Lennie zweeg en keek Frieda niet aan, maar ze had dan ook haast.

'Waar was je vannacht?' vroeg Katy, hun kamergenote, aan Frieda, terwijl ze hun mand met schoonmaakmiddelen, sponzen en vegers haalden. 'Hopelijk ga je Lennie niet achterna.'

'Ik schaam me dood, maar ik ben in slaap gevallen in de kamer die ik aan het schoonmaken was. Gelukkig stond hij leeg.'

'Dat is een pak van mijn hart,' zei Katy opgelucht. 'Ik zou het vreselijk vinden als je op een makkelijke manier geld ging verdienen, net als Lennie. Zo makkelijk lijkt het me trouwens niet. Die kerels die haar betalen zijn geen Mick Jagger, als je begrijpt wat ik bedoel. Waarschijnlijk doet ze haar ogen dicht, telt tot duizend en hoopt dat ze snel klaar zijn.'

Frieda lachte. 'Doe niet zo mal, wat bedoel je?'

'Ik bedoel dat ze zo aan haar geld komt. Je denkt toch niet

dat ze op King's Road kan winkelen van het loon dat we hier verdienen? Jouw vader is dokter. Jij hoeft je geen zorgen over geld te maken.'

'Ik maak me wel zorgen,' zei Frieda. Ze dacht bijvoorbeeld aan geslachtsziekten en andere risico's die een meisje liep dat met onbekenden naar bed ging. Ze bedacht ook dat ze haar beste vriendin blijkbaar heel slecht kende.

'Maar niet zoals wij, zoals Lennie,' merkte Katy op.

's Middags, toen de ochtenddienst voorbij was, keek Frieda uit naar Lennie, maar die leek haar te ontlopen. Volgens Meg, haar zus, was Lennie naar het park gegaan om te lunchen en Frieda ging haar zoeken. Hoewel het Hyde Park enorm uitgestrekt was, kende ze Lennies favoriete plekje bij The Serpentine.

Daar vond ze Lennie, die een sigaret zat te roken. Het was fris en de grond lag bezaaid met goudgele bladeren doordat het 's morgens vroeg had geregend. De lucht was vochtig en grijs.

'Ben je me gevolgd?' vroeg Lennie.

Frieda ging naast haar vriendin op de bank zitten en pikte een sigaret van haar. Ze had haar vader moeten beloven dat ze nooit zou roken, toen ze op een avond bij een man waren geweest die wegkwijnde aan longemfyseem. Frieda had zelden zoiets akeligs gezien. Ze was toen tien en de man had naar adem snakkend in bed gelegen. 'Help me,' had hij gefluisterd tegen Frieda's vader, die hem een zuurstofmasker voordeed. Op dat moment had Frieda beseft dat sommige mensen niet te redden waren, wat je ook deed.

'Ik ga aan niemand verantwoording afleggen, dus lazer op,' zei Lennie. 'Het gaat je niks aan wat ik doe.'

'Prima,' zei Frieda.

Lennie keek haar aan en lachte schamper. 'Is dat alles? Krijg ik geen preek dat ik mijn leven vergooi? Dat ik nog eens door zo'n kerel vermoord word? Dat ik syfilis krijg of zwanger word en op de hoek van de straat moet gaan bedelen? Want dat denk je natuurlijk, hè?'

'Voor mij blijf je gewoon Lennie, zolang je tenminste niet bij mij op de hoek komt bedelen,' zei ze half grappend, maar ook gemeend. Je moest eerlijk zijn tegen de mensen van wie je hield. Je vertelde wat de diagnose was, zoals de dokter ook altijd had gedaan. Wat hebben we hier? Dat zou hij zich hardop over Lennie hebben afgevraagd. Een meisje dat doet waar ze zin in heeft zonder zich druk te maken over de gevolgen.

'O, reken maar dat ik je weet te vinden,' zei Lennie grinnikend. 'Dan kom ik met een tamboerijn en een aapje dat 's nachts voor je raam blijft krijsen. En dan gooi jij wat geld en een chocoladereep naar buiten. Geloof je het zelf?'

'Je bent mijn vriendin. Ik sta achter je, wat je ook doet.'

'Dat is een hele geruststelling.' Lennie drukte haar sigaret uit en werd weer serieus. 'Ik heb het geld nodig. Misschien is het geen goed excuus, maar dat laat me koud. Ik heb geen zin mijn hele leven in het hotel te blijven werken. Meg heeft de zaak op poten gezet en ik geef haar de helft. Over twee jaar willen we zelf een *bed and breakfast* beginnen. Misschien kan Katy dan bij ons komen werken.'

Ze moesten er allebei om lachen.

'Misschien is ze tegen die tijd wel mevrouw Jagger,' proestte Frieda. Ze lagen allebei in een deuk.

'Dat vind ik typisch iets voor jou. Geloven dat het nog iets kan worden met meneer Rockster in Spe.'

Frieda zweeg. Dit was niet leuk meer.

'Ik dacht verdomme dat je nuchter was en mensenkennis

had,' zei Lennie toen ze Frieda's gezicht zag.

'We zouden elkaar niet vertellen hoe de ander moest leven, weet je nog?'

'Hij is een hopeloos geval, Frieda. Iemand die duidelijk aan de drugs is. Voor hem ben je alleen het meisje dat zijn kamer schoonmaakt, of het meisje met wie hij naar bed gaat als hij even tijd voor je heeft en die daarna zijn kamer schoonmaakt. Meer stelt het niet voor.'

'Hou op,' zei Frieda. 'Je begrijpt er niets van.'

'Ik begrijp dat je evenveel kans bij hem maakt als Katy bij Mick Jagger. Minder nog, want de jouwe is nog arm en heeft er alles voor over om succes te krijgen. Dan ga je natuurlijk niet met een kamermeisje trouwen.'

'Ik heb weinig vertrouwen in je advies, als ik zie met wie jij naar bed gaat.'

'O, nu heb ik het gedaan,' zei Lennie. 'Geef mij maar de schuld.'

'Ik heb jou toch niet veroordeeld?' vroeg Frieda.

In gedachten verzonken zaten ze naast elkaar op de bank.

Frieda piekerde nog de hele dag over wat Lennie haar had nageroepen toen ze was weggelopen. 'Uiteindelijk komt iemands ware aard altijd boven,' had Lennie geroepen. 'Die moet je alleen wel kunnen zien.'

's Avonds zag ze Jamie weer. Ze kwamen elkaar tegen in de lobby en hij vroeg haar om naar zijn kamer te komen als haar dienst erop zat. Zie je wel, hij was echt wel in haar geïnteresseerd. Lennie snapte er niets van.

Zodra Frieda vrij was, ging ze naar boven en klopte op zijn deur, maar er kwam geen antwoord. Ze liet zich binnen met haar sleutel, de moedersleutel die op elke kamerdeur van het hotel paste. Ze had even geaarzeld en gedacht: hij is er niet dus ik kan beter weggaan, maar terwijl hij op haar wachtte, was Jamie in slaap gevallen. Ze kleedde zich uit en kroop bij hem in bed. Ze was niet van plan na te denken of zich zorgen te maken, zoals ze anders altijd deed. Ze was er gewoon. Ze was Frieda, hier in zijn kamer, meer niet.

'Ik dacht dat je nooit zou komen,' zei hij toen hij wakker werd.

Hij was niet haar eerste en Bill, haar vriend uit Reading, was dat ook niet geweest. Frieda was voor het eerst met een jongen naar bed geweest op vakantie, toen ze vijftien was. Ze had besloten dat het tijd werd, zoals iemand besloot dat het tijd werd om zijn rijbewijs te halen. En toen had ze er werk van gemaakt. Praktisch, dat was ze altijd geweest. Maar dit was volkomen anders. Het was alsof ze Jamie zelf had bedacht, zo goed leek ze hem te kennen. De rest van de wereld viel weg en dat wilde ze ook. Er bestond niemand anders. Dus zo ging het als je verliefd was. Het gevoel was zo diep en groot dat het haar duizelde. Ze moest de lijst van haar moeder vergeten. Die wilde ze nooit meer lezen. Ze wilde zichzelf blijven.

Terwijl ze nog in bed lagen, met hun armen om elkaar heen, zei Jamie: 'Ik zal je liedje zingen.'

Frieda had er al helemaal niet meer aan gedacht.

'Ik denk wel dat je het mooi vindt. Dat hoop ik tenminste,' zei Jamie.

Hij stond op om zijn gitaar te pakken en kwam weer terug.

'Dit is de ruwe versie. Hij is nog niet af.'

Frieda hield van dingen die niet af waren. Als iets af was, lag het vast, maar ze hield van het proces, van alles wat bewoog: rivieren, wolken, een kloppend hart.

Jamie had een melodieuze, heldere stem, die niet uit hemzelf leek te komen. Zelfs hij leek verrast door de zuiverheid ervan. Hij zong *De derde engel* en het werd een ander lied, met veel meer betekenis dan waarmee Frieda het had opgeschreven. Het werd een verhaal over een man die gekweld werd door demonen en drugs. Zijn eigen verhaal.

Toen hij klaar was met zingen, legde hij zijn gitaar op de grond en ging naast haar liggen.

'Het is prachtig,' zei Frieda.

'Ik zei toch dat je mijn muze was. Wat had ik zonder jou moeten beginnen?'

Toen Frieda dat de volgende dag aan Lennie vertelde, begon haar vriendin hard te lachen. 'Maar jij hebt het verdomme geschreven. Heeft hij daar nog iets over gezegd, of doet hij alsof het zijn eigen tekst is?'

'Het ís ook zijn eigen tekst. Hij heeft de muziek geschreven en als hij het zingt, is het een heel ander lied. Ik ben bezig aan nog een tekst. Die is pas echt goed.'

'Ik krijg in elk geval nog betaald voor wat ik doe,' zei Lennie. Eigenlijk hadden ze weinig overeenkomsten. Dat begon steeds duidelijker te worden. Sinds ze hadden afgesproken om elkaar niet te veroordelen was het misgegaan tussen hen. 'Ik zeg het maar eerlijk, Frieda, en misschien hou je daar niet van, maar jij hebt die song geschreven. Die is van jou.'

In de loop van diezelfde week hoorde Frieda dat haar vader naar Londen kwam voor een congres en dat hij een afspraak met haar wilde maken. Ze had niet verwacht dat hij contact zou opnemen. Zijn brieven, die haar moeder naar haar doorstuurde, had ze onbeantwoord gelaten, maar toen Meg de boodschap overbracht dat haar vader had gebeld, voelde ze zich in het nauw gedreven. Ze had hem niet verteld waar ze werkte, maar daar was hij blijkbaar achter gekomen. Uit wanhoop belde ze terug, want ze wilde niet dat hij zag waar ze werkte. Niet zozeer dat ze zich schaamde, maar ze voelde niets voor een botsing tussen haar twee werelden in de lobby van het Lion Park Hotel. En dan had je Jamie nog. Er was geen grotere tegenstelling denkbaar dan tussen die twee mannen. Daarom moest ze de dokter daar zo ver mogelijk vandaan zien te houden.

Ze spraken af in een Italiaans restaurant achter Bayswater Road, dat haar vader kon aanbevelen. Omdat Frieda zich steeds weer had omgekleed, aarzelend tussen een serieus of zorgeloos uiterlijk, was ze aan de late kant. Uiteindelijk leek serieus haar het meest passend. Ze droeg een eenvoudige rok en blouse, die voor Reading perfect waren geweest. Maar om niet volledig te capituleren, had ze haar korte zwarte laarsjes met gespen aangedaan. Ze was niet van plan terug te vallen op degelijke stappers. Ze had lijntjes om haar ogen getrokken; niet als Cleopatra, maar als Frieda Lewis. Ze bleef zichzelf.

Toen ze het restaurant in kwam, zat haar vader al een tijd te wachten. Ze was ruim een halfuur te laat, ook al had ze geprobeerd zich te haasten. Maar doordat ze tegen de ontmoeting had opgezien, was alles drie keer zo langzaam gegaan. Meestal kwam Frieda op tijd, of zelfs te vroeg, behalve vandaag.

Haar vader bladerde in een krant toen ze binnenkwam. Zodra ze hem zag, besefte ze hoeveel ze van hem hield. Maar toen ze bedacht dat hij hen had verraden, leek liefde niet meer zo belangrijk. Toen hij opstond om haar te begroeten, gaf ze hem zo gereserveerd mogelijk een kus op zijn wang.

'Ik dacht dat je van de aardbodem was verdwenen,' zei haar vader.

'Nee, hoor.' Frieda bestelde pasta met salade. De dokter was vegetariër en hoewel Frieda daar niet zo principieel in was als hij, at ze ook zelden vlees. Vanavond voorvoelde ze echter dat ze geen hap door haar keel zou kunnen krijgen. Ze had geen trek.

Zo was het allemaal begonnen. Juist daarom was Frieda het huis uit gegaan. Londen had haar natuurlijk getrokken, maar het was vooral een reactie op haar vader geweest. Ze vond niet dat ze hem nog verantwoording schuldig was over haar leven en toekomstplannen, niet na de manier waarop hij was weggegaan. Ze was hem helemaal niets verschuldigd.

'Frieda, je neemt het veel te zwaar op. Je moeder en ik zijn uit elkaar, maar daarmee is de wereld nog niet vergaan.'

'Voor haar wel.' Frieda had eigenlijk willen zeggen: voor mij wel. Maar dat zou kinderachtig en egoïstisch klinken.

'Dus je loopt weg om mij te straffen en in plaats van te studeren, ga je als kamermeisje in een hotel werken.'

'Van wie heb je dat?' Frieda was laaiend dat hij zoveel over haar leven te weten was gekomen, maar het ergste vond ze nog dat hij wist dat ze om hem was weggelopen.

'Maakt het uit van wie ik dat weet?'

Omdat hij weigerde het haar te vertellen, begreep Frieda dat het haar moeder was geweest. Waarom had ze hem in godsnaam geholpen?

'Heb je het van haar? Ik dacht dat ze niet meer met je wilde praten.'

'Je hebt jezelf er nog het meeste mee, Frieda. Je vergooit je eigen leven. Er is niets mis met werken in een hotel, maar het past niet bij je.'

'Ik vergooi mijn leven niet. Ik heb het reuze naar mijn zin,' zei Frieda. 'Ik leef en ben niemand iets verschuldigd. Als ik de rest van mijn leven kamermeisje wil zijn, doe ik dat gewoon.'

'Bill komt minstens eens per week langs.' Nu wierp hij Bill in de strijd, terwijl hij altijd had beweerd dat Frieda te jong was om zich te binden. 'Hij begrijpt niet waarom je hem niet meer wilt zien. Zijn studie lijdt eronder. Hij heeft een zwaar programma gekozen, weet je. Jij had ook naar de universiteit moeten gaan. Je bent intelligent, minstens even intelligent als Bill. Je bent voor arts in de wieg gelegd, dat weet je best.'

'Ik herinner me haar nog als de dag van gisteren,' zei Frieda. 'Ze huilde en was bang.'

De pasta kwam en de dokter bestelde wijn. 'Jij drinkt misschien ook wel,' zei hij tegen Frieda.

'Voor mij bier,' zei Frieda tegen de serveerster. Daarna richtte ze zich weer tot haar vader. Als het op verwijten aankwam, was zij niet de enige die iets had stukgemaakt. 'Je woont met die vrouw samen, hè?'

'Haar man was aan botkanker overleden. Logisch dat ze overstuur was.'

'Ik was pas vijftien en niet bang.'

'Maar jij was altijd al anders,' zei de dokter. 'Je lijkt op mij.'

Het was lang geleden, die avond dat de engel van de dood achter hen in de auto had gezeten. Frieda dacht dat ze hem een keer had gezien, in zijn zwarte jas met zijn hoed diep over zijn ogen. Ze had alle ramen opengezet in de hoop dat hij door een windvlaag zou worden weggeblazen, maar hij was blijven zitten tot ze bij het huis met de witte paarden waren gekomen. Nu woonde haar vader daar met die vrouw. Jenny heette ze. Elke ochtend liep hij de wei in om de paarden haver te geven, en Frieda vroeg zich af of ze naar hem toe kwamen rennen als ze de achterdeur hoorden opengaan en of ze hem dan bij de omheining stonden op te wachten.

'Ik lijk helemaal niet op jou,' beweerde Frieda met een stelligheid die ze niet voelde.

'Liefde is ingewikkelder dan je denkt.'

'Bedankt voor de informatie.' Frieda gooide haar servet neer en pakte haar tas. 'Bel me niet. Ik wil geen contact met je.'

'Frieda,' riep de dokter.

Het klonk gekwetst, maar dat kon haar niet schelen. Frieda dacht niet aan de nachtelijke wegen, de liedjes die hij zong of de hoopvolle blik van zijn patiënten als ze veel pijn leden en hij hun enige redding was. Het liet haar onverschillig dat hij nog steeds twee horloges droeg, zodat hij altijd op tijd zou komen. Ze had haar hele leven gedacht dat hij haar rots in de branding was, maar ze had zich vergist. Misschien was hij wel bij hen gebleven als ze vroeger banger was geweest, als ze een angstig kind was geweest dat had gegild als ze muizen zag, de dood had gevreesd en was gevlucht voor de engelen.

Die avond was Jamie er niet. Ze klopte op de deur van kamer 708 en liet zichzelf binnen. Het was donker, dus deed ze het licht aan. Ze zette het raam open om wat frisse lucht binnen te laten. Daarna ruimde ze de kamer op en ging aan het bureau zitten om te schrijven wat er in haar opkwam. Ze dacht er niet bij na, het leek op automatisch schrift. Er vloeiden verschrikkelijke verwijten uit haar pen. Het was geen lied. Het leek eerder op een lijst die haar moeder opgesteld had kunnen hebben, en zo wilde Frieda zich niet voelen. In tegenstelling tot *De geest van Michael Macklin*, dat ze had bewaard, gooide ze dit gedicht weg. Uit ongebreidelde woede kon je geen kunst scheppen.

Ze ging naar beneden, naar de lounge, om te telefoneren. Ze belde haar moeder. 'Ik heb de brief gekregen, over mannen die weggaan.'

'Ik heb het allemaal geprobeerd, maar het helpt niet,' zei Violet. 'Vergeet wat ik heb geschreven. Ik ga niet bij de pakken neerzitten omdat hij er met een ander vandoor is. Daarom heb ik besloten mezelf weer bij elkaar te rapen.'

Frieda's moeder had altijd als vrijwilliger in het ziekenhuis gewerkt, zoals het een doktersvrouw betaamt, maar daar was ze mee gestopt. In plaats daarvan volgde ze een kunstopleiding. Ze deed nu wat ze zelf leuk vond, iets wat ze nooit eerder had geprobeerd. Frieda wist niet eens dat haar moeder van kunst hield. Ook had ze haar naam van Violet in Vi veranderd. 'Dat klinkt vlotter,' had ze gezegd. 'Meer zoals ik me voel.'

'Hij heeft me opgezocht,' zei Frieda. 'Waarom heb je hem in godsnaam verteld dat ik hier zit en als kamermeisje werk?'

'Dat is toch zo?'

'Heb je hem dit telefoonnummer gegeven? Je weet toch dat ik hem niet wil spreken?'

'Hij is je vader,' zei Vi.

'Dat gevoel heb ik anders niet. Ik ben zonder iets te eten uit het restaurant weggelopen.'

'Is hij gelukkig?' vroeg Frieda's moeder.

'Ik zou het niet weten. Daarvoor ben ik niet lang genoeg gebleven.' Maar ze wisten beiden wat het antwoord was.

'Je kunt iemand niet dwingen van je te houden,' zei Vi.

'Bedankt voor de tip.'

'Gaat het wel goed met je?'

'Natuurlijk,' antwoordde Frieda. 'Met mij gaat het altijd goed.'

Toen ze de haak op de hoorn had gelegd, liep ze naar de bar en bestelde een drankje.

'Dat is tegen de regels,' zei de barman. 'Er wordt geen alcohol geschonken aan het personeel.'

'Ik trakteer,' zei iemand. Het bleek Teddy Healy te zijn, die zich aan het bedrinken was. 'Geef haar een glas rode wijn.'

'Liever een biertje.' Frieda ging naast hem zitten. 'Als u zo doorgaat, krijgt u levercirrose en daar is niets tegen te doen. Een lever kan niet vervangen worden.'

'Is je vader soms arts of ben jij een hypochonder?'

'Grappig, hoor. Op uw gezondheid.' Ze hief het glas en nam een slok. 'Mijn vader is arts. Niet dat het u iets aangaat.'

'Ik heb nagedacht over wat je laatst zei en misschien volg ik je goede raad wel op.'

'Prima.' Frieda had geen idee waar hij het over had, maar het kon vast geen kwaad dat hij aan het denken was gezet. Ze was er met haar aandacht niet bij, want ze herkende een groepje mensen in de lobby. Jamie en Stella, met Stella's zwaar gedrogeerde zus, haar domme, knappe vriend en nog een ander stel. Frieda nam een paar slokken bier. Zelfs van een afstand zag Stella er schitterend uit. Ze droeg een lichte bontjas in dezelfde kleur als haar haar en hoge beige suède laarzen met knoopjes opzij. Ze zou hem in de vernieling helpen, dacht Frieda. En als hij zichzelf in de vernieling hielp, zou Stella hem er niet uit kunnen halen. Ze zou in bed liggen, in de spiegel turen of te zwaar onder de drugs zitten om van de bank op te staan. Ze zou zitten piekeren over zichzelf en haar behoeften, maar ze zou hem nooit begrijpen.

Misschien zocht Frieda moeilijkheden of kende ze haar plaats niet, maar ze verliet de bar en koerste recht op de lift af waar Jamie met zijn vrienden stond. Ze waren allemaal high. Dat kon je zien aan hun glazige blik, vermoeidheid en bleke teint. Jamie knikte naar haar en grijnsde, meer niet. Hoewel hij een smoking droeg, zag hij er onverzorgd uit. Hij had zijn cowboylaarzen aan.

'Daar heb je d'r,' zei Stella. 'De muze.'

'Hallo,' zei Frieda tegen Jamie, niet tegen Stella.

'Vertel jij het?' vroeg Stella aan haar zus. 'Ik kan het niet over mijn hart verkrijgen.'

Terwijl de anderen in de lift stapten, bleef Marianne achter. Ze stond een beetje wankel op haar benen, maar ze had een intelligent, sluw gezicht. Ze droeg oorbellen met veertjes en haar ogen waren omlijnd met kohl, om haar armen bungelden de gouden armbanden en ze droeg een grote ring met een edelsteen in de kleur van haar ogen, een smaragd of toermalijn.

'Ik wil je niet kwetsen,' begon Marianne, maar haar gezicht zei het tegendeel. Ze droeg een zwart met witte, gewatteerde jas over een zwarte satijnen jurk. In haar lange haar zaten een stuk of tien vlechtjes. Als ze haar arm bewoog, maakten de gouden armbanden het geluid van kwinkelerende vogels.

'Daar hoef je niet bang voor te zijn,' zei Frieda.

'Mooi, gelukkig maar. Hier komt het. Ze zijn gisteren getrouwd.'

Het viel Frieda ineens op dat het koper van de liftdeuren gepoetst moest worden en dat de lift de zevende verdieping al had bereikt. Het was een oud type met een kooi van opengewerkt koper en glazen deuren, maar hij werkte nog prima. Het personeel moest natuurlijk zo veel mogelijk de trap gebruiken.

'Heb je gehoord wat ik zei?' vroeg Marianne. 'We zijn met z'n allen bij de burgerlijke stand geweest, waar de ambtenaar ze in de echt heeft verbonden. Toen zijn we naar Nicks huis in Wiltshire gegaan en hebben de hele nacht champagne gedronken. Vanmorgen kwam er een predikant en die heeft ze opnieuw getrouwd voor de kerk, maar ook voor de lol. Daarna hebben we de hele dag bij ons thuis feestgevierd en aan het eind van de dag hebben we alle ouders gebeld om ze op de hoogte te brengen. Dat is het hele verhaal. Voortaan zijn ze meneer en mevrouw Dunn. Wen er maar aan. Hij heeft nooit serieuze plannen met je gehad. Je hoort niet bij ons.' Marianne keek rond in de lobby. 'Jij hoort hier.'

'Dus daarom zijn jullie dronken,' zei Frieda. 'Omdat jullie aan het feesten zijn. Je weet hopelijk wel dat veel drinken en weinig slapen ontzettend slecht is voor de epidermis. Voor je huid,' zei ze er snel achteraan, omdat Marianne haar vragend aankeek. 'Er komt een dag dat je wakker wordt en het afgelopen is met je jeugdige frisheid. Je vel lubbert en je lijkt wel honderd. Ik zie de eerste rimpels al.'

Toen draaide Frieda zich om en liep de trap op naar boven, of eigenlijk stormde ze naar boven. Op haar kamer deed ze de deur dicht en barricadeerde hem door een stoel onder de kruk te schuiven. Niet dat ze van plan was te huilen. Een hart kon niet breken. Ze wist dat dat medisch gezien onmogelijk was. Toch snapte ze dat mensen het een gebroken hart noemden, want zo voelde het wel.

Ze kroop in bed, lag met haar knieën opgetrokken tegen haar borst, en dacht aan haar moeders lijst met dingen die je moest doen als hij bij je wegging. Daarna dacht ze nergens meer aan en wiegde alleen heen en weer. Liefde was niet rationeel. Er was geen enkel bewijs dat ze bestond, behalve in je verbeelding. Frieda telde de scheuren in de muur. Daarna viel ze in slaap en droomde alleen van een lege ruimte en hitte. Het leek of haar borst werd samengedrukt. Ze wilde wakker worden, maar dat lukte pas toen Lennie op de deur bonsde, die niet meegaf omdat hij gebarricadeerd was.

'Jezus, je hebt me de stuipen op het lijf gejaagd,' zei Lennie, toen Frieda eindelijk opstond om de stoel weg te schuiven en haar binnen te laten. 'Ik dacht dat je in coma lag.'

'Maak je over mij maar geen zorgen,' zei Frieda.

Lennie keek haar met samengeknepen ogen aan. 'Mij best, als jij dat niet wilt.'

Ze hadden werkelijk niets meer met elkaar gemeen.

'Met mij gaat het prima,' zei Frieda met klem. Door de afdruk van de kussensloop op haar wang zag ze er verkreukeld uit.

'Ik zie het,' zei Lennie. 'Ik ben blij dat je ontnuchterd bent en zijn ware aard hebt ontdekt. Hij is trouwens weg. Uitgecheckt.'

Om te kijken of het waar was ging Frieda die avond naar zijn kamer. De gang was verlaten. Ze hoorde alleen het ruisen van de waterleiding doordat iemand het bad liet vollopen. Met behulp van de moedersleutel ging ze naar binnen. Zijn spullen waren weg en de kamer was ook al schoongemaakt. De hotelmanager had er waarschijnlijk een hele ploeg kamermeisjes op afgestuurd omdat Jamie er weer een enorme bende van had gemaakt. Frieda trok de bureaula open om te controleren of hij geen drugs had laten liggen, waardoor hij in de problemen zou kunnen komen, maar alles was weg. Ze vond wel een schrijfblok van het hotel, waarop in inkt stond geschreven: JIJ HAD HET MOETEN ZIJN. Ze scheurde het blaadje af, vouwde het op en stak het in haar zak. Het leek of de woorden in haar huid stonden gegrift. Ze bleef er maar aan denken. Frieda ging op het bed liggen dat ze met hem had gedeeld en probeerde haar gedachten stil te zetten, maar dat lukte niet. Ze kon die paar woorden niet meer van zich afzetten.

Algauw was het halfelf, het spookuur. Ze hoorde lawaai op de gang, de man die begon te schreeuwen, de paniek in zijn stem, alsof hij zich zo verraden voelde dat zijn keel werd dichtgeknepen. Ze stond op en liep naar de deur. Nu kon ze hem beter verstaan. 'Ik dacht dat je van me hield,' riep hij.

Frieda hoorde het bloed in haar oren bonzen en had het gevoel dat er van alles kon gebeuren. Toen ze langzaam de deur opende, zag ze een man in een zwart pak. Het was een knappe jongeman die pal voor de deur van kamer 707 stond. Het leek wel alsof hij huilde.

'Michael Macklin?' vroeg ze, maar de geest, of wie hij ook was, hoorde haar niet. Hij was er wel, maar tegelijkertijd was hij ver weg. Ze bleef in de deuropening naar hem kijken tot hij verdwenen was. Eerst een hand, dan een voet, daarna het pak en de achterkant van zijn hoofd. Het ging razendsnel. Ze knipperde met haar ogen en wég was hij. Er bleef alleen een wit bolletje over dat leek op de witte vlekjes die bij een troebel wordend netvlies door de lucht leken te zweven en uiteindelijk verdwenen. Toen was er niets meer te zien.

Frieda ging naar haar eigen kamer en sliep die nacht met haar kleren aan. De volgende ochtend pakte ze haar koffer in.

'Je laat me toch niet in dit gribushotel achter?' vroeg Lennie.

Frieda gaf haar een dikke knuffel. 'Straks ben ik er niet meer om te vertellen wat je moet doen. Dan moet je het zelf uitzoeken.'

'Prima, want ik luister toch niet naar je.'

Ze lachten allebei. Het was een mooie vriendschap geweest, die uitsluitend had kunnen bestaan in hun mini-universum. Als Frieda langer was gebleven, was de vriendschap bekoeld. Ze waren zo verschillend dat ze elkaar onmogelijk zouden kunnen begrijpen of zelfs maar accepteren. Maar nu hadden ze het allebei te kwaad.

Voordat Frieda vertrok, ging ze naar de receptie en vroeg

Meg als laatste gunst om het postadres dat Jamie bij het uitchecken had achtergelaten.

'Als iemand erachter komt, kost het me mijn baan,' zei Meg stijfjes.

'Je doet wel meer dingen die verboden zijn, maar dat kan je blijkbaar niet schelen. Ook niet dat je Lennie in gevaar brengt. Heet dat niet "aanzetten tot prostitutie", of noem jij het zusterlijke zorg?'

'Hou je erbuiten. Jij bent bevoorrecht opgegroeid. Je weet niet hoe het is om voor jezelf te moeten zorgen.'

'Geef me dat adres, Meg, en dan mag jij verder je goddelijke gang gaan.'

Meg schreef een adres in Kensington op. 'Niet zeggen dat je het van mij hebt.'

Frieda ging er direct heen. Haar koffer was niet zwaar, want ze had weinig bij zich. De meeste spullen had ze in Reading achtergelaten. Stella woonde in een prachtige, met bomen omzoomde laan, erg chic. Frieda kwam bij een mooi herenhuis, dat dateerde uit het begin van de eeuw en wel iets weg had van een bruidstaart. Het was een wit kalkstenen huis van vier verdiepingen, tegenover een privépark, waar twee zwarte hondjes achter de mussen aan zaten. Ze ging op een bankje zitten voor het smeedijzeren hek dat het park afschermde. Het hek was begroeid met geel mos dat van ouderdom was versteend. In het park lag een kleine vijver en er speelden een paar kinderen. Hun stemmen klonken helder. Het licht was veranderd, niet meer blauw zoals in de zomer, of paarsblauw zoals in september.

Frieda's vader had haar verteld dat mensen die niet lang meer te leven hadden het nog even volhielden als het mooi weer was, terwijl er juist ongelooflijk veel mensen stierven tijdens een hittegolf of sneeuwstorm. Ook waren er veel sterfgevallen na een vakantie of belangrijke gebeurtenis, zoals de geboorte van een kleinkind of een huwelijk. Mensen zijn ontzettend sterk, had de dokter gezegd. Ze houden het veel langer vol dan je voor mogelijk houdt.

Er stopte een donkergroene Mercedes. De chauffeur stapte uit en ging tegen de auto aan geleund een sigaret staan roken. Hij was jong en had een bruin pak aan. Frieda besloot hem in de gaten te houden in afwachting van een gunstig moment.

De chauffeur wachtte een halfuur. Toen ging de voordeur van het herenhuis open. Stella en Marianne kwamen naar buiten, gehaast en lachend. Ze hadden allebei een kort zijden mini-jurkje aan, het ene was lila en het andere blauw. Eigenlijk waren ze te dun gekleed voor de tijd van het jaar. De zussen giechelden, met de armen om elkaar heen geslagen. De chauffeur deed snel het portier voor hen open en zonder hem een blik waardig te keuren stapten ze in. Toen de chauffeur om de wagen heen liep, zag hij Frieda en zwaaide naar haar alsof hij haar kende. Frieda zwaaide terug. Ze hadden beiden behoefte aan de bevestiging dat ze bestonden, dat ze meetelden in het grotere geheel.

Toen de auto wegreed, stak Frieda over en beklom de treden van het granieten bordes. Ze merkte dat ze haar adem inhield, stom genoeg, want daardoor ging je hyperventileren. Ze belde en liet voor alle zekerheid ook maar de klopper vallen. Verlegen was ze nooit geweest. Wie niet waagt, die niet wint.

Een vrouw deed open. Ze was in de vijftig, had lichtblond haar en leek op Stella – zoals Stella er later uit zou zien als ze niet voortijdig aan de drugs zou overlijden – erg elegant, erg knap en erg in beslag genomen door andere dingen. Ze was duidelijk uit haar humeur omdat ze gestoord werd.

'Het spijt me dat ik u lastigval,' begon Frieda.

'Doe dat dan niet,' zei mevrouw Ridge, Stella's moeder. 'Ik ben net terug van een lange reis en terwijl ik weg was, heeft al het personeel ontslag genomen. Wat een ramp. Het huis is een rotzooi en mijn leven ligt overhoop, dus zeg gauw wat je wilt.'

'Ik kom voor Jamie,' zei Frieda.

Daisy Ridge keek op van het papier dat ze in haar hand had. Het was haar klussenlijst. 'O ja?' Ze nam Frieda aandachtig op.

'Even maar. Het duurt niet lang.'

'Als je iets moet afgeven, loop dan om naar de achterdeur. Daar vind je onze laatste huishoudelijke hulp, al weet ik bij God niet wat ze aan het doen is. Haar ontslagbrief schrijven, vermoed ik.'

'Ik hoef niets af te geven.'

Frieda had zwarte eyeliner op en onder haar regenjas droeg ze het zwarte jurkje. Ze maakte een erg competente indruk, alsof ze goed wist wat ze deed. Haar koffer balanceerde op een tree van het bordes. Mevrouw Ridge keek er verwonderd naar. Het was een oude koffer, die was gescheurd en keurig met plakband was gerepareerd.

'Neem die jongen maar mee naar huis, als je daarvoor komt. Je mag hem hebben.' Daisy Ridge wilde dat ze dat indertijd tegen haar zus had gezegd toen ze om dezelfde man hadden gevochten.

Frieda keek langs mevrouw Ridge heen de hal in. De vloer was van wit met zwart marmer. Verderop lag de salon, waarvan de muren rood waren geverfd en met een glanzend laagje gevernist.

'Wilt u tegen hem zeggen dat ik er ben? Frieda.'

Mevrouw Ridge deed de deur wijder open. 'Ga het hem zelf maar vertellen. Hij is op de tweede etage, tweede deur aan je linkerhand, in bed. Daar brengt hij volgens mij het grootste deel van de dag door.'

'Dank u.' Frieda stalde haar koffer in de hoek, waar een spiegel met een bewerkte lijst hing en een paraplustandaard stond. Het was een vergulde standaard met zwanenkoppen op de hoeken. 'Deze zet ik zolang hier.'

'Hij heeft je toch niets gedaan, hè?' vroeg Stella's moeder. 'Als ik de politie bel, zijn ze hier in een paar minuten. Het zou me eerlijk gezegd een groot genoegen zijn. Ik wil je wel helpen, hoor. Dan zorg ik dat hij gearresteerd wordt.'

'Dank u, maar dat is niet nodig.' Frieda was niet het type dat mensen meteen in vertrouwen nam en ze was beslist niet van plan deze vrouw ook maar iets te vertellen. Maar mevrouw Ridge liet zich niet zo gemakkelijk ontmoedigen. Het was duidelijk dat Stella's moeder graag verlost wilde zijn van haar nieuwe schoonzoon en geen middel was haar te dol.

'Heeft hij je zwanger gemaakt?'

'Nee, maar als het zo was, is dat toch niet strafbaar?'

'Als we ons best doen, weet ik zeker dat we een paar strafbare feiten vinden waar Jamie mee in verband kan worden gebracht.'

'Heeft uw man ook zo'n hekel aan hem?' vroeg Frieda.

'Mijn man heeft een hekel aan iedereen. Hij maakt geen onderscheid.'

'Het duurt niet lang,' zei Frieda.

Ze had meer dan genoeg gehoord en liep de trap op, die bekleed was met een goudkleurige loper met een zilveren bladmotief. Ze liep met neergeslagen ogen naar boven tot ze op de tweede verdieping kwam. Het hele interieur leek op een bruidstaart, het lijstwerk, de afwerking en de deuren. Frieda klopte op de tweede deur, die crème en goudkleurig was geschilderd. De deur zag er zwaar genoeg uit om de politie te weerstaan, mocht die ooit worden opgetrommeld. Ze kreeg geen antwoord, maar het was heel goed mogelijk dat de deur elk geluid dempte. Frieda bedacht dat er minstens drie huishoudelijke hulpen nodig waren om dit huis schoon te houden.

Ze deed de deur van de slaapkamer open. Binnen was bijna alles blauw, de muren en de hemel boven het bed. De kamer was net een prachtige vogelkooi. Er lag een heel dik Perzisch tapijt. De meubels waren van mahoniehout, versierd met verguldsel. Jamie lag inderdaad in bed. Frieda keek even naar hem. Hij zag er heel mooi uit en leek onbereikbaar.

Ze ging in een stoel bij het raam zitten. Die stoel was bekleed: blauw zijden damast met gouddraad. De kamer rook naar jasmijn en citrusvruchten. Ze nam aan dat het Stella's parfum was. Door het raam keek je uit op het park, de goudgele bomen en de blauwe lucht. Van hieruit zag de wereld er anders uit, heel klein en heel ver weg.

Na een tijdje liep Frieda naar de garderobekast om er een kijkje in te nemen. Het was een inloopkast met grote planken. Ze zag talloze jurken en minstens evenveel schoenen. Er hingen piepkleine creaties van Mary Quant, jurken van Biba in allerlei schakeringen wit, crème en geel, en een rij doorschijnende victoriaanse blouses met paarlen knoopjes. Er waren drie leren jasjes, een zwarte, een roze en een wit met lichtbruin gestreepte. Ze zag lange, wijde jurken en pakjes van Chanel. De jas van pythonleer, die Stella in The Egyptian Club had gedragen, bungelde slordig aan een haak. Ook hingen er een paar bontjassen, waarvan er eentje in een lichte abrikooskleur was geverfd. Er stonden twee paar witte laarzen van Courrèges en tientallen ballerina's in alle mogelijke kleuren. Achter in de kast stonden de beige suède laarzen met de knoopjes die Frieda zo mooi had gevonden. Ze trok haar korte zwarte laarzen uit en trok die van Stella aan. Die pasten haar perfect. Daarna ging ze op de rand van het bed zitten. Het was een extra lang bed met donzen dekbedden. Jamie sloeg zijn ogen open en glimlachte toen hij haar zag.

'Waar ben ik?'

'In je huwelijksbed, neem ik aan.'

Jamie ging zitten en veegde de slaap uit zijn ogen. Hij was redelijk nuchter, maar dat zou niet lang duren, want hij had een bonkende hoofdpijn en zijn been deed ontzettend zeer. 'Werk je nou hier?' vroeg hij Frieda.

Ze schoot in de lach. 'Ik heb ontslag genomen als kamermeisje.'

'Dat lijkt me een goed besluit. Het is een uitzichtloos baantje.' Na een korte stilte ging hij verder. 'Ik weet niet precies wat er is gebeurd. Alles raakte in een stroomversnelling. Ik wilde je nog gedag zeggen.'

'Dat kun je nu doen.' Frieda zag een gebruikte naald op het marmeren blad van het nachtkastje liggen. Er lag ook een hasjpijpje en er stond een asbak vol peuken.

'We kunnen elkaar toch blijven zien,' opperde Jamie, terwijl hij zijn haar naar achteren streek. Het viel bijna tot op zijn schouders en hij had besloten het nooit meer te laten knippen. Het leek hem niet nodig zo'n offer te brengen. Ze konden allemaal de pot op. 'Ik bedoel, we hebben maar één leven, dus moeten we doen waar we zin in hebben.'

Jamie kuste haar, maar na een tijdje trok Frieda zich terug.

Hij voelde koud aan, alsof hij in de regen had gelopen. In haar herinnering was hij de vorige keer anders geweest, veel warmer. Hij had haar in vuur en vlam gezet.

'Ik heb het verdomme ijskoud,' zei Jamie.

'Hoe zijn de opnamen gegaan?' vroeg Frieda.

Jamie pakte een sigaret uit een pakje op het nachtkastje en gaf haar er ook eentje. Met een lucifer stak hij ze allebei aan.

'Goed,' antwoordde hij. 'Maar bij de platenmaatschappij vonden ze jammer genoeg *De derde engel* typisch iets voor de B-kant. Ik heb nog steeds een hit nodig. Ze zijn ook nooit tevreden.'

'Hou je van haar?' vroeg Frieda. 'Sorry dat ik het vraag, maar ik wil het graag weten.'

Jamie keek haar met een glimlach aan. 'Daar gaat het niet altijd om, Frieda.'

'O nee?'

'Niet voor mensen als wij. Niet voor mensen die mee zijn gereden met de engel van de dood.' Hij ging op zijn zij liggen om haar gezicht te bestuderen. 'Stella zou er niets van hoeven te weten. En als ze het wel wist, zou het niets uitmaken. Zij staat hier helemaal buiten. Wat wij samen hebben is iets heel bijzonders.'

Frieda wilde dat ze hem eerder had leren kennen, toen hij nog jong was en geen engelen had gezien, toen hij nog niet had gezworen dat hij tot elke prijs zijn verlangens zou najagen. Ze wist zeker dat hij vroeger anders was geweest, een jongen die nog een toekomst had, een heel leven dat de moeite waard was.

'Heb je als kind vaak school moeten verzuimen?' vroeg Frieda.

Jamie lachte. 'Je komt me opzoeken in mijn huwelijksbed,

en dan vraag je zoiets?' Frieda lachte ook. 'Ik heb drie school-jaren gemist,' vertelde hij. 'Die achterstand heb ik nooit kunnen inhalen.'

Hoewel het een rare vraag leek, wist Frieda precies waarom ze die had gesteld. Ze wilde het weten om geen hekel aan hem te krijgen.

Ze ging weer in de stoel bij het raam zitten, terwijl Jamie opstond om naar de badkamer te gaan, maar eerst rommelde hij in de la van het nachtkastje om zijn drugsbenodigdheden te zoeken. Hij haalde een in waspapier gevouwen portie uit een zwart met wit houten kistje, dat was ingelegd met ivoor.

'Ik ben zo terug.' Hij wilde zijn kamerjas pakken.

'Ik heb je naakt gezien,' hielp Frieda hem herinneren. 'Je hoeft je voor mij niet te schamen.'

'O ja.' Jamie liep grinnikend naar de badkamer.

Frieda keek eerst naar de bladeren en inspecteerde daarna de toilettafel. Het was een prachtig antiek meubelstuk, wit geschilderd en ingelegd met paarlemoer en abalone. De tafel had drie spiegels. Tot haar verbazing zag ze er in de spiegel anders uit dan ze had verwacht. Ze was bijna mooi. Ze pakte een lippenstift die op de toilettafel lag en maakte haar lippen op. Het was een zachte tint. Ze keurde haar spiegelbeeld en veegde de lippenstift af met een papieren zakdoekje. Niet haar kleur. Ze pakte Stella's borstel van schildpad. De volgende keer dat Stella die gebruikte, zou ze in de borstel een donkere haar tussen haar eigen lichtblonde haren aantreffen en zich minstens een paar tellen afvragen wie er in haar slaapkamer was geweest. Wie was er opgeklommen naar een wereld waar ze niet thuishoorde?

Na een minuut of twintig ging Frieda naar de badkamer en opende de deur. Jamie lag op de vloer, die uit zwart met wit marmer bestond, net als de hal. Frieda knielde naast hem neer, pakte zijn arm en voelde zijn pols. Die ging langzaam en gelijkmatig. Hij leefde nog.

'Jamie.'

Hij mompelde iets. Zijn hoofd lag tegen de zijkant van de badkuip. Ze zag zijn ribben, zijn armen, het lichaam dat ze al kende, maar dat veranderd was. Hij was veel magerder geworden en er zat een blauwe plek op zijn voorhoofd ter grootte van een pruim.

'Gaat het?' vroeg Frieda.

'Ja hoor.' Hij knikte, of probeerde dat tenminste. 'Ik kom zo.'

Frieda ging terug naar de slaapkamer, pakte haar tas en haalde er de eerste songtekst uit die ze had geschreven. Ze had hem niet alles ineens willen geven. Dit liedje had ze bewaard omdat ze wilde zien of hij het wel waard was. Of misschien had ze alleen willen zien hoe het verder zou gaan. Dat wist ze nu.

Ze legde haar tekst op bed neer, op zijn kussen. *De geest van Michael Macklin*. Eigenlijk zou ze een deken of dekbed over hem heen moeten leggen zodat hij wat prettiger lag op de badkamervloer, maar ze dacht niet dat hij het verschil zou merken. Hij zou het hoe dan ook koud hebben.

Ze ging weg, trok de slaapkamerdeur achter zich dicht en liep naar beneden, waar ze haar koffer uit de vestibule pakte. Haar voetstappen echoden op de marmeren tegels. Er waren een paar dingen die Frieda zeker wist. Als ze er een lijstje van zou maken, had het er als volgt uitgezien. Ze wilde niet werkeloos toekijken hoe hij zijn leven vergooide. Ze wilde niet zwijgen als hij de deur openzette voor de engel van de dood, als hij die riep en smeekte om binnen te komen. Ze wilde niet door hem buitengesloten worden als hij zijn eigen pleziertjes najoeg. Ze hoefde niets voor haar liedjes terug te krijgen. Wat Frieda wilde, kon ze niet krijgen en dat wist ze. Ze had het gevoel dat haar hart was gebroken, maar dat was geen fysieke kwaal en belemmerde haar niet om haar koffer naar het station te dragen.

Stella's moeder kwam uit de zitkamer toen Frieda naar buiten wilde gaan. 'Is het uit of moet ik Stella over je vertellen? Hij was zeker jouw vriendje?'

Mevrouw Ridge was een heel lange vrouw, die eruitzag alsof ze ooit fotomodel was geweest. Ze leek aardiger dan daarnet en klonk alsof ze iets kwijt was zonder precies te weten wat.

'U mag haar vertellen wat u wilt. Ze is uw dochter. U weet wat het beste voor haar is.'

Frieda wist al dat ze nooit over Jamie heen zou komen. Dat wist ze terwijl ze met haar koffer naar Kensington High Street liep. De laarzen die ze uit Stella's kast had meegenomen hadden hoge hakken, maar toch zaten ze prettig, alsof ze altijd van haar waren geweest.

Toen er een taxi stopte en twee mensen afzette, stapte ze met haar koffer in en vroeg de chauffeur of hij op weg naar het station langs Hyde Park kon rijden. De bomen waren bijna kaal en de laatste gele bladeren dwarrelden naar beneden. Ze zou zich altijd herinneren hoe ze eruit hadden gezien vanuit het raam van Stella's slaapkamer.

Frieda maakte de winter in Londen niet mee, zoals ze eens had gehoopt. In december kreeg ze een brief van Lennie dat het park na een ijsregen vol diamanten hing. Ajax, de manager, was vertrokken en de kamers op de tweede moesten opgeknapt worden omdat een paar meisjes er hadden gerookt en brand hadden gesticht.

Maak je geen zorgen, schreef Lennie. Alles gaat nog steeds volgens plan en binnen twee jaar ben ik hier weg.

Maar toen Lennie en Meg in de kerstweek werden betrapt, kregen ze allebei ontslag en werd er gedreigd aangifte te doen. Daarna hoorde Frieda niets meer van haar vriendin. Tegen die tijd was ze zelf getrouwd. Dat had ze al overwogen voordat ze wegliep naar Londen, en toen ze terugkwam, hakte ze de knoop door. Bill was een man die haar nooit in de steek zou laten, wat er ook gebeurde. Hij was eerlijk en trouw. Misschien zocht ze zo iemand wel.

Begin december hadden Frieda en Bill Rice een bescheiden bruiloft gehad. Ze waren naar de burgerlijke stand gegaan en hadden daarna geluncht met de naaste familie en een paar vrienden. Op het menu hadden koude zalm en champagne gestaan, en Harry Rice, de vader van Bill, had een lange toespraak gehouden die iedereen tot tranen toe had geroerd.

Behalve Frieda, want ze was geen huilebalk. Ze zag er elegant uit, met haar lange donkere haar opgestoken en in een lichtbeige pakje met de hooggehakte suède laarzen. Zelfs haar eigen vader, de dokter, had tranen in zijn ogen. Dat verbaasde haar, want ze had hem nooit zien huilen, behalve die ene keer toen ze in Reading een meisje hadden bezocht dat een chemokuur onderging. Frieda was toen negen, groot genoeg om haar vader te helpen, maar die keer had ze in de gang moeten wachten. De dokter had een mondkapje voorgedaan en overschoenen aangetrokken, want het meisje in de kamer was erg vatbaar voor bacteriële infecties.

In de auto op weg naar huis was het Frieda eerst helemaal niet opgevallen dat haar vader huilde. Pas toen ze zich naar hem toe keerde om te vragen of hij haar thuis met haar huiswerk voor wiskunde wilde helpen, had ze het gezien. Ze had hem waarschijnlijk geschokt aangekeken.

'Iedereen huilt weleens,' had Frieda's vader gezegd. 'Ook ik.'

'Gaat ze dood?'

'Vroeg of laat gaan we allemaal dood,' had haar vader geantwoord. Erg geruststellend had het niet geklonken. 'Het is een heel lief meisje dat nooit klaagt, net als jij.'

Ze hadden voor een stoplicht moeten wachten. Frieda herinnerde zich die avond nog heel goed. Ze was dichter bij haar vader gaan zitten. Bij hem voelde ze zich altijd veilig. 'Ik mankeer niks,' had ze gezegd. 'Ik word heus niet ziek.'

De dokter had gelachen en een kus op haar kruin gedrukt. Dat deed hij zelden. 'Dankjewel,' zei hij zonder enige aanleiding, misschien omdat ze niet het meisje was dat op sterven lag, of omdat ze wist dat hij af en toe een bemoedigend woord nodig had, of gewoon omdat ze zijn dochter was en hij van haar hield.

Frieda had hem uitgenodigd voor de bruiloft, ook al besefte ze dat het voor haar moeder pijnlijk zou zijn. Gelukkig had de dokter het fatsoen gehad om zijn nieuwe vrouw thuis te laten. Vi hield zich heel goed in de aanwezigheid van haar ex-man. Iedereen was beleefd tegen elkaar, wat Frieda erg op prijs stelde. Ze begreep nu waarom goede manieren zo belangrijk waren. Die waren nodig om te overleven.

'Nu ben je dus een getrouwde vrouw,' zei de dokter tegen Frieda tijdens de lunch. Het was een lopend buffet, want ze hield van eenvoud. 'Je zou een fantastische arts zijn geworden. Je had er aanleg voor.'

'En geen hart?' vroeg Frieda. 'Is dat niet de eerste vereiste?'

Haar vader keek haar aan. 'Vond je mij harteloos?'

Frieda moest eerlijk tegen hem zijn, ongeacht wat hij had gedaan. 'Nee, ik vond je moedig. Ik ben harteloos.' Ze zwaaide naar Bill. Ze had het ontzettend met haar man getroffen. Hij was bezig aan zijn tweede jaar op de universiteit van Reading, waar hij scheikunde studeerde. Nu ze getrouwd waren gingen ze in een cottage op het terrein van zijn ouders wonen. Ze betaalden er natuurlijk wel huur voor, maar niet erg veel. Eerst moest Bill zien af te studeren. 'Maar al ben ik getrouwd, ik ga me niet begraven, hoor. Ik wil een verpleegstersopleiding volgen, met oncologie als specialisatie.'

De dokter was blij met het nieuws. 'Dan gebruik je je talenten tenminste. Dat is fijn om te horen.'

Toen Frieda aan het begin van haar opleiding ontdekte dat ze zwanger was, was Bill door het dolle heen.

'Hou op,' zei Frieda lachend. 'Het is maar een baby.'

'Noem jij dat maar?' zei Bill.

Het was lente en Frieda had haar eerste trimester gehaald. Ze was een goede studente, maar minder goed in zwanger zijn, want ze was moe, humeurig en had weinig trek in eten. Een gedeelte van de zaterdag hield ze altijd vrij voor haar moeder. Ze maakten lange wandelingen buiten de stad. Vi leek ineens ouder geworden. Ze was vaak vergeetachtig, maar nog steeds enthousiast over zaken waarvoor ze in het verleden nooit enige belangstelling had getoond. Frieda's moeder was lid geworden van de plaatselijke vereniging voor natuurbescherming. 'Als wij de aarde niet redden, wie doet het dan?' vroeg ze Frieda. Ze was een fanatiek vogelaar en onderdrukte haar gevoelens niet meer, zoals ze vroeger altijd deed. Ze was op de een of andere manier spontaner geworden. Toen ze een keer door de velden liepen, had haar moeder zich naar Frieda gekeerd. 'Je kunt je niet voorstellen hoeveel je van je kind gaat houden.'

'Natuurlijk wel,' had Frieda gezegd. Dat deed iedere moeder toch?

Haar moeder pakte haar arm. 'Ik meen het, Frieda. Ik wil je erop voorbereiden. Als je kind er is, bestaat er niets belangrijkers meer op de hele wereld. Je hebt geen idee.'

Frieda omhelsde haar. Daarna liepen ze verder om vogels te spotten. Vi noteerde alle soorten die ze zagen: duif, havik, merel, mus, winterkoninkje. Maar Frieda werd onder het wandelen door iets anders in beslag genomen. Zoals altijd gingen haar gedachten naar Jamie. Ook al had ze hem achtergelaten in dat herenhuis in Kensington, ze had geen afstand van hem gedaan. Ze had hem meegenomen naar Reading. Als Frieda en Bill hun wederwaardigheden van die dag bespraken, zat Jamie bij hen aan tafel. Als ze naar bed gingen, ging hij met hen mee. Frieda voelde zich vaak een huichelaar. Overdag speelde ze de rol van huisvrouw, maar als ze 's avonds aan de keukentafel uit het raam keek, verlangde ze naar een ander leven. Soms tuurde ze naar het lange grindpad. Nog steeds verwachtte ze dat ze Jamie Dunn zou zien aankomen, nadat hij in een taxi of limousine heel Reading had afgezocht. Zijn paarse jasje lag opgevouwen achter in de klerenkast, samen met een paar oude truien en het zwarte mini-jurkje, kleren die ze nooit meer zou dragen maar ook niet wilde weggooien.

In de lente, toen Frieda zeven maanden zwanger was, hoorde ze Jamie op de radio. Ze stond bij de keukentafel, terwijl de radio aan stond. Godzijdank was ze alleen thuis. Ze had een pot Russische thee gezet en een muffin met jam gemaakt, want ze had voortdurend honger. Buiten was alles groen. Het huis van Bills ouders stond bekend als Lilac House, terwijl hun cottage The Hedges werd genoemd vanwege de buxus-haag die elk jaar geschoren moest worden. Ze vond het heer-lijk om buiten te wonen. Het meisje dat vroeger had verlangd naar het leven in de grote stad, was een vogelaar geworden. Ze ging zelfs met haar moeder mee naar bijeenkomsten van de natuurbescherming en had zich in allerlei plaatselijke groene initiatieven gestort.

Ze was volmaakt gelukkig. En toen, pats-boem, hoorde ze opeens zijn stem. Het was werkelijk alsof er een schot was ge-lost en er iets dwars door haar heen ging, een kogel, ijs, ver-driet of liefde. Ze ging zitten. Hij zong *De geest van Michael Macklin* en het leek alsof zij het nooit had geschreven, alsof het lied zich helemaal had gevormd naar Jamies prachtige stem. Op een bepaalde manier was het veranderd. Er waren elektrische gitaren aan toegevoegd, er zat meer beat in, een ritmisch gebonk, maar in de kern was het nog hetzelfde.

Dwalend door de gang 's nachts. Iedereen die me ziet, denkt dat ik jou verlaten heb. Maar ik zal hier altijd zijn, in mijn zwarte jas gehuld, dwalend door de gang.

Frieda luisterde de hele dag naar de radio in de hoop dat ze het nog een keer zou horen. Vlak voordat Bill thuiskwam van de universiteit vond ze een popstation dat Jamies nummer draaide. Deze keer was ze beter voorbereid, minder ontdaan door zijn stem. Ze luisterde zoals een recensent dat zou doen, maar ook nu vond ze het prachtig. De single was net uitgekomen en de diskjockey zei dat er reikhalzend werd uitgekeken naar zijn lp *Lion Park*, die eind van de week werd verwacht. De single stond al op de vijfde plaats van de hitlijst, mét stip. Een stip was vast een goed teken. Een stip betekende dat het nummer indruk maakte, dat mensen erdoor in hun hart en ziel werden geraakt.

Die avond kon Frieda niet slapen. Ze had het gevoel dat ze

gevangenzat in een parallel universum, waarin ze naast Bill in bed lag en elke zaterdag bij haar moeder op bezoek ging. Ze hoorde ergens anders. Het maakte niet uit wat Stella had beweerd. Ze hoorde bij hem.

Als in een droom zette ze haar dagelijkse routine voort. Maar toen ze op zaterdag bij haar moeder langsging, was Vi te ziek om te gaan wandelen.

'Een beetje hoofdpijn,' zei haar moeder, maar er was meer aan de hand. Ze moest naar bed omdat haar hoofd bonkte. Ze vroeg Frieda om de gordijnen te sluiten, want het licht deed pijn aan haar ogen. Frieda belde haar vader vanuit de gang van haar moeders huis, een bakstenen rijtjeshuis met een mooie tuin. Hij beloofde er over een kwartier te zijn, maar tien minuten later was hij er al. Hij had vast te hard gereden.

'Misschien was het overdreven om je te bellen,' zei Frieda. 'Er zal wel niets aan de hand zijn.'

'Je hebt er goed aan gedaan.' De dokter liep naar boven, naar wat vroeger zijn slaapkamer was geweest. Frieda liep achter hem aan.

'Wat doe jij hier?' reageerde Vi toen ze hem zag.

De dokter begon te lachen. 'Je weet dat ik de beste huisarts van Reading ben. Dat moet je toegeven, al heb je een hekel aan me.'

'Vooruit dan maar. Ik zie dat je nog steeds twee horloges draagt,' zei Frieda's moeder.

'Ik zou niet graag te laat willen komen bij jou.' De dokter draaide zich naar Frieda om. 'Haal even een glas water en twee aspirientjes.'

Halverwege de trap besefte Frieda dat haar vader dat altijd vroeg als hij even alleen met de patiënt wilde zijn, als hij dacht dat er iets ernstigs aan de hand was.

In paniek ging ze naar de keuken en draaide de kraan open. Ze meende iemand in een zwarte jas voor het raam te zien staan. Haar hart maakte een sprongetje omdat ze dacht dat het Jamie was, maar ze begreep meteen dat hij het niet kon zijn. Jamie zou nooit naar Reading komen. Hij zou haar nooit komen zoeken. Ze had de engel gezien die achter in de auto was meegereden. Hij wachtte voor het raam tot het tijdstip was aangebroken dat hij naar binnen kon om degene mee te nemen voor wie hij was gekomen. Hem wilde je niet voor je deur zien staan.

Frieda's vader liet de ambulance komen en reed er met Frieda achteraan. Het schemerde en de vogels zongen. De ambulance had de sirene niet aan. Dat was een slecht teken, wist Frieda. Ze had haar moeder verteld dat het allemaal goed zou komen als ze naar het ziekenhuis ging, maar Vi had haar ogen dichtgehouden en geen antwoord gegeven. Frieda en haar vader zaten zwijgend in de auto. Frieda huilde. Ze had gedacht dat het een beroerte was, waarvan haar moeder weer zou herstellen, maar de dokter zei dat ze waarschijnlijk een aneurysma had gehad.

'O, Frieda, ik wou dat het niet zo was. Kon ik haar maar beter maken.'

Toen wist ze het zeker. Zo klonk hij altijd als er geen hoop meer was, als de engel in de zwarte jas al was gekomen en vertrokken, terwijl de andere twee engelen nergens te bekennen waren.

Het was een kleine begrafenis met alleen haar moeders beste vriendinnen, een paar leden van de natuurbeschermingsvereniging, Bill, zijn familie en Frieda's vader. De dienst werd bij het graf gehouden omdat Frieda's moeder er nooit van had gehouden als er veel drukte om haar werd gemaakt. Het was warm weer en Frieda stond in de schaduw. Haar buik zat haar in de weg, haar voeten waren opgezet en ze was bang dat ze zou flauwvallen. Ze kon zich niet voorstellen dat haar moeder haar kleinkind nooit zou zien en dat haar leven op deze manier moest eindigen.

Bills moeder had gezorgd dat er na de dienst een lunch klaarstond in Lilac House. Er was koud vlees, kaas en het goudgele brood met de knapperige korst waarvoor de bakkerij in de buurt bekendstond.

'Gaat het wel?' vroeg Frieda's vader, die haar op de veranda opzocht. Ze was gevlucht voor het gezellige geklets binnen en kon het niet opbrengen om beleefd te zijn.

'Eigenlijk niet.'

'Dat begrijp ik wel. Ik weet niet of het een troost is, maar toen ik je wegstuurde naar de keuken, zei je moeder dat jij het mooiste was wat haar was overkomen.'

Frieda's keel deed pijn en haar ogen brandden, maar ze hield haar tranen in. Als ze niet huilde voelde ze zich beroerd. Als ze wel huilde voelde ze zich ook beroerd. Het maakte geen enkel verschil, dus kon ze maar beter niets voelen.

In de loop van de middag, toen iedereen was vertrokken, vroeg ze de autosleutels aan Bill. Ze wilde een paar boodschappen doen om afleiding te zoeken en reed naar de platenzaak in Reading, waar ze een beetje rondsnuffelde tot ze de nieuwste platen zag. Daar stond hij, *Lion Park.* Ze bleef met gebogen hoofd staan en kon niet meer ophouden met huilen, de tranen bleven maar komen. Er kwam een verkoopster naar haar toe, een jonge vrouw met steil blond haar in een spijkerbroek en een wijde Indiase bloemetjesblouse. Ze was waarschijnlijk maar een paar jaar jonger dan Frieda, maar leek nog een meisje. Zo had Frieda er misschien zelf uitgezien toen ze naar Londen was gegaan. Alsof de wereld voor haar openlag en het leven haar van alles te bieden had.

'Kan ik je helpen?'

Frieda knikte en hield de lp op. 'Ik ken hem.'

'Te gek,' zei het meisje. 'Ik ben dol op die plaat.'

Frieda rekende af. Ze zag dat hij haar twee liedjes op zijn eigen naam had gezet, maar ze had niet anders verwacht. De plaat was opgedragen aan de verpleegsters die hem als kind hadden geholpen en aan zijn vrouw Stella, zijn engel. Frieda reed naar huis. Ze bewaarde de plaat in de porseleinkast en haalde hem slechts tevoorschijn als ze alleen thuis was. Dan ging ze bij het raam zitten om naar de trillende blaadjes van de heg te kijken en naar de mussen die erin nestelden, terwijl ze naar Jamies stem luisterde. Elke keer voelde ze hetzelfde als de eerste keer dat ze hem had horen zingen, en daar schaamde ze zich voor. Op zaterdag ging ze met haar vader wandelen, zoals ze daarvoor met haar moeder had gedaan. Het was haar manier om te rouwen, maar na een tijdje begon ze eenvoudigweg van zijn gezelschap te genieten. Per slot van rekening leken ze veel op elkaar.

Ze maakten lange tochten door de velden, glipten hekjes door en kwamen in dorpjes waar ze tot dusver alleen met de auto doorheen waren gereden. In de meeste plaatsjes waren ze weleens geweest om patiënten te bezoeken, maar toen hadden ze bijna altijd haast gehad. Van dichtbij was alles heel anders. Ze zagen wilde hyacinten, kleine stroompjes, kikkers en het stuifmeel dat in de lucht zweefde. Soms konden ze een vossenfamilie gadeslaan, een mannetje en een vrouwtje met hun welpen. Als ze de jonge vosjes zo vrolijk door het veld zag dartelen, kreeg Frieda de neiging om te gaan huilen, maar ze hield zich in. Ze was pas twintig, veel te jong om de hele tijd verdrietig te zijn.

Tegen het eind van het voorjaar nam haar tempo af. Ze was te veel aangekomen en voelde zich net een nijlpaard, maar haar eetlust was enorm. Op hun zaterdagse tochten namen ze een rugzak vol eten mee, omdat Frieda vaak honger kreeg. Ze was onverzadigbaar. Dan gingen ze in het weiland zitten en aten boterhammen met kaas en pickles. Meestal zwegen ze, of ze bespraken de interessante, raadselachtige ziektegevallen die haar vader in zijn praktijk tegenkwam. Over de vrouw die haar eigen dochters vergiftigde met kwikbolletjes uit een thermometer en elke dag de dokter belde. Over de man die spijkers at en last had van metaalsporen in zijn bloed. Over de baby die geen pijn voelde en de hele tijd met zijn hoofd tegen de spijlen van zijn ledikantje bonkte.

'Geneeskunde draait om het oplossen van raadsels,' zei de dokter.

'Daar draait het hele leven toch om?'

Hij was het met haar eens. Frieda had een thermoskan met thee meegenomen en schonk voor ieder een beker in. De buitenlucht rook zoet, naar gras.

'Ik denk er hetzelfde over als je moeder,' zei de dokter. 'Ik weet dat ieder mens evenveel waard is, maar voor mij ben jij de belangrijkste die er bestaat.'

'Zo leuk ben ik anders niet,' zei Frieda gekscherend. 'Ik heb een onweerstaanbare trek in boterhammen met ei en mayonaise, en laat de hele tijd vieze boertjes. Ik vind mezelf nogal weerzinwekkend.'

'Voor mij ben jij de belangrijkste,' herhaalde de dokter.

Tegen die tijd had Frieda een manier gevonden om met de nieuwe vrouw van haar vader om te gaan. Ze was eigenlijk best aardig. Frieda herinnerde zich niet alleen de avond dat Jenny had gehuild toen haar man was gestorven, maar ook dat ze daarna nog een paar keer met haar vader naar dat huis was gereden en dat ze dan in de auto had moeten wachten, waar ze een boek las tot het donker werd. Ze had hen een keer door het raam gezien. Ze dronken thee. Die avond had haar vader op weg naar huis gezongen, en Frieda had willen geloven dat alles nog hetzelfde was, maar dat was niet zo.

De baby werd aan het begin van de zomer geboren, een jongetje dat ze Paul noemden. De bevalling was zwaar geweest en had drie dagen geduurd. Aan het eind van die drie dagen dacht Frieda dat ze doodging en dat kon haar eerlijk gezegd niets meer schelen. Ze verfoeide de baby, zichzelf en de hele wereld. Maar zodra hij geboren was, veranderde alles. Ze vroeg zich af waarom niemand je de waarheid vertelde: dat een geboorte zo dicht bij sterven lag dat je recht in het gezicht van de engel keek die gewoon in het ziekenhuis naast je bed stond, op de linoleumvloer. Of eigenlijk waren er twee, de engel van het leven en die van de dood. Ze stonden bij het raam te wachten, de ene in de schaduw en de andere in het licht, en je wist niet goed welke engel je het liefst over je liet waken. Bovendien was de derde engel er ook nog, de engel waarover haar vader had verteld, die in het midden stond en twee kanten uit kon gaan, de engel die je moest zien te redden. Dat was het moment dat de baby werd geboren.

Toen Frieda haar kind zag, werd ze op slag een ander mens.

'Hoe is het mogelijk dat wij dit kereltje hebben gemaakt?' zei Bill. 'Hij is volmaakt, alles zit erop en eraan.' Frieda zag haar man voor het eerst huilen.

Ze werd halsoverkop verliefd. Wat Bill zei ging langs haar heen. De baby staarde haar aan met zijn heldere blauwgrijze ogen en keek recht in haar meest verborgen binnenste. Mijn grote liefde, dacht Frieda, mijn grootste engel. Ze snikte alsof haar hart brak. Iedereen vond het niet meer dan logisch dat ze een kalmeringsmiddel nodig had na de zware bevalling. Ze had rust verdiend. De rest van de zomer hoefde ze niets anders te doen dan van haar baby genieten.

In de herfst ging ze niet naar de verpleegstersopleiding. Ze zou een jaar wachten voor ze ermee verderging. Van haar mocht de herfst eeuwig duren. De groene bladeren werden goudgeel, de kleur van de es en de eik, waar ze zoveel van hield. Ze nam de baby mee op de wandelingen met haar vader en droeg hem op haar rug in een soort indiaanse draagzak die de dokter had gefabriceerd.

'Je moet er patent op aanvragen,' zei Frieda. 'Iedere vrouw wil haar kind wel op deze manier vervoeren.'

Paul was een makkelijke baby. Zijn ogen bleven blauw en hij kon zich enorm goed concentreren. Daarover waren de dokter en Frieda het eens. Zo klein als hij was, kon hij al het verschil horen tussen het geluid van een ekster en een mus. Vreemd genoeg hield hij het meest van de ekster en hij slaakte kreetjes van blijdschap als hij er eentje hoorde. Hij had een absoluut gehoor en kirde mee met de liedjes die Frieda voor hem zong, misschien doordat ze zo vaak naar Jamies muziek luisterde als ze alleen waren. Ze draaide de plaat als ze hem voedde in een stoel bij het raam en tijdens hun rustuurtje 's middags. Ze meende dat ze Paul een keer *De geest van Michael Macklin* hoorde neuriën, het refrein dat zo smartelijk was. De tekst die ze had geschreven was al triest geweest, maar de muziek voerde de droefheid tot ongekende hoogte op. Er trok een huivering over haar rug toen ze het de baby hoorde neuriën, maar al snel besefte ze dat ze zich vergist moest hebben. Geen enkele baby kon zo muzikaal zijn, zelfs niet de hare.

Toch had ze het gevoel dat haar zoon voor iets groots was voorbestemd en voelde ze zich vereerd dat ze hem mocht grootbrengen. Hoewel ze besefte dat de meeste moeders zulke hoge verwachtingen koesterden, deed dat geen afbreuk aan haar gevoel. Het leek alsof ze Paul altijd had gekend, alsof zijn geboorte was voorbeschikt en ze er rechtstreeks op had aangestuurd, zonder het zelf te weten.

'Je had het mis,' zei Frieda tegen haar vader toen ze aan het eind van hun wandeling de wei overstaken naar The Hedges. Ze droegen allebei laarzen en een trui, en waren die dag extra lang op pad geweest. De baby sliep op de rug van de dokter in zijn indiaanse draagzak. Frieda had zich nog nooit zo gelukkig gevoeld. 'Liefde is helemaal niet ingewikkeld.'

Ze hoorde het nieuws over Jamies dood toen ze appels ging kopen voor een kruimeltaart. Bill was bij de baby, die nu drie maanden oud was, en zij reed naar een boerderij een eindje verderop. Ze kocht een zak appels, legde hem op de achterbank van de auto en zette de radio aan. Jamies plaat was een groot succes geworden en hij was de hele lente en zomer op tournee geweest. Nu hoorde ze tot haar ontsteltenis dat hij een maand daarvoor een auto-ongeluk had gehad in Frankrijk. Frieda had het zo druk gehad met de baby dat ze het nieuws niet meer had gevolgd, dus had ze er niets over gehoord. Maar Jamie Dunn, zijn vrouw, zijn schoonzus en de drummer van de band waren om het leven gekomen. Jamie was er al ruim een maand niet meer, terwijl Frieda was doorgegaan met leven, voor de baby had gezorgd en was gaan wandelen zonder dat ze het wist. De nieuwslezer vertelde dat er die dag een herdenkingsdienst was gehouden in de Chelsea Town Hall in Londen, waar Jamie eerder in het jaar zijn laatste concert had gegeven. Mick Jagger had *De geest van Michael Macklin* gezongen. Buiten hadden er honderden kaarsjes gebrand en de fans schraapten de gestolde was van het trottoir als aandenken.

Frieda bleef een tijdje op het parkeerterrein staan voordat ze uiteindelijk ging rijden. Op de rotonde nam ze niet de eerste afslag naar huis, maar de tweede, die naar het zuiden ging, richting Londen. Toen ze onderweg moest stoppen om te tanken, belde ze naar huis. Ze vertelde Bill dat een oude vriend was gestorven en dat ze naar Londen ging, maar zo snel mogelijk thuis zou komen.

'Iemand van het hotel waar je hebt gewerkt?' vroeg Bill. Over die tijd hadden ze het zelden.

'Ja,' zei Frieda. 'We waren vrienden.'

'Red je het wel?' vroeg Bill.

'Ja hoor. Ik denk van wel.'

Ze had er een hekel aan om in de stad te rijden, maar toch kreeg ze het voor elkaar. Omdat ze vreesde geen parkeerplaats te kunnen vinden, liet ze haar auto op Kensington High Street achter. Ze herinnerde zich nog waar het parkje lag. Vorige keer had het veel groter geleken, maar het bleek gewoon een leuk buurtplantsoen omringd door een negentiende-eeuws gietijzeren hek dat met mos was begroeid. Eerst twijfelde ze welk huis ze moest hebben. Alle huizen dateerden uit het begin van de twintigste eeuw en al waren ze niet identiek, ze waren allemaal even stijlvol. Maar toen schoot haar te binnen dat het huis op een bruidstaart had geleken, helemaal wit, met boogramen die uitkeken op het park. Ze liep het bordes op, liet de klopper vallen en de huishoudster deed open.

'Het spijt me,' zei de vrouw. 'Mevrouw Ridge ontvangt geen bezoek.'

'Natuurlijk wel.' Stella's moeder stond in de hal en liep in haar richting. 'Ken ik je ergens van?'

'Niet echt,' zei Frieda. 'We hebben elkaar een tijdje geleden ontmoet. Ik kende uw dochters en Jamie.'

Daisy Ridge monsterde Frieda van top tot teen. 'Het meisje met de koffer.'

'Inderdaad.'

'Kom binnen.'

Mevrouw Ridge vroeg de huishoudster om thee voor hen te zetten. Ze droeg een zwart mantelpak en hoge hakken. Frieda voelde zich sjofel en misplaatst in haar spijkerbroek, wandelschoenen en de oude Burberry-jas die nog van haar moeder was geweest. Langs de rand van haar mouwen kleefden een heleboel klitten.

Het huwelijk van meneer en mevrouw Ridge was al op de klippen gelopen voordat hun dochters waren verongelukt en nu woonde Daisy Ridge alleen in het grote huis. Ze had iedereen verloren die belangrijk voor haar was. Ze begreep niet dat ze 's ochtends nog wakker werd, want er was geen enkele reden voor. Misschien had haar zus wel geboft dat ze jong was gestorven, voordat ze te gehecht was geraakt aan de wereld, voordat ze te veel te verliezen had.

'U hebt een prachtig huis,' zei Frieda. De huishoudster bracht scones met jam en een pot groene thee die naar kruiden en honing rook. Toen ze was vertrokken, zei Frieda: 'Ik wilde alleen zeggen hoe erg ik het voor u vind.'

'Wat vind je erg? Dat je Jamie toen niet bij mijn dochter hebt weggehaald? Ik dacht tenminste dat je daarvoor kwam en ik wou dat het je was gelukt. Misschien hadden ze dan nog geleefd. Hij zat achter het stuur, weet je, dat krijg je ervan als een drugsverslaafde autorijdt.'

'Hij was niet de enige, als ik zo eerlijk mag zijn.'

Mevrouw Ridge stond op en Frieda dacht dat ze te horen zou krijgen dat ze moest vertrekken. Misschien had ze Stella's nagedachtenis bezoedeld, al had ze alleen de waarheid gesproken. Maar nee, mevrouw Ridge wilde haar nog niet laten gaan.

'De vorige keer heb je de rest van het huis niet gezien, alleen Stella's slaapkamer,' zei mevrouw Ridge. 'Het spijt me dat ik zo onbeleefd was, maar ik dacht dat ik wist wat je kwam doen.'

'Ik kwam hem inderdaad ophalen,' gaf Frieda toe. 'Ik was smoorverliefd, bezeten van hem, maar hij hield niet van me. Dat besefte ik toen. Ik hoorde niet bij zijn wereld.'

'Liefde. Loopt het altijd zo af?'

'Ze waren geknipt voor elkaar. Ik begrijp heel goed waarom hij verliefd op haar is geworden.'

Mevrouw Ridge wendde haar gezicht af. Ze had, met tussenpozen, weken achter elkaar gehuild. Dan voelde ze ineens een golf van warmte van haar borst naar haar gezicht trekken, en daar ging ze weer. Het gebeurde wanneer ze er het minst op bedacht was, als ze meende dat ze niets voelde. Snel herstelde ze zich – daar was ze goed in – en keek weer naar de jonge vrouw die bij haar op bezoek was. Normaal zou ze niet met zo iemand praten, een onbekende die haar niet interesseerde, maar nu had ze daar een onweerstaanbare behoefte aan. Het zou wel komen doordat ze eenzaam was. De meeste mensen die ze sprak beschouwden haar dochters als twee verwende, egoïstische meiden. Het was waar dat ze drugs hadden gebruikt, maar ze waren zoveel meer geweest dan dat.

'Marianne zou dat weekend met mij de stad uit gaan, maar op het laatste moment bedacht ze zich. Ze waren elkaars beste vriendin, altijd zorgzaam voor elkaar. Stella belde haar om te vragen of ze meeging op tournee. Marianne zou zo'n lol hebben als ze op stap ging met de band, veel meer dan met mij natuurlijk. Eén kind verliezen is vreselijk, maar twee is rampzalig. Ik weet niet of ik het ooit te boven kom.'

'Ze zorgden goed voor elkaar. Dat viel mij zelfs op.'

Mevrouw Ridge keek Frieda aan. 'Ja, van jongs af aan waren ze onafscheidelijk. Zelfs als ze naar bed moesten kon ik ze niet apart leggen.'

'Ik heb een zoon gekregen,' zei Frieda. 'Hij heet Paul. Daarom ben ik hier, niet vanwege Jamie maar voor u. Ik ben ook moeder, net als u, en ik leef met u mee.'

Mevrouw Ridge keek haar eens goed aan. Frieda was heel anders dan ze had gedacht. Vorige keer en nu ook weer. Ze was een intelligente, openhartige jonge vrouw, lang zo gewoontjes niet als ze op het eerste gezicht leek. Dat zag mevrouw Ridge nu ook.

'Als ik iets voor u kan doen, kunt u me bellen. Dan kom ik naar Londen,' zei Frieda.

Ze vertelde er niet bij dat ze ook op bezoek was gekomen omdat zij geluk had gehad en zich daar schuldig over voelde. Haar vader was niet degene die diepbedroefd achterbleef. Als ze heel eerlijk was, was ze gekomen omdat Jamie niet van haar had gehouden, omdat zij niet bij hem in de auto had gezeten, die zo volgestouwd was geweest met mensen, muziekinstrumenten en koffers met kleren dat de engel van de dood zich ertussen had moeten persen om mee te kunnen. Frieda zat hier, in het huis in Kensington, omdat Jamie haar niet had gewild. Destijds was zij de verliezer geweest, maar nu had ze min of meer gewonnen. Zij was er nog. Ze had nog steeds de gestolen beige suède laarzen, die ze aantrok als ze met Bill uitging, wat tegenwoordig zelden gebeurde. Dat deden ze alleen als Bills moeder kon oppassen, omdat Frieda haar kind niet aan een babysit toevertrouwde. Nog niet. Misschien wel nooit. Straks zou ze nog een moederskindje van hem maken, haar oogappel, maar dat kon haar niet schelen. Hij werd waarschijnlijk zo'n man die zijn moeder elke zondag belde en haar met de feestdagen altijd uitnodigde, zodat hij ruzie kreeg met zijn vrouw. Hij werd iemand met een absoluut gehoor, die graag in de natuur wandelde en het verschil kon horen tussen een tortelduif en een gewone duif. Alleen al bij de gedachte hoe het zou zijn om haar zoon te verliezen, schoten haar de tranen in de ogen.

'Ik zal je iets laten zien,' zei mevrouw Ridge. 'Ik denk dat je het wel begrijpt.'

Ze liepen naar de serre aan de achterkant van het huis. De kamer was deels verduisterd doordat de gordijnen nog dicht waren, maar door de vele ramen en de lichtkoepel konden banen zonlicht naar binnen stromen. Er stonden hoge varens en orchideeën in majolica potten. Mevrouw Ridge deed de glazen deuren open die toegang gaven tot een voor stadse begrippen enorme achtertuin. Ze liepen naar buiten. De tuin was zo overwoekerd dat hij een oerwoud leek. Alles was goudgeel, een wirwar van klimplanten en struiken die gesnoeid hadden moeten worden, van bramen, essen en opgeschoten onkruid. Er stonden planten die je in een Londense tuin niet zou verwachten: belladonna, doornappel, dollekervel en zwarte nachtschade. Ze waren niet geplant, maar vanzelf in de afgelopen dertig dagen opgeschoten, na het fatale auto-ongeluk. Alles wat giftig was, groeide weelderig.

'Mijn rouwtuin,' zei mevrouw Ridge.

Nu ze haar dochters had verloren, had ze het gevoel dat ze nooit meer iets aan de tuin wilde laten doen. Het was niets minder dan haar verdriet dat de tuin in stand hield. In de zomer was hij groen en nu goudgeel. Over een paar weken zou hij op zwart satijn lijken en ten slotte zou hij wit worden en misschien wel maanden zo blijven, zuiver wit.

Frieda stond daar in de koele schaduw. Er was een mooi paadje aangelegd in een visgraatpatroon van baksteen en natuursteen. Er stond een pruimenboom waarvan de vruchten op de grond lagen te rotten. Er bloeiden witte rozen, die al even verwilderd waren als het onkruid. De bloemen vielen uit, hangend aan kromme zwarte takken. In de appelboom zat een duif die veel te laat aan een nieuw nest was begonnen. Ze hoorden de kuikens piepen, ook al was het een slechte planning, een volkomen verkeerd seizoen. Het zou al snel koud worden.

Terwijl ze daar stonden, maakten ze zich zorgen over de vogels in het nest, over de komende winter en wat er in de loop der tijd allemaal kon gebeuren. Op dat moment begreep Frieda alles wat er over de liefde te weten viel. Het was haar glashelder, alsof de waarheid in de lucht stond geschreven. Alles was geel, alles bewoog heel snel. Frieda hield de hand van mevrouw Ridge vast en ze bleven samen buiten tot het donker werd.

III

De regels van de liefde
1952

Lucy Green was verslaafd aan lezen. Ze las altijd in afzondering en tijdens de oversteek van de Atlantische Oceaan had ze
alle tijd gehad om zich af te zonderen. Haar stiefmoeder,
Charlotte, vond haar eenzelvig, op het ziekelijke af, maar Lucy
bleef in haar piepkleine hut en las driemaal achter elkaar *Het
achterhuis* van Anne Frank. Soms had ze het gevoel dat ze zelf
op die zolder woonde, dat zij Annes dromen had.

Lucy had geen moeder meer en zag eruit zoals moederloze
meisjes soms doen: letterlijk onverzorgd, met ongeborsteld
haar en twee verschillende sokken aan. Ze kwam alleen haar
hut uit om te eten en om een avondwandelingetje over het dek
te maken met haar vader. Tijdens dat ommetje zwegen ze, afgezien van een enkele opmerking over de vorm van de wolken
of de kleur van de zee. De oceaan was onafzienbaar, beangsti-
gend en schitterend. Je had geen woorden nodig als je op het
dek van een oceaanstomer stond, als de wereld onmetelijk
groot leek en jij slechts een stipje van vlees en bloed was.

Het achterhuis was dat jaar in juni voor het eerst in Amerika
verschenen, maar Lucy's stiefmoeder vond haar te jong voor
zo'n zwaar onderwerp. Ze sprak haar veto erover uit en advi-
seerde Lucy zich bij Nancy Drew te houden. Charlotte zelf
was geen groot lezer, en ze vond dat boeken gevaarlijk konden
zijn als ze in de verkeerde handen terechtkwamen. Maar Lucy

was twaalf, oud genoeg om te lezen wat ze wilde; de mening van haar stiefmoeder interesseerde haar niet, net zo min als die van haar vader, trouwens. Het interesseerde haar niet dat ze op een schip op de Atlantische Oceaan zat en dat al haar vriendinnen in Westchester jaloers waren dat Lucy voor een bruiloft naar Engeland ging, terwijl zij thuis hun saaie leventjes leidden.

Avonturen en feesten lieten haar onverschillig. Lucy was het soort meisje dat veel nadacht over waarom de mens op aarde was en zich vaak afvroeg wat ze tegen al het onrecht in de wereld kon doen. Ze geloofde niet dat het haar in dat opzicht verder zou helpen om aan de kapiteinstafel te zitten en een garnalencocktail te bestellen. Ze wilde niet luieren in een ligstoel aan dek of praten met de andere kinderen aan boord, zoals haar stiefmoeder voortdurend opperde. Lucy was geen gezelligheidsmens en niet dol op reizen. Zo had ze bijvoorbeeld een schildpad die Mrs. Henderson heette en die ze had moeten achterlaten bij de buurvrouw, die niet eens van schildpadden hield, zodat Lucy zich nu zorgen maakte of het wel goed ging met Mrs. Henderson. Bovendien was de enige andere reis die ze had gemaakt een tripje naar Miami geweest met haar vader en Charlotte – die ze 'mam' moest noemen, wat ze zorgvuldig vermeed – en daar had ze niets aan gevonden. Ze was verontwaardigd geweest toen ze had ontdekt dat de golfbaan in Miami, waar haar vader zo enthousiast over was, geen zwarten toeliet, behalve op maandag, de dag dat de caddies mochten spelen. Er was zoveel onrecht in de wereld, er waren zoveel mensen die slecht werden behandeld. Lucy geloofde trouwens niet in het huwelijk als instituut, in elk geval niet meer sinds haar vader met Charlotte was getrouwd, en daarom leek het haar nogal zinloos om naar de bruiloft van de zus van haar stiefmoeder te gaan, zelfs al was dat in Londen.

Het schip liep de haven van Liverpool binnen, en nadat ze hun bagage hadden verzameld namen ze een taxi naar het station. Terwijl ze op de trein wachtten, zat Lucy op een bankje in het dagboek te lezen. Ze had een rok aan, omdat haar stiefmoeder op het standpunt stond dat een lange broek iets voor wildebrassen was en volkomen ongepast als reiskledij. Lucy's vader, Ben, had naar haar geknipoogd, maar hij had Charlotte niet tegengesproken, en daarom zat Lucy zich nu ongemakkelijk te voelen in een tuttige rok. Ze dacht dat ze misschien wel abnormaal was. Ze had in elk geval rare gedachten: dat haar moeder was gestorven door iets wat zij verkeerd had gedaan. Dat haar stiefmoeder stiekem arsenicum in Lucy's ijsthee deed, reden voor haar om die gedurende de hele reis niet op te drinken maar bij de potplanten te gieten. Dat haar vader beter af zou zijn zonder haar, omdat zijn leven dan eenvoudiger en makkelijker zou zijn. Dat het onmogelijk was om al het onrecht in de wereld te bestrijden en een hele opgave om de dagen door te komen. Zonder dat iemand het in de gaten had, was Lucy aan het verdwijnen. Elke dag glipte ze een stukje verder weg.

'Gaat het goed met je?' vroeg Lucy's vader op het station.

De lucht was roetig en het was warm. Begin augustus. Ben Green was advocaat en lid van de Democratische Partij, en hij zei dat hij blij was dat hij Amerika een maand kon ontvluchten, want Eisenhower en Nixon hadden net de Republikeinse nominatie voor het president- en vicepresidentschap binnengehaald. Hij sjouwde liever in een smoorheet station in Liverpool met de bagage van zijn vrouw en zijn dochter, dan dat hij in Westchester in *The New York Times* moest lezen over de groeiende populariteit van Ike.

'Ik zou liever thuis zijn,' zei Lucy. 'Anne Frank ging meer dan twee jaar niet naar buiten. Zij hoefde geen verre reizen te maken om mensenkennis te hebben. Ze begreep de dingen van binnenuit. Ze wilde schrijfster worden.'

'De hele wereld wil schrijver worden,' zei Ben Green. Als student had hij zelf een roman geschreven die hij in de prullenbak had gegooid. 'Je zult het mooiste meisje op de bruiloft zijn.'

'Dat betwijfel ik.' Lucy las verder, maar ze voelde dat ze bloosde. Ze wist dat ze niet mooi was. Toen ze zag dat haar ene sok bruin was en haar andere grijs, legde ze één voet over de andere om haar vergissing te verdoezelen.

Haar vader drukte een kus op haar kruin, en toen was het tijd om in te stappen. Ze hadden hun eigen compartiment, waar het benauwd en schemerig was. Lucy nestelde zich op de bank met haar boek en probeerde te doen alsof ze thuis was.

'Ze bederft haar ogen nog door in het donker te lezen,' zei Charlotte tegen Lucy's vader toen de trein vertrokken was.

Hoewel ze zat te lezen, luisterde Lucy mee. Daar was ze heel goed in.

'Laat haar maar,' zei Ben. 'Ze is in de rouw.'

Toen besefte Lucy dat dat waar was. Hoewel haar moeder al twee jaar geleden was gestorven, was ze nog steeds in de rouw. Er was geen ontkomen aan. Als ze ophield met lezen, moest ze altijd meteen aan haar moeder denken. Soms kwamen de herinneringen terug aan de laatste dag die ze samen hadden doorgebracht, de mooiste dag van haar leven. Ze waren in Central Park gaan wandelen en hadden iets gezien wat je in New York nooit zag: een blauwe reiger in een vijver in The Ramble, het meest verwilderde deel van het park, waar het vol stond met doornstruiken en overal vogelnesten zaten.

Na die dag had niets haar nog interessant of de moeite waard geleken. Behalve boeken.

Lucy deed haar ogen dicht en sliep tot ze in Londen aankwamen. Het was pikdonker en de lucht was vochtig. Ze pakten hun koffers en stapten uit te midden van de drommen passagiers. En toen gebeurde er iets onverwachts. Lucy keek met grote ogen naar de chaos in Euston Station en voelde zich zoals mensen zich soms voelen als ze verliefd worden. Ondanks haar bedenkingen had Londen haar hart veroverd. Ze voelde haar bloed zelfs sneller stromen. Buiten was het nog beter: donkerder en bruisender. De straatlantaarns waren geel en Lucy had het gevoel dat ze droomde. Ze kon onderduiken in de drukte van Londen en toch zichzelf blijven. Er waren waarschijnlijk duizenden, nee, miljoenen boeken in deze stad die ze nog niet had gelezen. Er waren boekwinkels, bibliotheken, boekenstalletjes, uitgevers en rondleidingen door huizen waar schrijvers hele werelden hadden geschapen uit niets anders dan woorden. Iedereen die haar passeerde kon wel een schrijver zijn, of had op z'n minst een verhaal dat nodig opgeschreven moest worden. Lucy wilde naar alle boekwinkels; ze wilde door de straten lopen, de mensen aankijken en raden wat er met hen was gebeurd. Dat verraste haar, schokte haar zelfs. Het was heel lang geleden dat ze iets had gewild.

Ze namen een taxi naar hun hotel. De hele familie van Charlotte logeerde in het Lion Park, en Charlotte was geërgerd omdat zij als laatste aankwamen. Volgens haar had alles tegengezeten en had Lucy getreuzeld. Bovendien was dit niet het hotel dat ze zelf zou hebben gekozen: het was eenvoudig en knus, en dat was niet Charlottes stijl. Lucy ging er helemaal van uit dat zij het ook vreselijk zou vinden, maar net zoals ze was gevallen voor Euston Station, werd ze nu verliefd op het hotel. Alles was zo onvoorspelbaar en charmant. Vanuit de lobby keek je uit op een tuin waarin een stenen leeuw stond. Die zou volgens de overlevering door een ridder gestolen zijn tijdens de kruistochten. Het beeld was groen uitgeslagen en hier en daar begroeid met mos; eromheen lagen tegels van blauwgrijs arduinsteen. De lobby zelf was nog mooier. Het behang had een rozenmotief en het houtwerk was helderwit. Het leukste was nog dat er op het bureau achter de receptie een groot konijn zat. Lucy genoot van Londen.

'Is hij echt?' vroeg ze aan Dorey Jenkins, de nachtreceptioniste. Het was een langharig wit konijn dat zo groot was als een uit de kluiten gewassen Perzische kat.

'Jazeker,' zei Dorey. 'Laat ons je huppeltje eens zien, Millie.' Het konijn kwam naar haar toe gewipt en Dorey gaf haar een slablaadje dat in een la lag, bij de paperclips en elastiekjes. 'Ze is onze mascotte. Op een dag is ze binnen komen huppen. We denken dat ze uit het park komt, maar nu woont ze onder de balie.'

'Als je haar zou volgen, neemt ze je misschien wel mee naar een andere dimensie in ruimte en tijd, en dan ben je net Alice,' zei Lucy. 'Je zou wonderbaarlijke dingen zien. En het zou moeilijk zijn om terug te komen.'

'Nee hoor, ze zou je regelrecht meenemen naar de vuilnisbak in de keuken, op zoek naar aardappelschillen. Daar is ze dol op. En ze eet ook graag behang, maar daar krijgt ze problemen mee.'

'Ik vind problemen niet erg.' Lucy leefde helemaal op van het simpele feit dat ze in Londen was.

'Dat dacht ik al,' zei Dorey hartelijk. 'Millie en jij zijn uit hetzelfde hout gesneden.'

Het zinde Lucy allerminst dat ze met haar vader en Charlotte op reis was, maar gelukkig had ze in het hotel een eigen kamer, op de zevende verdieping. De inrichting was weliswaar ouderwets, met een kaptafel naast het bed en een badkuip in plaats van een douche, maar nu had ze tenminste een beetje privacy. Er konden zomaar tien minuten verstrijken zonder dat iemand zich met haar bemoeide en liet weten dat ze alles verkeerd deed. Alsof ze dat zelf niet wist.

Lucy pakte haar kleren uit, friste zich op en las in het dagboek tot ze in slaap viel. De geluiden van Londen bevielen haar, het verkeer net zo goed als het vogelgezang. Ze viel erdoor in slaap en droomde dat ze door een gang liep, achter een konijn aan. Doordat haar inwendige klok in de war was, werd ze vroeg wakker, voordat ze in haar droom het einde van de gang had bereikt. Eenmaal wakker voelde ze zich tekortgedaan, zoals ze zich zou voelen als ze een boek was kwijtgeraakt voordat ze het uit had. Misschien zou ze diezelfde droom nog eens dromen en er dan achter komen hoe het verderging. Ze kleedde zich aan en ging naar beneden, naar het restaurant. Dat was officieel nog niet open, maar de kok zei dat hij thee en toast voor haar zou maken, dus Lucy ging zitten en las verder in het dagboek. Er kwam een knappe man binnen, die om zich heen keek.

'Wat een dooie boel hier,' zei hij.

Hij had een New Yorks accent en een fantastisch Iers uiterlijk, donker haar met lichte ogen. Vanaf dat moment hield Lucy altijd een voorkeur voor mannen met die kenmerken. Hij had ook een geweldige glimlach, dat zag zelfs een meisje van twaalf.

'Zo te zien ben jij de enige levende ziel in Londen,' zei de man. 'Vind je het goed als ik bij je kom zitten?'

Zonder uit haar boek op te kijken knikte Lucy. Ze vond het niet erg om onbeleefd te zijn als het haar uitkwam.

'Anne Frank,' zei de man peinzend. 'Ik heb het huis gezien waar ze heeft gewoond, in Amsterdam.'

Lucy legde haar boek neer. 'Dat geloof ik niet. U zegt maar wat.'

'Ik zweer het je.' De man stak zijn hand op als een padvinder. 'Ik heb rondgereisd, en vorige week was ik daar. Ik stond voor de deur en heb gebeden.'

'Echt waar?' vroeg Lucy, die hem maar half geloofde.

Haar thee en toast werden gebracht. Ze smeerde er marmelade op, maar toen ze een hap nam, wist ze niet zeker of ze het lekker vond of niet. Het was bitter, maar misschien zou ze wennen aan bittere dingen. Ze vond het een beetje gênant om te kauwen in het gezelschap van de man, die tegenover haar was gaan zitten. Gelukkig had de knappe man zelf ook honger; hij bestelde gebakken eieren met spek.

'Drie spiegeleieren graag,' zei hij. 'Of nee, maak er maar vier van.'

'Thee met toast,' bood de kok aan. 'We zijn nog niet open, wat u had kunnen zien als u even om u heen had gekeken.'

'Ook best, dan maar toast. Als ik maar iets te eten krijg. Jezus, je zou denken dat ik om een gastronomisch hoogstandje heb gevraagd.' De man stak een sigaret op. Een Lucky Strike. 'En wat brengt jou naar Londen?'

'Ik ben hier voor een bruiloft. Maar zelf geloof ik niet in het huwelijk.'

'Ach. Het huwelijk.'

'Het huwelijk is een puinzooi,' zei Lucy.

Ze stak haar kin in de lucht, omdat ze verwachtte dat hij zou reageren zoals de meeste volwassenen en haar zou vertellen dat grof taalgebruik een meisje onaantrekkelijk maakte, maar dat deed hij niet.

'Meestal is het een puinzooi,' beaamde hij. 'Maar niet altijd.' Hij stak zijn hand uit en stelde zich voor. 'Michael.'

'Lucy.'

'Ik zie dat we iets gemeen hebben, Lucy. Er zijn niet veel dingen waar we in geloven.'

'Waarom zouden we ook?' vroeg Lucy.

'Liefde bestaat,' vertelde Michael haar. 'Of je het gelooft of niet.'

'Niet, dus.' Net toen Lucy haar thee en toast op had, werd Michaels bestelling gebracht. Ze bleef toch maar zitten en zag dat hij geen marmelade nam. Ondanks hun verschillende standpunten over de liefde leken ze veel op elkaar.

'De liefde heeft me helemaal van New York hierheen gebracht. Via Parijs, Amsterdam en het huis van Anne Frank.'

'Mijn stiefmoeder heeft me hierheen gebracht,' zei Lucy. 'Ik had rustig thuis kunnen zitten lezen. In plaats daarvan moet ik naar een stomme bruiloft.'

'Waarom is die bruiloft stom?' Hij klonk oprecht geïnteresseerd. De meeste volwassenen hadden geen belangstelling voor de mening van een kind, maar Michael was anders.

'Ik ken de mensen die gaan trouwen niet eens,' legde Lucy uit. 'De bruid, Bryn, is de zus van mijn stiefmoeder. Ik hoop voor haar dat ze niet op elkaar lijken.'

Michael grinnikte. Hij knikte naar het boek op tafel. 'Is dat het dagboek dat Anne Frank heeft geschreven?' Toen Lucy ja zei, vroeg hij of hij het mocht lenen. Lucy hield er eigenlijk niet van haar boeken uit te lenen, want je kreeg ze nooit terug, en bovendien was ze eraan gewend geraakt de hele dag in het dagboek te lezen.

'Of vertrouw je me niet?' vroeg Michael.

Lucy keek naar hem op. Hij was niet iemand tegen wie je makkelijk nee zei.

'Krijg ik het terug?' vroeg ze.

Michael sloeg een kruis. 'Ik zweer het op mijn leven.'

Lucy voelde zich een beetje verloren zonder haar boek. Ze stond bij de receptie en vroeg of ze het konijn mocht zien. Maar de dagreceptionist was een man van middelbare leeftijd die een cursus boekhouden deed en een hekel aan kinderen had. Hij was heel anders dan Dorey Jenkins.

'Dit is een hotel, geen kinderboerderij,' sprak hij streng.

Ze zag het konijn in een hok van traliewerk in het kantoortje zitten. Om de een of andere reden moest ze daar bijna om huilen. Ze liep doelloos de binnenplaats op en ging op de sokkel van de leeuw zitten. Het steen rook naar vocht en mos.

'Dat is een standbeeld, geen bank,' riep de receptionist.

Lucy liep door de lobby de straat op, waar ze een vrouw die er als een oma uitzag vroeg waar het dichtstbijzijnde park was. De vrouw wees haar de weg naar Hyde Park, dat maar een paar straten verderop lag, en toen ze daar aankwam stond ze ervan te kijken hoe groot het was. Er woonden waarschijnlijk wel honderden konijnen in de struiken. Haar moeder had haar altijd verteld dat je naar een park moest gaan als je een stad nog niet goed kende.

Op de reis naar Londen had Lucy een vrouw ontmoet die aan waarzeggen deed. Ze werkte op het schip, waar ze de hutten schoonmaakte, en ze had Lucy verteld dat die het geluk had volgens de Chinese kalender in het jaar van het konijn te zijn geboren; dus misschien zou het lot haar gunstig gezind zijn, als ze tenminste ooit in zoiets stoms als een gunstig lot ging geloven. Nu was het het jaar van de draak, wat scheen te betekenen dat er van alles kon gebeuren. Toen ze door Hyde Park liep, had Lucy hetzelfde gewichtloze gevoel als ze op Euston Station had gehad. Ze was nog steeds verliefd op Londen. Ze liep door totdat ze in Kensington Gardens op het standbeeld van Peter Pan stuitte. Daar ging ze in het gras zitten. Het was een prachtige plek. Voor het eerst in twee jaar had ze geen boek bij zich en dat was een heel vreemde ervaring. Maar haar moeder had gelijk gehad: een park was het hart van een stad, het groenste, lieflijkste deel.

Lucy zag twee jonge vrouwen naar haar staren en duidelijk over haar spreken. Het gazon was als een biljartlaken en het róók hier zelfs niet naar de stad. Af en toe kon je vanuit de buitenwereld het geronk van een bus horen, maar dat was alles. De jonge vrouwen spraken nog steeds over haar.

'Dat is onbeleefd,' riep Lucy. Het waren grote, slanke blondines die erg op elkaar leken; met hun lange hals en lichte haar deden ze Lucy aan zwanen denken. Misschien was het verboden op het gras te zitten of was ze op privéterrein terechtgekomen. Of misschien hielden ze gewoon niet van Amerikanen. 'Kom hier als jullie iets te zeggen hebben.'

Zo recht op de man af zou Lucy in Amerika nooit zijn geweest, maar hier was het anders. Hier kende niemand haar. Niemand wist dat ze zich na de dood van haar moeder in haar slaapkamer had opgesloten en een week niet had gegeten. Ze had wel water gedronken, en dat had na een dag of drie zonder eten een sterke smaak gekregen. Het had naar wijn gesmaakt, althans, naar hoe ze zich wijn voorstelde. Zoet, mysterieus en vol. Aanvankelijk had ze gedacht dat dit het begin van een wonder was, omdat water in wijn veranderde, en dat ze bij het verlaten van haar kamer zou ontdekken dat haar moeder nog leefde en in de tuin aan het werk was of wentel-teefjes stond te bakken. Maar de vloeistof in haar glas was ge-woon water geweest, en haar moeder was er niet meer. Haar prachtige moeder met het lange zwarte haar, die niet bang was geweest haar schoenen uit te trekken en door een vijver in Central Park te waden als ze een reiger zag.

Vanaf dat moment geloofde Lucy nergens meer in. Ze kwam uit haar kamer tevoorschijn, smeerde een paar boter-hammen en ging weer eten, in plaats van alleen water te drin-ken. Haar vader dacht dat dat betekende dat alles weer goed was, maar hij had het mis.

De Engelse vrouwen, die Daisy en Rose bleken te heten, kwamen naar haar toe wandelen. Ze waren zussen, maar ook elkaars beste vriendin, en ze liepen hand in hand. Ze droegen allebei een blauwe plooirok en een witte blouse. 'We keken naar je omdat je op Katharine Hepburn lijkt. Dat is onze fa-voriete actrice. Ze is fantastisch. We dachten dat jij misschien familie van haar was.'

Dus het was niets akeligs, ze had niets verkeerd gedaan. Lucy glimlachte. Daisy en Rose waren volwassen – Daisy had thuis twee dochtertjes – maar ze praatten met haar alsof ze hun gelijke was. Ze vonden het zo bijzonder haar te ontmoe-ten dat Lucy zich opeens belangrijk voelde.

'Ze is mijn tante,' zei ze. Het was een klinkklare leugen, maar ze bracht het goed. Ze vond het zo leuk om met mensen te praten die haar niet als een nul beschouwden, dat ze hen niet wilde teleurstellen. 'Katharine en mijn moeder hadden dezelfde grootmoeder. We zien haar heel vaak.'

Daisy en Rose wilden alles weten over Katharine Hepburn en hingen de hele middag aan Lucy's lippen. Bij Kate thuis, vertelde ze, dronken ze citroenlimonade en aten ze ijs bij het ontbijt. Kate had een chauffeur die goochelaar was en duiven uit de lucht kon toveren. Kate vroeg Lucy al haar scripts te lezen voordat ze besloot welke rol ze zou aannemen; ze vertrouwde volledig op Lucy. In Hollywood droegen de mensen geen badpak; ze hadden allemaal gigantische zwembaden en gingen midden in de nacht zwemmen, in het maanlicht, spiernaakt. Zodra de zon onderging ontkurkten ze de champagne, en ze droegen hun feestjurken maar één keer en gooiden ze dan in de vuilnisbak.

'Ik ga naar Hollywood,' kondigde Rose aan. 'Het wordt hoog tijd een nieuw leven te beginnen.'

Haar zus keek verrast en zei: 'Maar ik wil niet dat je zo ver weg gaat!'

Daisy en Rose liepen tot halverwege het hotel met Lucy mee terug. Toen het tijd was om afscheid te nemen, omhelsden ze elkaar alsof ze de beste vriendinnen waren, en Lucy zei dat ze haar moesten komen opzoeken als ze eens in Amerika waren. Dan zou ze Kates chauffeur naar het vliegveld sturen om hen op te halen en de stad te laten zien.

Toen Lucy het Lion Park binnenstapte, stond haar vader met een politieman in de lobby. Zodra Ben Lucy in het oog kreeg, rende hij naar haar toe en pakte haar vast.

'Waar heb je in godsnaam gezeten? De receptionist zei dat je in het restaurant met een vreemde had gepraat en daarna was verdwenen.' Lucy's vader was zo over zijn toeren dat het leek alsof hij haar wel een klap kon geven, iets wat hij nog nooit had gedaan. Hij geloofde niet in lijfstraffen en de doodstraf, en hij geloofde al helemaal niet in het slaan van zijn eigen kind. Hij zag er alleen zo uit, alsof hij elk moment kon ontploffen.

'Ik ben gewoon in het park geweest,' zei Lucy. 'Ik heb een

paar Engelse vrouwen ontmoet die alles over Amerika wilden weten.'

'Jezus, Lucy, je bent toch heus een beetje te oud om je zo onverantwoordelijk te gedragen. Snap je niet hoe ongerust ik was? Ik dacht dat je was verdwenen. We zijn in een vreemde stad, ik draai me een paar tellen om en wég ben je.'

'Het spijt me.' Lucy voelde zich dom en klein. Nu zou Charlotte weer een nieuw wapen hebben om tegen haar te gebruiken. Lucy gedroeg zich onverantwoordelijk. De zoveelste tekortkoming die aan de lijst kon worden toegevoegd. Eenzelvig. Geen manieren. Ondankbaar.

'We hadden haar thuis moeten laten,' zei Charlotte later, toen Ben en zij alleen in hun kamer waren. Ze waren uit eten geweest met Charlottes familie. Ben had Lucy eigenlijk mee willen nemen, ook al zou ze dan de hele tijd hebben zitten lezen. Charlotte had hem gesmeekt haar in het hotel achter te laten, en daarna had ze Lucy gedwongen een overeenkomst te tekenen waarin ze beloofde dat ze geen stap buiten het hotel zou zetten zonder eerst haar vader op de hoogte te stellen. Nu zat Charlotte haar haar te borstelen, dat lang was en de kleur van honing had. Ze had drie koffers meegenomen op reis, waarvan één voor handtassen en schoenen.

'Een hele maand?' vroeg Ben. 'Het komt wel goed met Lucy. Kinderen passen zich makkelijk aan. Kijk maar naar Anne Frank.'

'Ik wil de naam Anne Frank niet meer horen, Ben. Ik meen het! Ik word gek van dat gepraat over haar de hele tijd. Ik kan niets meer horen waar "frank" in zit, zelfs de naam "Frankrijk" niet.'

Ben lachte. Hij lag in bed naar Charlotte te kijken. Hij was als een baksteen voor haar gevallen. Ze was tien jaar jonger dan hij. Hij had schoon genoeg gehad van het alleen-zijn en ze was beeldschoon, dus het gevolg liet zich raden: het was als een warme wervelwind geweest, en daarna waren ze getrouwd.

'Misschien hadden we de bruiloft moeten laten schieten en weer naar Miami moeten gaan,' zei Ben. 'Gewoon leuke dingen doen.'

'In augustus? En Bryn is mijn zus, ondanks haar fouten. Ik zou haar bruiloft niet willen missen.'

Bryn zou met een Engelsman trouwen die ze in Parijs had ontmoet, en haar familie was overgekomen om dat te vieren. Iedereen was dolblij, en met reden. Bryn Evans was pas drie-entwintig, maar ze had het niet makkelijk gehad. Slechts een handjevol mensen kende de waarheid over haar, en dat waren allemaal bloedverwanten. Buitenstaanders, inclusief Ben Green, hadden geen idee van het geheim dat Bryn met zich meedroeg. Ze was eerder getrouwd geweest met een hoogst ongeschikte en gevaarlijke man, een verbintenis die door iedereen werd afgekeurd. Niemand had hem daadwerkelijk ontmoet, maar iedereen kende de politierapporten. Dat was meer dan voldoende. Het was een soort zwendelaar die weduwen van hun fortuin beroofde of zoiets. Hoe dan ook, de familie had de zaak geregeld en het huwelijk was nietig verklaard. Ze hadden Bryn naar Parijs gestuurd, waar ze Teddy Healy had ontmoet, een bankier die vast een positieve invloed op haar zou hebben. Teddy was een goede partij, een man die op goedkeuring van de familie kon rekenen. Eindelijk een logisch besluit, in tegenstelling tot de meeste acties van Bryn. Toch leek Bryn, hoewel ze nu Teddy had, wankelmoedig en humeurig. Bovendien was ze gaan drinken.

Bij het diner van vanavond bijvoorbeeld was het al snel

misgegaan. De bruiloft zou over drie dagen zijn, en dat was een uitstekend excuus om elke gelegenheid voor een feestje aan te grijpen. De hele familie van Charlotte – haar ouders, Carl en Mary, en haar oudste zus Hillary met haar man Ian – was overgekomen voor de feestelijkheden, net als Teddy's broer Matthew en Francie, zijn vrouw. Teddy en zijn broer hadden op jonge leeftijd hun ouders verloren en waren opgevoed door een tante die ook was overleden; de jongens waren elkaars steun en toeverlaat geweest, twee serieuze jongens op wie je kon bouwen, die mannen waren geworden op wie je kon bouwen.

Halverwege het diner begon Matthew zijn twijfels te krijgen over de keuze van zijn broer. Bryn dronk twee glazen wijn voordat het hoofdgerecht werd geserveerd. Ze was niet alleen de jongste zus, maar ook de mooiste, en ze was verwend. Ze was koppig over dwaze dingen; zo weigerde ze bijvoorbeeld haar lichtblonde haar, dat tot op haar middel hing, af te laten knippen. Die avond in het restaurant droeg ze het opgestoken in een Grace Kelly-rol, en zelfs dan was het haar sterkste punt. Ze had een korenblauwe zijden jurk aan. Teddy had haar een platina ring met een gigantische vierkant geslepen diamant gegeven. Aan haar kleine, bleke hand kon je de ring onmogelijk over het hoofd zien.

'O, dit ding,' had ze gezegd toen haar zussen haar ermee complimenteerden. 'Het is een loodzwaar geval.'

Halverwege het voorgerecht was Bryn al behoorlijk teut. Charlotte vroeg of ze meekwam om een luchtje te scheppen, wat in werkelijkheid betekende dat ze een rookpauze zouden houden waarin Charlotte probeerde haar een beetje te ontnuchteren. De twee gingen naar beneden, naar het damestoilet. Bryn viel bijna van de trap.

Charlotte pakte voor hen allebei een sigaret.

'Hou op met drinken,' zei ze. 'Je zet jezelf voor gek.'

'Jij denkt altijd dat je mij de wet kunt voorschrijven. Voor het geval je het wilt weten: ik ben niet eens echt aan het drinken.' Bryn zoog aan haar sigaret. Ze was rood aangelopen en verhit. 'Nog niet.'

'Hier in Londen is straks niemand om op je te passen,' zei Charlotte. Ze had zich altijd zorgen gemaakt over haar zus. Volgens Charlotte waren haar slechte besluiten te wijten aan het feit dat ze jong en naïef was. 'Je zult je wat verantwoordelijker moeten gaan gedragen.'

Bryn rookte haar sigaret en staarde naar zichzelf in de spiegel. Als ze haar ogen tot spleetjes kneep, leek het alsof ze verdwenen was. Dan was er alleen een vage vlek, blauw, blond en rokerig. En dat alles langzaam vervliegend. Ze verfoeide haar verlovingsring. Het was alsof ze handboeien droeg.

'Zegt het woord "liefde" je iets?' vroeg Bryn. 'Of ben je volkomen gevoelloos?'

'Liefde,' zei Charlotte laatdunkend. 'Zo praat een kind over het huwelijk. Je bent net zo dom als mijn stiefdochter.' Charlotte had genoeg van dergelijke nonsens. Het was toch geen misdaad om realistisch te zijn? Dat betekende niet dat je een slecht mens was. 'Straks vertel je me nog dat je het dagboek van Anne Frank aan het lezen bent. Word eens volwassen, Bryn.'

'Anne Frank is tenminste gestorven voor iets belangrijks en waardevols!'

'Nu moet je eens goed luisteren: Anne Frank is enkel en alleen gestorven doordat er afschuwelijke, wrede mensen bestaan, verder niet. De hele wereld is een puinhoop, en je moet je eigen leven op orde brengen als je de kans krijgt. Zij heeft die kans niet gekregen, maar jij leeft in vredestijd. Jij loopt in Londen rond met een enorme diamant aan je vinger. Dus hou op met die onzin.'

Bryn drukte haar sigaret uit. Ze had al besloten dat ze niet terug zou gaan naar boven, naar het diner. Ze kreeg een speciale blik als ze tegendraads werd, een beetje zoals Lucy elke keer dat ze een boek opensloeg. Bryn had haar lippen op elkaar geperst en onder een van haar ogen trilde een spiertje, alsof ze een bom was die elk moment kon ontploffen.

'Je gaat het verpesten, hè?' zei Charlotte. 'We zijn allemaal speciaal hierheen gekomen. Teddy is een geweldige vent die gek op je is. Dit is je kans om een toekomst op te bouwen met een aardige, normale man.'

Bryn lachte. Ze knipte haar handtas open. Charlotte dacht dat ze nog een sigaret ging pakken, maar ze haalde een nagelschaartje tevoorschijn.

Toen Bryn haar geheime leven had geleid, had ze in een appartement in Manhattan gewoond, vlak bij 9th Avenue. Het was geen fantastische buurt, maar dat kon haar niets schelen. Ze ging niet meer naar het Barnard College en had alle contact met haar familie verbroken. Ze kende niemand die ongetrouwd met een man samenleefde. Omdat ze zich ongemakkelijk voelde bij de situatie was de man van wie ze hield met haar getrouwd, op het stadhuis, ook al geloofde hij niet in de wetten en regels van de maatschappij. Hij was een socialist en een vrijdenker, maar hij deed het voor haar. Hij zou alles voor haar gedaan hebben; hij klaagde nooit en zei nooit dat ze een verwende, domme nietsnut was. Bryn was zelfs niet met hem naar bed geweest voor de eerste huwelijksnacht. Het was vreemd om hem te horen zeggen dat hij kon wachten, terwijl hij al minstens honderd vrouwen had gehad, maar hij zei dat zij het waard was.

Ze was opgespoord door een privédetective. Toen Bryns vader en hij de voordeur van het appartement openbraken en naar binnen liepen, hoorden ze haar zingen. Ze gingen op het geluid af. Beide mannen waren pragmatisch en bedachtzaam, en ze hadden het gevoel dat ze onverwachts in een droom waren beland. Bryn had een mooie stem, droevig, een beetje zoals Patti Page. Haar stem galmde alsof ze in een put was gevallen, maar in werkelijkheid werd het geluid weerkaatst door de zwarte en witte tegels. Ze zat in bad, in stomend heet water. Toen ze haar vader en de detective zag, was ze opgestaan zonder haar naaktheid te bedekken. 'Nee!' had ze geroepen. 'Ga weg!'

Terwijl ze de spelden uit haar haar trok en het langs haar rug naar beneden liet vallen, dacht Bryn terug aan dat moment. Ze handelde zo snel dat Charlotte in eerste instantie niet eens doorhad wat haar zus ging doen. Later leek het Charlotte alsof er iemand in haar aanwezigheid zelfmoord had gepleegd, alsof Bryn daar had gestaan en de trekker had overgehaald zonder dat zij tijd had gehad om te reageren. Charlotte bleef geschokt zitten toen Bryn woeste happen uit haar haar knipte. Ze hield het met één hand vast en trok het opzij alsof het een slang of een touw was. Met een paar snelle bewegingen knipte ze het daar in de toiletruimte finaal af.

'Jezus, Bryn.' Charlotte rende eindelijk op haar af, maar Bryn ging gewoon door en knipte haar haar steeds korter, totdat de vloer bezaaid lag met lokken. Charlotte week achteruit. Ze was niet van plan met Bryn om de schaar te gaan vechten. Ze wist hoe koppig haar zus was. 'Ben je nu tevreden?' vroeg Charlotte toen Bryn eindelijk ophield. Haar blauwe jurk zat onder de lange lichtblonde haren. Bryn zweeg; ze was uitgeraasd. Het vreemde was dat ze nu nog mooier was.

'Als je er op je bruiloft graag zo uit wilt zien, moet je het zelf weten. Ik ga naar boven om verder te eten,' zei Charlotte. 'Je bent zelf je ergste vijand, meid. Niemand zal medelijden met je hebben.'

'Je moet medelijden hebben met Teddy,' zei Bryn. 'Het is niet eerlijk dat ik met hem ga trouwen, en dat weten jullie best. Ik ben immers al getrouwd.'

De man met wie ze vier jaar eerder was getrouwd, toen ze pas negentien was, was Michael Macklin. Hij had een gelofte afgelegd waarvan hij nooit had gedacht dat hij die zou uitspreken en al helemaal niet dat hij er ook nog in zou geloven. Nu zat hij met een borrel aan de bar van het Lion Park Hotel. Hij had er ook gegeten, een niet erg smakelijke stoofschotel en een salade. Hij hoopte het kleine meisje weer te zien, want hij wist dat dat hem de meeste kansen bood.

Lucy was niet uitgenodigd voor het familiediner, dat alleen voor volwassenen was. Ze had die stomme overeenkomst getekend die Charlotte haar onder de neus had geschoven, alleen om van het gezeur af te zijn. Iedereen die Lucy een beetje kende, wist dat ze geen type was om zich in de nesten te werken, sterker nog, ze was in slaap gevallen terwijl ze een stadsgids van Londen aan het lezen was. Ze droomde over de raven in de Tower. Ze droomde dat er sneeuw lag in Hyde Park en dat het er wemelde van de reusachtige, witte konijnen, zo groot als honden. Ze kwamen als je ze riep, maar je moest het wel vriendelijk doen. O konijn, ik smeek je, moest je zeggen.

Ik zal je een geheim vertellen, zei een van de konijnen tegen Lucy. Het is allemaal huichelarij.

Toen Lucy wakker werd, wist ze niet waar ze was. Ze moest naar buiten kijken, naar de lichten van de langsrijdende auto's op Brompton Road, voordat ze het zich herinnerde. Ze was opgelucht dat ze niet op het etentje met de volwassenen was, maar ze wilde dat ze het dagboek van Anne Frank niet had uitgeleend. Toen haar maag begon te knorren besefte ze dat ze nog niets had gegeten, en om negen uur ging ze uitgehongerd naar beneden, naar het restaurant.

'Hallo,' riep ze toen ze Michael zag, die aan zijn tweede drankje zat.

'Neem geen runderstoofpot,' riep hij terug. 'Ik kan hem niet aanbevelen.'

Lucy bestelde macaroni met kaas en als toetje een stuk appeltaart.

'O, en thee,' zei ze tegen de kelner. In de korte tijd dat ze in Engeland was, was ze een echte theeleut geworden. Eigenlijk voelde ze zich al een heel ander mens dan het meisje dat haar vriendinnetjes thuis kenden. Waarschijnlijk zag ze er een stuk volwassener uit en klonk ze een beetje als Katharine Hepburn.

Michael kwam naar haar tafeltje en ging tegenover haar zitten. Hij had een zwart pak met een blauw overhemd aan. Hij had stijl.

'Ik ben in het boek begonnen,' zei hij. 'Anne Frank was moedig. Ik snap waarom je haar bewondert. Dat kom je in deze wereld niet vaak tegen.'

'In deze wereld is het vooral een puinzooi.' Lucy keek op om te zien of hij deze keer geschokt was door haar taalgebruik. Dat was hij niet.

'Ik wil graag dat je iets voor me doet,' zei Michael. 'Of eigenlijk voor de liefde.'

Lucy staarde hem aan. 'Ik ben niet gek,' zei ze. Haar eten was gebracht en ze nam een hap. 'U wilt mij gebruiken om voor uzelf iets gedaan te krijgen. Toch? Anders zou u waarschijnlijk niet eens met me praten.'

Michael Macklin glimlachte. 'Je bent een heel slim meisje.'

'Precies wat iemand zou zeggen als hij een ander probeerde over te halen om het vuile werk op te knappen. Moet ik iemand doodschieten en zeggen dat het pistool per ongeluk is afgegaan?'

Michael haalde een envelop uit zijn zak. 'Deze brief moet bezorgd worden. Heel eenvoudig. Meer hoef je niet te doen.'

'Wist u dat er in dit hotel een konijn woont? Ze heet Millie en ze is kolossaal. Ik heb nog nooit zo'n groot konijn gezien.'

'Wist je dat de Fransen graag konijn eten?'

Lucy legde haar vork neer.

'En trouwens,' vervolgde hij, 'ik zou toch wel met je gepraat hebben. Jij bent de enige hier die interessant is.'

Michael Macklin was de knapste man die Lucy ooit in haar leven zou ontmoeten. Overigens vond ze niet dat het daarom ging als je een echtgenoot zocht. Het ging om iemands karakter. Maar op dat moment zat ze tegenover hem en was ze diep onder de indruk. Ze besefte dat Michael Macklin meer dan alleen knap was. Als ze in zijn ogen keek, zag ze iets wat ze niet vaak zag. In tegenstelling tot andere volwassenen leek hij oprecht.

'Ga verder,' zei ze.

'Ach, dat arme konijn. Ze noemen het *le lapin* en stoven het met uien en wijn.'

Ondanks de akelige details moest Lucy lachen. 'Niet over het konijn.'

'Het is echt een kwestie van liefde. Ik wil dat je deze brief naar Bryn brengt, de zus van je stiefmoeder.'

'De aanstaande bruid?'

'Ze kan niet verloofd zijn. Ze is al getrouwd.' Michael boog zich naar voren en Lucy ook. 'Met mij.'

'Waarom zou ik dat doen?' Lucy kreeg een wee gevoel in haar maag en vermoedde dat ze iets te jong was voor dit gesprek. Ze wist al dat het moeilijk was nee tegen Michael te zeggen. Toch wilde ze graag zijn argumentatie horen. Die was eenvoudig en doeltreffend.

'Omdat je diep in je hart ergens in gelooft,' zei Michael Macklin. 'Net als ik.'

Om elf uur zat Lucy achter de receptie en voerde Millie een wortel, die ze had gekregen van de kok van het hotel. De kok was verliefd op Dorey, de nachtreceptioniste. Lucy vond het fijn, zo 's avonds laat in een hotel. Ze hield de boel in de gaten terwijl Dorey en de kok samen buiten een sigaretje rookten, tenminste, dat hadden ze gezegd. Lucy zag dat Dorey gelijk had. Het konijn vond behang net zo lekker als worteltjes.

'Dat is niet goed voor je,' zei Lucy, maar het konijn luisterde niet.

Na een tijdje sprong het dier bij Lucy op schoot en viel in slaap. Het beefde; kennelijk had het een konijnennachtmerrie.

'Bedankt voor het oppassen,' zei Dorey toen ze terugkwam. Haar haar zat in de war en haar mond zag er gezwollen uit, maar ze was vrolijk en praatte tegen Lucy alsof ze vriendinnen waren.

'Ben je verliefd op de kok?' vroeg Lucy.

'Natuurlijk niet,' zei Dorey. 'Pas als ik een ring aan mijn vinger heb, noem ik het liefde. Met een diamant. En niet zo'n petieterig dingetje.' Dorey pakte een doos chocolaatjes en gaf Lucy er ook een. 'Ik zie dat Millie je graag mag. Ze heeft mensenkennis.'

Lucy ging naar boven en maakte zich klaar om naar bed te

gaan. Haar vader zou nooit te weten komen dat ze zo laat nog rondliep in het hotel. Hij hoefde ook niet te weten dat Michael Macklin haar om hulp had gevraagd. Ze legde de brief in de la van het bureau. Eenmaal in slaap droomde ze van konijnen. Het was een terugkerende droom geworden, waar ze zich bijna op verheugde. Ze was in het park en kwam bij een meer. Ze overwoog erin te springen en naar de overkant te zwemmen, maar toen besefte ze dat het meer een spiegel was, die bij de eerste aanraking zou breken. Ze stond aan de rand en twijfelde of het veilig zou zijn naar de overkant te gaan. Ze zag dat de konijnen alleen schaduwen waren, geen dieren van vlees en bloed. Het waren zwarte silhouetten die uit roet bestonden. Lucy's moeder stond in het meer, zoals ze dat had gedaan op de dag dat ze samen de reiger hadden gezien. Ze zag er zo echt uit dat Lucy naar haar toe probeerde te rennen, maar overal om haar heen was water, te diep om doorheen te waden.

De volgende dag, bij de bruidsmodezaak, gaf ze Bryn de brief. Ze was door Charlotte op sleeptouw genomen, want die leek haar geen minuut alleen met haar vader te gunnen. Maar deze keer kwam het Lucy goed uit. Charlotte en de andere zus, Hillary, stonden bij de spiegels te klagen, zoals gewoonlijk, terwijl de kleermaker hun zoom afspeldde. Ze merkten niet dat Lucy wegglipte. Bryn zat in haar onderjurk in de kleedkamer een sigaret te roken. Ze keek op en zag Lucy naar haar kijken.

'Wat is er?' vroeg ze. 'Mijn haar?' Ze haalde een hand door haar lichtblonde plukjes. 'Ben ik lelijk?'

'Het haar van Anne Frank werd ook helemaal afgeknipt,' zei Lucy. 'Maar dat was niet haar eigen keuze.'

'Wie heeft er in deze wereld iets te kiezen?'

Lucy ging op het bankje zitten, naast Bryn, die ze erg apart en mysterieus vond.

'Kort haar zou jou goed staan,' zei Bryn tegen haar. 'Een jongenskopje. Zo zou je het moeten laten knippen. Charlotte zal het ongetwijfeld vreselijk vinden.'

Lucy hield niet van haar lange donkere haar. Er kwamen klitten in en ze kreeg het er warm van. Het idee van een jongenskopje stond haar wel aan. En Bryn stond haar aan, omdat ze zo anders was dan iedereen die Lucy ooit had gekend, zo wispelturig, egocentrisch en mooi.

'Ben je verliefd?' vroeg Lucy.

'Je wordt wel snel persoonlijk, hè?' Bryn nam een trekje van haar sigaret. 'Ja, maar op de verkeerde man. En jij?'

'Ik geloof er niet in. Ik ga nooit trouwen.'

Bryn lag bijna dubbel van het lachen.

'Ik ben blij dat je me grappig vindt,' zei Lucy.

'Je bent slim,' zei Bryn. 'Slimmer dan al mijn familieleden. Die allemaal de klere kunnen krijgen,' voegde ze eraan toe. 'Ze denken dat ze alles beter weten.'

Lucy ging wat meer rechtop zitten. Ze was niet gewend dat volwassenen ordinaire taal uitsloegen. 'Ik begrijp het,' zei ze, voornamelijk omdat ze niet wist wat ze anders moest zeggen. Opeens miste ze haar moeder, zonder dat ze wist waarom. Ze vroeg zich af wat haar moeder van Bryn zou hebben gevonden. Bryn was blijkbaar helderziend of zo, want ze merkte dat Lucy verdrietig was. Ze pakte Lucy's hand en hield die vast. Zo zaten ze daar een tijdje, zonder iets te zeggen, samen verdrietig te zijn. Ze hoorden Charlotte en Hillary tegen de kleermaker praten. Hun jurken voor de bruiloft waren van lichte perzikkleurige zijde. Lucy vond het een foeilelijke kleur.

'Hij wilde dat ik je een brief gaf,' zei Lucy zachtjes. 'Ik weet niet of ik het moet doen, ik weet niet eens of je het wel wilt...'

Voordat ze haar zin kon afmaken, kneep Bryn zo hard in Lucy's hand dat die wit werd. Het voelde of haar botjes werden verbrijzeld.

'Geef hier,' zei Bryn.

Lucy stak haar hand in haar zak en haalde de envelop tevoorschijn.

Bryn liet haar los. Ze schoof de brief in haar tasje. 'Heb je hem gelezen?'

'Natuurlijk niet. Wie denk je dat ik ben? Charlotte?' Lucy wreef over haar hand. Die deed nog steeds pijn. 'Je had me niet zo hard hoeven knijpen.'

'Als je Charlotte was, zou je niet eens in de liefde geloven. Ik zal je laten voelen wat liefde is.' Bryn greep Lucy's hand weer en legde die op haar borst. Bryns huid was warm en Lucy voelde haar hart bonzen. Haar eigen bloed werd naar haar hoofd gestuwd. Alles leek intens, snel en onstuimig. 'Nu weet je het.' Bryn duwde Lucy's hand weg. 'Niet vergeten.'

Michael Macklin had slechte dingen gedaan, dat was waar. En hij deed ze nog steeds, want hij gebruikte een kind om zijn brief bij Bryn te krijgen. Om toegang tot haar te krijgen had hij Lucy opgespoord en zijn kamer geruild voor de kamer tegenover de hare. Zo was Michael nu eenmaal. Hij had over alles in zijn leven gelogen en was niet van plan daarmee op te houden nu het erop aankwam. Hij had zo vaak en zo goed gelogen dat hij soms zelf niet meer precies wist wat de waarheid over zijn eigen leven was. Hoewel die heel eenvoudig was: hij was in Manhattan geboren als kind van ouders die het goed bedoelden maar weinig deden. Op zijn veertiende was hij gaan werken en daarna was hij in het leger gegaan en als soldaat in Frankrijk terechtgekomen, waar hij niet alleen de taal had geleerd, maar ook had ontdekt hoe hij kon krijgen wat hij wilde. In Frankrijk had hij zijn leven geriskeerd en het had hem niets gedaan. Hij kende jongens die zeiden dat alleen wie niets te verliezen had niet bang was voor de dood, en vermoedelijk hadden ze gelijk. Tijdens de gevechten had hij het gevoel gehad dat hij leefde. Als hij op de vlucht was, dacht hij dat hij iets had om naartoe te vluchten. Hij hield van gevaar, van de geur ervan. Hij hield van het gevoel dat het bloed warm door zijn aderen stroomde.

Michael was een dief, maar hij stal nooit van de armen. Als jongen had hij *Robin Hood* met Errol Flynn gezien, dus hij wist dat hij moest zoeken naar mensen die het zich konden permitteren geld kwijt te raken, mensen die het niet eens zouden missen. In veel opzichten leek Michael op een hond: hij kon gevaar ruiken en rijkdom ook, hij kon zijn prooi besluipen en achtervolgen. Hij leefde in het moment, in het hier en nu. Hij was door het leven gegaan zonder zich veel af te vragen. Alleen met zwerfhonden voelde hij zich verbonden, of hij ze nu zag in verlaten dorpjes in Frankrijk of aan de kades van New York. Het was een eigenaardige, intuïtieve verbondenheid, alsof je in een spiegel keek en jezelf herkende, ook al zag je er anders uit dan je je had voorgesteld, met een vacht, vervaarlijke kaken en een waakzame blik.

Na de oorlog was hij teruggegaan naar New York en daar interesseerde het niemand of hij een held of een dief was. Niemand kende hem. Soms liep hij 10th Avenue uit en ging in het donker zitten wachten op een van die honden, omdat hij verlangde naar een wezen dat hem begreep. Gek dat hij dat gevoel bij Lucy ook had, een meisje van twaalf dat onmogelijk kon begrijpen wat hij had meegemaakt. En toch leek ze hem te doorzien. Ze zag het innerlijk van mensen, en dat was zowel een zegen als een vloek.

Michael was Bryn onverwachts tegengekomen. Hij liep door 14th Street, zij liep voor hem en hij was haar onwillekeurig gevolgd. Hij had een rare gedachte gekregen, de raarste die hij ooit had gehad. Hij verbeeldde zich dat hij een engel op aarde had gevonden en dat hij haar moest beschermen tegen mensen als hijzelf. Zou ook maar iemand uit zijn vroegere leven geloven dat hij verliefd was geworden? Waarschijnlijk niet. Hij was een profiteur die alleen maar aan zichzelf dacht, dat wist iedereen die hem kende. Niemand zou ooit hebben geloofd dat hij al zijn geld had uitgegeven om Bryn het hof te maken, dat hij met seks had gewacht tot ze getrouwd waren of dat hij het meende toen hij zei dat het voor altijd was.

Toen hij op die heel gewone dag door 14th Street had gelopen, was er iets met hem gebeurd. Het leek of hij op celniveau was veranderd. Opeens kon hij dingen voelen, en hij begreep waarom hij dat zo lang niet had gekund. Het was goed om een hond te zijn in deze wereld. Om in beweging te blijven en een neus voor problemen te hebben. Zo had hij ook weer moeten worden toen Bryn hem was afgenomen. Hij had zijn verlies moeten nemen en moeten vergeten dat hij verliefd was geweest. In plaats daarvan zat hij nu hier, in het Lion Park Hotel in Londen, nadat hij Bryn eerst was gevolgd naar Amsterdam en daarna naar Parijs. Hij zat te wachten tot hij werd gered door een meisje van twaalf. En ze stelde hem niet teleur. Lucy klopte op zijn deur en schoof er een envelop onderdoor.

'Ik doe dit niet nog een keer,' hoorde hij haar zeggen terwijl hij zich op zijn hurken liet zakken om de brief te pakken. Hij nam niet eens de moeite de deur open te doen en het kind te bedanken. Gretig las hij de brief van Bryn, zo snel dat hij hier en daar een woord over het hoofd zag. Daarom las hij hem nog eens en nog eens. In zijn gekreukte kleren en nog net niet dronken had hij zitten wachten, bijna van plan om het op te geven. Nu nam hij een douche, ontnuchterde een beetje en trok een schoon overhemd aan. Lucy was zijn engel. Hij had hulp nodig gehad en zij had hem die gegeven. Hij had iemand nodig gehad die hem vertrouwde, en dat had zij gedaan.

Hij ging aan het bureau zitten en begon te schrijven. Hoewel hij het niet had verwacht, bleek het mogelijk te zijn je ziel in woorden te vangen. Hij schreef alle slechte dingen op die hij had gedaan. Hij wilde gekend worden. Het was een behoefte als dorst of honger, misschien zelfs sterker. Hij dacht aan de honden in New York en dat hij het idee had gehad dat hij ze kende, maar hij had zichzelf voor de gek gehouden. Hij had niemand gekend, zichzelf al helemaal niet.

Het grootste deel van de nacht zat hij te schrijven aan de brief, en de volgende ochtend was hij al in het restaurant toen Lucy en haar familie naar beneden kwamen voor het ontbijt. Op dit moment had hij gewacht, daarom was hij niet gaan slapen.

Lucy keek naar hem en wendde haar blik toen snel af. Haar vader en Charlotte zouden vandaag met haar naar de Tower gaan, hoewel Charlotte het eigenlijk zonde van de tijd vond en bang was dat het er vreselijk druk zou zijn. Maar Lucy's vader wilde per se één dag als gewone toeristen doorbrengen, omdat Lucy nog niet veel meer dan de binnenkant van een hotelkamer had gezien.

Ze gingen zitten en bestelden spiegeleieren, gebakken tomaten en koffie. Lucy wilde thee met toast. Ze begon marmelade lekker te vinden.

'Dat is niet voedzaam,' zei Charlotte. 'Je moet uit de schijf van vijf eten.'

'Chocola, pizza, cornflakes, priklimonade en wentelteefjes,' zeiden Ben en Lucy in koor.

Lucy grijnsde. Dat was een privégrapje van hun tweeën, van voor de tijd dat Charlotte in beeld was gekomen. Een lijst van wat ze het lekkerst vonden.

'Zit die man naar ons te kijken?' vroeg Charlotte.

Ze keken alle drie naar het tafeltje bij het raam. Michael Macklin roerde in zijn koffie. Hij was echt knap. Hij legde zijn lepeltje neer en groette Lucy. Opnieuw wendde ze haar blik af.

'Ken je hem?' vroeg Charlotte.

'Zo zou ik het niet willen noemen,' zei Lucy ontwijkend. 'Ik heb hem *Het achterhuis* van Anne Frank geleend.'

'Dat gedoe met Anne Frank is niet normaal,' zei Charlotte tegen Ben. 'Het is een obsessie.'

Lucy keek haar aan. 'Denk je dat bijna iedereen een hekel aan je heeft?' vroeg ze. 'Of alleen mensen met hersens?'

'Lucy,' zei haar vader. 'Zo mag je niet praten!'

'Zeg dat maar tegen haar,' antwoordde Lucy. 'Ik wil niet dat ze commentaar op me zit te leveren waar ik bij zit. Ik ben geen meubelstuk.'

'Zo heb ik het niet bedoeld,' zei Charlotte. 'Je vat het veel te persoonlijk op. Ik bedoelde alleen dat er vrolijker dingen zijn om aan te denken dan Anne Frank.'

'Hallo.' Michael Macklin was naar hun tafeltje gekomen. Hij zag eruit als een filmster, als iemand op wie Katharine Hepburn verliefd kon worden, waarna ze hem kwijt zou raken en weer terug moest zien te krijgen. 'Aangenaam kennis te maken.' Hij schudde de hand van Lucy's vader. 'U hebt een razend slimme dochter, dat kan ik u wel vertellen. Ze heeft een goed stel hersens.' Hij haalde het dagboek van Anne Frank uit de zak van zijn jasje. 'Ik heb er veel van geleerd,' zei hij tegen Lucy. 'Bedankt dat ik het van je mocht lenen. Dankzij jou ben ik een ander mens geworden.'

Lucy pakte het boek aan en legde het op haar schoot. Er was zoveel onrecht in de wereld dat ze het nauwelijks kon verdragen. Was het mogelijk dat er echt zoiets als liefde bestond?

'Nou, een fijne dag nog in Londen,' zei Michael Macklin.

'U bent een New Yorker, hè?' vroeg Ben Green.

'We zijn toch allemaal New Yorkers?' Michael schudde Lucy's vader opnieuw de hand.

Charlotte wilde met alle geweld dat de taxi op weg naar de Tower een omweg langs Buckingham Palace maakte. Sinds februari was Elizabeth koningin, nadat ze onverhoeds uit Kenia naar huis was geroepen toen haar vader overleed.

'Daar is het,' zei Charlotte.

Lucy bladerde door het dagboek van Anne Frank terwijl ze met een half oog naar de mannen keek die achter het hek op wacht stonden. Ze zouden het wel vreselijk warm hebben. In het midden van het boek voelde ze de rand van een envelop. Meteen sloeg haar hart op hol. Ze legde haar hand op haar borst. Ze had niet eens geloofd dat ze een hart had, maar nu voelde ze het bonken. Michael Macklin was echt doortrapt. Gedurende de hele rondleiding door de Tower was Lucy zich bewust van de brief in haar zak. Die leek zwaarder te zijn dan mogelijk was voor een paar velletjes papier. Er werd uitgebreid verteld over onthoofdingen en echtgenotes die werden opgesloten. Zonder dat ze wist waarom, moest Lucy bijna huilen toen zij drieën met de andere toeristen meeliepen om naar de kroonjuwelen te gaan kijken, die achter glas lagen. Haar moeder had van kunst gehouden en had Lucy vaak meegenomen naar het Metropolitan Museum. Ze miste haar moeder, haar vader en zichzelf zoals ze vroeger waren geweest. Ze miste alles uit die tijd.

In de taxi op weg naar het hotel zei Lucy dat ze haar bril bij Bryn had laten liggen. Die werd ze geacht te dragen omdat ze bijziend was, maar ze zette hem nooit op. De taxi stopte voor de woning van Teddy Healy, want daar logeerde Bryn terwijl Teddy bij zijn broer bivakkeerde tot ze gingen trouwen.

'Ik zal opschieten,' zei Lucy. 'Ik ben zo terug.'

'We kunnen hier niet de hele dag blijven staan,' riep Charlotte haar na.

Lucy ging het flatgebouw in en liep naar de eerste verdieping. Pas toen ze op de deur bonkte, kwam Bryn opendoen.

'Waar is hij?' Bryn was in ochtendjas, ook al was de middag al half voorbij.

Lucy gaf haar de brief. Als ze straks vroegen waar haar bril was, zou ze moeten zeggen dat ze zich had vergist. In werkelijkheid lag hij in haar kamer in het Lion Park Hotel, op het bureau.

'Ik moet hem terugschrijven,' zei Bryn.

'Ben je gek geworden? Ze wachten beneden op me in de taxi.'

'Goed dan,' zei Bryn. 'Zeg maar tegen hem dat ik op hem wacht in de Apostelkerk aan Westbourne Grove. Alles is geregeld voor morgenochtend tien uur. Zul je het niet vergeten?' Lucy beloofde van niet. Bryn boog zich voorover en gaf Lucy een kus, pal op haar mond. 'Jij moet mijn getuige zijn. Wil je dat?'

Lucy knikte.

'Ga dan maar snel! Voordat ze je komen zoeken.'

Toen Lucy weer in de taxi stapte, vroegen ze niet eens naar haar bril. Het leek of ze ruzie hadden.

'Hoe was Bryn?' vroeg Charlotte later, op weg naar het hotel. 'Normaal?'

Lucy had de neiging hardop te lachen. Ze keek zijdelings

naar Charlotte. Het kon haar geen lor schelen wat haar stiefmoeder dacht.

'Volkomen normaal,' zei ze.

Die avond schoof Lucy een boodschap onder Michaels deur door. De volgende ochtend glipte ze vroeg weg, terwijl haar vader en Charlotte nog sliepen, en liet een briefje voor hen achter dat ze een afspraak had met een paar Engelsen die ze had ontmoet en die haar de stad zouden laten zien en haar misschien zouden meenemen naar de dierentuin. Ze wist dat ze niet alleen weg mocht gaan, maar ze zou snel weer terug zijn en niemand zou ooit hoeven te weten waar ze werkelijk was geweest. Michael en zij ontmoetten elkaar op de hoek en namen een taxi naar Westbourne Grove, waar ze precies een uur te vroeg aankwamen. Het was een oude kerk, van rode baksteen en met een mooie torenspits. Er waren glas-in-loodramen en heiligenbeelden.

'Ik denk dat dit een katholieke kerk is,' zei Lucy.

'Slim als altijd. Weet je zeker dat je pas twaalf bent en geen veertig? Ze had toch tien uur gezegd, hè?'

Michael was zenuwachtig. Hij rookte drie sigaretten achter elkaar en ijsbeerde heen en weer.

'Tien uur,' zei Lucy geruststellend. 'Maakt u zich geen zorgen. Het komt vast allemaal goed.' Het was niets voor Lucy om iemand moed in te spreken, maar ze voelde zich verplicht hem te kalmeren.

'O, ja, natuurlijk. Zoals alles altijd goed komt. Is alles goed gekomen voor de Joden in nazi-Duitsland?'

'Ze komt heus wel,' zei Lucy.

'Verwacht niets en wees dankbaar voor alles, dat heeft mijn moeder me geleerd,' zei Michael.

'Mijn moeder zei dat ze bang was om dood te gaan.' Dat had Lucy nog nooit aan iemand verteld. Ze kreeg kippenvel als ze terugdacht aan die keer dat ze bij haar moeder in haar verduisterde kamer zat, toen het bijna afgelopen was. Meestal was dat moment afgeschermd in haar gedachten.

'Zo te horen was jouw moeder een van de weinige eerlijke mensen ter wereld.' Michael drukte zijn sigaret uit en stak een nieuwe op. 'Daar zul je het wel van hebben. Een gave die je aan haar te danken hebt. Je eerlijkheid.'

Maar Lucy was niet eerlijk. Niet echt. Toen haar moeder dat had gezegd, had Lucy snel geantwoord: 'Je gaat niet dood.' Terwijl het duidelijk was dat ze wel doodging. Lucy kon het niet opbrengen dat aan Michael te vertellen. Ze wilde niet dat hij een hekel aan haar zou krijgen omdat ze zo'n lafaard was.

'Ik ben niet zo eerlijk,' zei ze met moeite. 'Ik heb mijn vader verteld dat ik vandaag naar de dierentuin ging met een paar mensen die ik in het park heb ontmoet, zodat hij er niet achter komt dat ik hier ben.'

'Dat is geen leugen, dat is een smoesje. Je bent eerlijk over de belangrijke dingen, Lucy.'

Lucy glimlachte. Geen wonder dat ze verliefd op hem is, dacht ze.

Iets voor tienen kwam Bryn aan. Ze stapte uit de taxi en kuste Michael op een manier die Lucy haar hoofd deed afwenden. Ze had het gevoel dat ze dit niet zou moeten zien. Sommige dingen waren bedoeld om privé te blijven.

'Mijn getuige,' zei Bryn toen ze Lucy zag.

Ze gingen de kerk in en Michael bleef staan om een kruisje te slaan nadat hij zijn vingers in het wijwatervat had gedoopt. De pastoor en een oude dame, de tweede getuige, stonden op hen te wachten en ze liepen meteen door naar het altaar. Er hing de geur van wierook. Lucy stond naast het paar, en hoewel ze de liturgie niet begreep en die verrassend lang duurde, snapte ze het wel toen de pastoor zei dat ze getrouwd waren in de ogen van God en de mens. Vol passie kusten Michael en Bryn elkaar weer, en toen moesten ze afscheid van elkaar nemen. Michael ging kaartjes voor de trein en de boot naar Parijs kopen en Lucy ging met Bryn mee om haar te helpen pakken. Bryn gooide haar kleren op het bed en Lucy vouwde ze op. Toen ze klaar waren, deed Bryn de diamanten ring af die Teddy voor haar had gekocht en gaf die aan Lucy. 'Voor jou. Hou maar.'

Lucy hield de ring op in het licht. De steen leek wel een enorm ijskristal. Hij was heel mooi. Ze borg de ring weg in haar tasje, terwijl Bryn een laatste brief aan Michael schreef. Ze geloofde in liefdesbrieven, in romantiek en in lotsbestemming. Ze wilde hem laten weten hoeveel ze van hem hield. Ze zou hem in het hotel ophalen en dan zouden ze naar een plaats ver weg gaan, en deze keer zou niemand hen vinden. Terwijl Bryn zat te schrijven, mocht Lucy uit een mooi doosje van Harrods zoveel chocolaatjes eten als ze wilde. Er waren bonbons met karamel en andere met frambozencrème of melkchocolade met een gembervulling waar haar mond zich van samentrok. Daarna dronk Lucy priklimonade. Limonade en chocolaatjes: twee van de vijf favoriete voedingsmiddelen van haar vader en haar.

'Wens me maar geluk,' zei Bryn toen Lucy wegging; ze zou door het park teruglopen naar het Lion Park Hotel.

Lucy had niet het hart om haar te vertellen dat ze niet in geluk geloofde.

Het was een warme, winderige dag en in het park rook het fris en zoet, een geur die haar deed denken aan de chocolaatjes van Harrods. Lucy liep langs The Serpentine en keek urenlang naar de gezinnen in de bootjes. Ze vond het prettig dat niemand haar kende. Niemand wist dat ze een diamant in haar tasje had. Niemand wist hoe ze heette. Ze nam aan dat mensen inderdaad een nieuw leven konden beginnen. Ze liet de gedachte aan haar moeder toe. Nu ze Michael over haar had verteld, was het minder pijnlijk om aan haar terug te denken. Op hun volmaakte dag samen had haar moeder iets tegen de blauwe reiger gezegd. Ze was naar hem toe gelopen, zodat het water tot haar knieën kwam. De reiger leek naar haar te luisteren en daarna was hij weggevlogen. Lucy en haar moeder hadden hem allebei nagezwaaid. Ze waren op en neer gesprongen en hadden geroepen, en toen hadden ze hem tussen de bomen zien verdwijnen. Lucy's moeder was de vijver uit gekomen. Ze liep op blote voeten en de zoom van haar jurk was doorweekt. 'Ik heb tegen hem gezegd dat hij over je moet waken,' had ze Lucy verteld. Dat was de laatste mooie dag van Lucy's leven geweest.

Lucy pakte de verlovingsring en schoof hem om haar vinger. Als ze die jonge Engelse vrouwen weer tegenkwam, zou ze hun vertellen dat de ring van Katharine Hepburn was geweest. Clark Gable had met haar willen trouwen, maar ze had hem vierkant afgewezen en Lucy de ring gegeven.

Toen Lucy terugkwam in het Lion Park was het al na etenstijd. Het hele hotel was in rep en roer omdat Millie, het konijn, was losgebroken. Alle kamermeisjes en piccolo's waren naar haar op zoek. Ze had een spoor van keuteltjes achtergelaten en tot overmaat van ramp overal het behang van de muren getrokken. Bovendien had ze de telefoondraden kapotgebeten, zodat de hele zesde en zevende verdieping zonder verbinding zaten. Nu was er ook nog iets misgegaan met de lift; god mocht weten wat het konijn daar had doorgeknaagd. De gasten kregen het advies de trap te nemen.

'Een goede daad blijft nooit ongestraft,' verzuchtte Dorey. Ze was op het matje geroepen en haar baan stond op het spel. Meestal zag Lucy haar in de grijze pullover en witte blouse van haar uniform, maar nu droeg ze een bloemetjesjurk en hoge hakken, en haar lippen waren felrood gestift. Ze had op het punt gestaan uit te gaan toen ze het bericht over het konijn had gekregen. De kok die verliefd op haar was, had gedreigd Millies kop af te hakken als hij haar vond. Zwaaiend met een hakmes liep hij in zijn nette pak door het hotel.

'Bewaar een pootje voor mij,' riep Dorey hem na. 'Dat brengt geluk.'

Lucy liep de trap op. Ze had besloten de treden te tellen en was bij eenentachtig toen ze Charlotte tegenkwam.

'Ha, daar ben je,' zei Charlotte. 'Was het leuk in de dierentuin?'

'Het was énig,' zei Lucy. Dat woord hadden de Engelse vrouwen in het park om de haverklap gebruikt. Lucy was van plan het vaak te gaan zeggen als ze weer thuis was. 'Er waren drieëntwintig kamelen en een ervan was een albino.'

'Je liegt dat je barst,' zei Charlotte. 'Je kunt je vader misschien voor de gek houden, maar ik kijk dwars door je heen. Waar heb je al die tijd gezeten?'

Charlotte had misschien nog meer willen zeggen, maar opeens staarde ze naar Lucy's handen. Lucy verstopte ze vlug achter haar rug. Ze was vergeten de ring af te doen.

'Waar heb je die vandaan? O god! Je bent nog een dievegge ook!'

'Je weet er helemaal niks van,' gooide Lucy er verontwaardigd uit. 'Die heeft ze me gegeven.'

'Ze?'

Lucy klemde haar kaken op elkaar en wendde zich af om verder de trap op te lopen. Ze dacht aan het konijn dat zich ergens verborgen hield. Ze dacht dat ze misschien nog wel honderd treden moest beklimmen voor ze kon ontsnappen. Maar Charlotte greep haar vast. Ze trok Lucy aan haar arm naar zich toe.

'Heb je het over Bryn? Heb je die ring van haar gestolen?'

'Weet mijn vader dat je niet eens in de liefde gelooft?' vroeg Lucy. Ze had zich in het nauw gedreven moeten voelen, maar ze voelde zich vreemd genoeg juist erg machtig.

Charlotte rukte aan Lucy's hand en wrong de ring van haar vinger. 'Als je vader dit hoort, zul je eindelijk eens echt straf krijgen.'

Wat er daarna gebeurde was Lucy's schuld. Ze gaf Charlotte een duw en dat had ze nooit moeten doen. Charlotte greep zich aan Lucy vast om niet te vallen en daardoor dwarrelde de brief op de grond. Het was het soort moment dat te lang duurt, waarna de tijd ineens heel snel gaat en er niets meer teruggedraaid kan worden. Daar is het dan veel te laat voor.

Charlotte bukte en raapte de brief op. Ze herkende het handschrift van haar zus en de naam Michael Macklin. Ze staarde Lucy aan alsof ze haar nooit eerder echt had gezien.

'Geef terug, die is van mij,' zei Lucy.

Maar dat was niet zo en dat wisten ze allebei.

Charlotte scheurde de envelop open en las de brief.

'Die is van mij,' herhaalde Lucy, in de hoop hen allebei te overtuigen.

'Wat staat er dan in?'

Daar kon Lucy geen antwoord op geven.

'Als hij van jou is, vertel me dan wat erin staat, Lucy Green, lelijke leugenaarster! Toe dan!'

'Er staat in dat ik je haat,' antwoordde Lucy uiteindelijk.

Lucy rende naar boven en klopte op de deur van Michael, maar hij was er niet. Toen ze zich omdraaide, wist ze dat ze een vergissing had gemaakt. Ze had niet direct naar Michael moeten gaan. Charlotte was haar gevolgd.

'Dus hier logeert hij?' vroeg Charlotte. 'Het is de man die we bij het ontbijt hebben gezien, hè? Je hebt dit samen met hem bekokstoofd. Je hebt een dief en een misdadiger geholpen!'

Lucy had haar sleutel in haar hand. Ze maakte haar deur open, sloeg hem achter zich dicht en draaide hem op slot. Er was geen kijkgaatje, dus ze kon niet zien of Charlotte er nog stond. Maar daar kwam ze snel achter: haar stiefmoeder begon op de deur te bonken.

'Kom onmiddellijk naar buiten!' riep Charlotte. 'Denk niet dat je zomaar kunt weglopen!'

Lucy liet zich op de grond zakken, met haar rug tegen de muur. Nooit van haar leven zou ze die deur opendoen. Ze voelde haar hart bonzen en hoorde het bloed in haar oren kloppen. Ze zag iets aan de andere kant van de kamer, onder het bureau. Het kon een schaduw zijn, of een dolende ziel, een rat of de duivel zelf, maar het was Millie, het konijn van beneden. Lucy kroop in haar richting, schoof de stoel opzij en dook weg onder het bureau, bij Millie, die zich platdrukte tegen de muur. Dit was een veilige plek. Erg warm en enigszins onwelriekend, maar veilig.

Toen Charlotte eindelijk ophield met schreeuwen en bonken, werd het verrassend stil. Van onder het bureau kon je het verkeer nauwelijks horen. Lucy ging behaaglijk op haar zij liggen en deed haar ogen dicht. Ze luisterde naar kleine pufgeluidjes – de ademhaling van het konijn, of misschien was ze het zelf wel – en viel in slaap.

Ze droomde over die laatste dag met haar moeder. Eerst waren ze naar Saks gegaan, hun favoriete warenhuis, waar haar moeder een camel jas voor Lucy had gekocht. En toen, op het laatste moment, had haar moeder haar meegetroond naar een sieradenvitrine en in een opwelling ook nog een klein gouden horloge met een zwartleren bandje voor Lucy gekocht.

Het was oktober en Lucy had op school moeten zijn, maar haar moeder had gezegd dat ze de pot op konden. Ze zei dat sommige dagen te mooi waren om naar school te gaan en toen waren ze naar de stad gereden. Na het winkelen hadden ze geluncht in The Rainbow Room, hoog boven 5th Avenue. De wereld ver onder hen leek blauw en goud. Lucy bleef maar op haar horloge kijken en zeggen hoe laat het was, en daar moesten ze allebei om lachen.

'Deze dag mag voor mij eeuwig duren,' zei Lucy's moeder.

Ze bestelden garnalen en steak. Lucy nam een Shirley Temple-cocktail en haar moeder een martini zonder ijs, maar wel met vijf olijven. Ze gaf de olijven aan Lucy en vroeg er toen nog vijf.

In het echte leven waren ze naar Central Park gegaan, waar ze de blauwe reiger hadden gezien. Toen hij wegvloog ging Lucy's moeder huilend op de rotsen zitten. In het echte leven had Lucy's moeder kanker, was haar gezicht bleek en had ze een dikke jas aan hoewel het mooi weer was en haar jurk doornat raakte. Ze was zesendertig. Ze had Lucy aangekeken en gezegd: het spijt me. In het echte leven had Lucy haar nieuwe horloge afgedaan en in het water laten vallen. Ze wist dat ze het niet moest doen en dat ze er spijt van zou krijgen, maar ze wilde niet dat de tijd verder tikte.

Alles is onder of boven ons, zei Lucy's moeder.

In Lucy's droom begonnen er mensen te schreeuwen. Misschien omdat haar moeder in de droom dicht bij de rand van een brug stond. Onder haar stroomde een rivier, met een waterval en enorme rotsen. Mensen gilden toen Lucy's moeder van de brug af stapte. Lucy was in paniek; haar hart stond bijna stil – in haar droom en in het echte leven – maar toen zag ze dat haar moeder in de lucht zweefde. De reiger had op haar gewacht, en ze had de aarde helemaal niet nodig. Alles was onder of boven haar, precies zoals ze had gezegd. Lucy moest een hand boven haar ogen houden om naar boven te kunnen turen: alles was blauw en de zon was zo fel dat die pijn deed aan haar ogen.

Toen ze een trap van het konijn kreeg, werd Lucy wakker. Ze sloeg haar ogen open en hoorde geschreeuw in de gang. Ze keek op haar horloge. Het was kwart over tien. Om haar heen was het donker. Het konijn was weggehuppeld en zat sidderend onder het bed, geschrokken van het lawaai. Lucy ging naar de deur en opende die op een kiertje. Er stond een lange man in de gang. De deur naar Michaels kamer was open. De man liep, nog steeds schreeuwend, naar binnen. Hij was bedrogen, riep hij.

Lucy trok de deur verder open en glipte de gang in. Ze voelde zich wazig, alsof ze slaapwandelde. Het geschreeuw trok haar aan als een magneet. Nu hoorde ze ook een vrouw schreeuwen. Ze kende de stem. Ze begon rillingen te krijgen, zoals wanneer ze koorts had. Toen Lucy door de deuropening naar binnen keek, zag ze Bryn uit bed stappen. Michael was er ook; hij trok zijn kleren aan. Ze waren halfnaakt en leken heel ver weg. De andere man liep naar Michael toe, greep hem vast en gaf hem een klap in zijn gezicht. En nog een, en nog een.

Michael onderging het lijdzaam. 'Toe maar, als je je er beter door voelt,' zei hij. 'Ik verdien het.' Er kwam bloed uit zijn neus. Dat was absurd rood.

'Hou op!' riep Lucy, maar niemand luisterde naar haar. Ze was onzichtbaar. Ze keek naar een droom.

'Hoe kan ik je dit ooit vergeven?' vroeg de lange man aan Bryn.

'Dat kun je niet! Vergeef het me niet, Teddy. Ik wil helemaal niet dat je het me vergeeft. We hadden nooit iets met elkaar moeten beginnen, dus laat me alsjeblieft gaan.'

De man die Teddy heette, luisterde niet naar wat ze zei. Hij pakte Bryn vast en zei dat hij voor haar eigen bestwil met haar ging trouwen. Het leek alsof hij op het punt stond haar te slaan, maar het lukte Bryn zich los te rukken en langs hem heen te glippen. Toen sloeg Michael hem. Hij gaf de lange man een harde klap, maar terwijl hij het deed schudde hij zijn hoofd: hij zou het liever niet hebben gedaan, maar hij leek geen keus te hebben.

Bryn schoot als een schaduw langs Lucy. Ze rook naar hitte en seringen. In de kamer besefte Michael dat ze weg was. Hij had geen aandacht meer voor de andere man en ging achter Bryn aan. Lucy kon zijn hart bijna horen bonzen. Hij was nat van het zweet en er stroomde nog steeds bloed uit zijn neus, maar hij rende op blote voeten de gang uit.

De andere man, die Teddy werd genoemd, bleef waar hij was. Hij ging op het bed zitten en keek naar de grond. Ook zijn gezicht was bebloed. Hij leek verslagen. Toen hij opkeek, zag hij Lucy in de deuropening staan. Lucy staarde hem aan en rende weg. Ze rende zo snel als ze kon. Haar bloed klopte zo hard in haar oren dat ze dacht dat ze doof was geworden. Ze rende de trap af en door de lobby naar buiten.

Ze droomde toch nog steeds, of niet? In een droom kon de tijd worden teruggedraaid, konden dingen worden veranderd en omgekeerd. Daar vertrouwde ze op. Ze rende zo vreselijk hard dat het leek alsof haar longen zouden barsten. Lucy dacht aan blauwe reigers die zich verhieven in de lucht. Er was zoveel verkeer op Brompton Road dat er geen einde aan leek te komen. Lucy zou willen dat hier dezelfde voetgangerslichten stonden als kort geleden op Times Square waren geplaatst.

Ze kon Bryn tussen de mensen door zien rennen. In haar onderjurk stak ze wit af tegen de donkere avond, zodat het leek alsof ze van de maan naar beneden was gevallen. Ze keek naar links en rende toen de weg op, maar ze had niet naar rechts gekeken. Ze stak over zoals ze dat in New York gedaan zou hebben, zonder erbij na te denken, en binnen een seconde werd ze geraakt door een bestelwagen. Ondanks het drukke verkeer hoorde Lucy de klap. Erger nog, ze hoorde Michael Macklin. Ze zou hem de rest van haar leven horen. Het geluid van zijn kreet, onder haar, boven haar, overal.

Toen haar vader haar vond, zat Lucy op de stoep. Dorey, de nachtreceptioniste, had de politie gebeld en was daarna naar boven gehold om Ben Green te halen, omdat ze Lucy de deur uit had zien rennen. Er was een afschuwelijk ongeluk gebeurd en zijn dochter was erbij geweest, vertelde Dorey hem. De jonge vrouw die was aangereden door een bestelwagen, de man die meteen daarna het verkeer in was gelopen. Het bloed trok al in het donkere wegdek en vervaagde in de donkere nacht, maar Lucy had alles gezien. Die bevroren momenten vlak ervoor, toen ze naar hem toe had kunnen rennen en hem tegen had kunnen houden, als ze maar sneller was geweest. Michael had haar van verderop in de straat aangekeken. Hij had zijn aandacht even op haar gericht, alsof hij blij was dat ze elkaar zagen en herkenden. Toen was hij van de stoep gestapt als een man die van een brug springt, zo kalm als een zwemmer met een oceaan voor zich. Meteen toen ze elkaar hadden aangekeken, had Lucy geweten dat hij dit ging doen. Ze had het geweten, omdat ze hetzelfde gedaan zou hebben als ze net zo moedig was geweest als hij. Er was niets wat zijn val kon breken.

Die avond verhuisden Ben en Lucy Green naar een ander hotel. Hun koffers en andere spullen zouden hen achterna worden gestuurd. Dorey bood aan alles in te pakken. Charlotte zou bij haar zus Hillary gaan logeren om Bryns overtocht te regelen, dus waren Lucy en haar vader met z'n tweeën. Hun nieuwe hotel was kleiner, een familiehotel dat het Smithfield heette en erg gerieflijk was. Ben Green nam een suite en gaf Lucy toestemming het konijn uit het Lion Park hun kamer in te smokkelen. Ben was meestal geen voorstander van het meenemen van dingen die niet van jou waren, maar Lucy had simpelweg geweigerd zonder Millie te vertrekken. Ze was hysterisch geworden en onder het bureau gekropen. Ze bleef volhouden dat de mensen van het Lion Park het konijn de kop zouden afhakken en het gingen opeten. Haar vader moest een bloedeed afleggen dat hij het konijn te allen tijde zou beschermen. Ben maakte met een scheermes een sneetje in zijn hand en tekende met zijn bloed een X op een vel briefpapier, en toen pas wilde Lucy onder het bureau vandaan komen. Ze nam een asbak van het Lion Park mee als voederbakje voor het konijn.

Het nieuwe hotel lag aan de andere kant van het park, niet ver van de kerk waar de bruiloft was geweest. Lucy herinnerde zich de straatnaam, iets met Grove, dat 'bosje' betekende. Net of er midden in de stad een bos lag. Om het konijn uit het

Lion Park te smokkelen, wikkelde Ben zijn jasje om het dier en sloop ermee naar buiten voordat iemand het in de gaten had. Precies op het moment dat Lucy het jasje wegduwde om te kijken of alles goed was met het konijn, keek de taxichauffeur in de achteruitkijkspiegel.

'Dat heb ik niet gezien,' zei hij. 'Als u levende have bij u hebt die niet in een taxi hoort, vertel het me dan niet.'

Ze zeiden niets. Ze waren allemaal diep geschokt, Lucy, haar vader en het konijn. In hun suite werd de bank in de woonkamer opgemaakt om als bed voor Ben te dienen en Lucy kreeg de slaapkamer. Het was stiller in dit hotel en het licht van de straatlantaarns scheen niet door de ramen, maar toch kon Lucy niet slapen. Ze pakte het dagboek van Anne Frank, maar kon zich er niet toe zetten erin te gaan lezen. Ze wilde er niet meer in lezen. Drie nachten lang lag ze wakker en toen werd ze ziek.

Ze was gaan rillen en kon niet meer ophouden. Ze gloeide en tegelijk had ze het koud. Haar mond deed pijn en ze wilde geen water drinken. Er logeerde een arts in het hotel die voor een congres in Londen was, en toen Lucy's vader dringend een dokter wilde laten komen, was hem gevraagd of hij bij Lucy kon gaan kijken.

Millie zat op het bed aan een wollen deken te knagen toen de dokter binnenkwam. De vader van het meisje had hem al verteld dat zijn twaalfjarige dochter een ontvankelijk, gevoelig kind was dat kort geleden een afschuwelijk ongeluk had gezien.

'Wat hebben we hier?' vroeg de dokter. 'Een konijn in een hotelkamer? Dat had ik niet verwacht.'

Lucy zei niets. Haar kamer beviel haar. Ze had niet veel zin om ergens anders naartoe te moeten. Praten wilde ze al helemaal niet. Ze was niet van plan iemand te vertellen dat ze 's nachts niet kon slapen omdat ze de stem van Michael Macklin hoorde.

Lucy's vader had de dokter verteld dat ze niet meer praatte, net als toen haar moeder was gestorven.

'Heb je weleens van de derde engel gehoord?' vroeg de dokter.

Meestal lokte dat wel een reactie uit, maar Lucy keek hem niet eens aan.

'Men zegt dat er een engel van het leven en een engel van de dood is, maar er is er nog een. De engel die onder de mensen is.'

Hij zag dat ze luisterde.

'Hij is helemaal niet kwaadaardig of eng, en hij straalt geen licht uit. Hij is net als wij, soms herkennen we hem niet eens. Soms zijn wij degenen die proberen hem te redden. Zijn functie is om ons te laten zien wie we zijn. Mensen zijn geen goden. We maken nu eenmaal fouten.'

'Dat is niet erg opbeurend, en dat voor een dokter. U wordt geacht mensen beter te maken, niet om over hun fouten te praten.' Lucy had een paar dagen niet gepraat, dus haar keel was rauw en droog.

'Ik doe mijn best,' zei de dokter. 'Net als jij, denk ik.'

'U weet niets van mij,' liet Lucy hem weten.

'Ik heb een dochter die ook van lezen houdt.' De dokter had het dagboek van Anne Frank op het nachtkastje zien liggen. 'Ze is een echte boekenwurm.'

Lucy wierp een zijdelingse blik op de dokter. Zijn stem klonk droevig; hij had waarschijnlijk veel zieke mensen gezien. Ze zag dat hij twee polshorloges om had. Dat was wel heel eigenaardig.

'U bent toch geen kwakzalver, hè?' vroeg Lucy. Haar borst deed pijn en 's nachts moest ze hoesten. Dan drukte ze haar gezicht in het kussen, zodat haar vader haar niet zou horen. Ze was al genoeg mensen tot last geweest. Ze was niet van plan nog langer lastig te zijn.

'Wil je weten of ik overal een kwak zalf op smeer?' vroeg de dokter verbaasd.

Lucy had misschien gelachen als ze zich niet zo akelig had gevoeld. 'Ik bedoel dat u misschien gek bent,' zei ze.

'O, de horloges. Het ene gebruik ik om je hartslag te meten.' Hij voegde de daad bij het woord. 'En het andere is om ervoor te zorgen dat ik altijd op tijd kom. Je kunt ermee door de tijd reizen.'

'Ja ja.' Lucy had nog nooit zo'n dokter meegemaakt. Ze ging wat meer rechtop zitten.

'Vind je het goed als ik even naar je longen luister?' vroeg hij.

Ze haalde haar schouders op. De dokter had een oude zwarte tas die openging als hij een zilveren slot indrukte. Hij pakte er een stethoscoop uit en luisterde eerst op Lucy's rug en daarna op haar borst. Ze hoorde zichzelf piepen. Toen hij klaar was, kreeg ze een hoestaanval. Ze hield haar hand voor haar mond en had het gevoel dat haar ribben zouden breken. De dokter wachtte beleefd tot haar ademnood voorbij was en ze niet meer naar lucht hapte.

'Hij hoest niet, hè?' vroeg de dokter, met een blik op het konijn.

'Zij,' verbeterde Lucy. 'Nee. Ze is heel stil. Geeft geen kik.'

De dokter vroeg Lucy op de rand van het bed te gaan zitten en toen ze dat had gedaan, klopte hij op haar ellebogen en knieën. Ze voelde zich een marionet. Toen hij haar vroeg nog eens te hoesten, kon ze niet meer ophouden. Deze keer schrok het konijn, sprong van het bed en schoot eronder. 'Wat bedoelt u met een horloge waarmee je door de tijd kunt reizen?' vroeg Lucy toen ze weer lucht had.

'Ik zet het een uur later, en als ik dan 's avonds thuiskom en mijn dochter zie ben ik eigenlijk een uur vroeger.'

Lucy lachte en moest weer naar adem happen.

'Weet je wat ik denk?' vroeg de dokter.

Lucy schudde haar hoofd. Er waren dingen waar ze sinds die avond een enorme hekel aan had. Verkeer, bloed, de kleur rood, onverwachte geluiden, het bonzen van haar eigen hart.

'Ik denk dat je longontsteking hebt. En een ernstige vorm van astma. Heb je al eens eerder een aanval gehad? Veel gehijg en gepuf?'

Lucy schudde haar hoofd. 'Binnenkort gaan we met de boot naar huis. Tegen die tijd zal ik wel beter zijn.' Ze besefte dat ze helemaal niet meer aan haar schildpad Mrs. Henderson had gedacht en voelde zich een slechte dierenverzorgster en een slecht mens. Voor hetzelfde geld was Mrs. Henderson al dood en had niemand haar dat verteld. Ze kon maar beter zorgen dat ze zo snel mogelijk naar huis ging. Ze wilde dat ze diezelfde dag nog kon vertrekken.

'Ik denk dat het beter zou zijn als je een tijdje naar het ziekenhuis ging,' zei de dokter tegen Lucy.

'Maar dat kan helemaal niet.' Om de een of andere stomme reden was Lucy gaan huilen. Ze had helemaal niets om over te huilen. Tenslotte was ze Anne Frank niet. Ze woonde niet op een zolder in een achterhuis en zou niet worden afgevoerd naar een vernietigingskamp. Ze logeerde samen met haar vader in een gerieflijke hotelkamer.

'Waarom kan dat niet?' De dokter had de naam opgeschreven van een hoestsiroop die haar vader bij de apotheek kon halen om Lucy's hoest wat te verzachten. 'Is er een reden waarom je niet naar het ziekenhuis kunt?' Hij luisterde aandachtig naar haar, in tegenstelling tot de meeste volwassenen.

'Ik moet het konijn verzorgen,' zei Lucy. 'Is dat niet duidelijk?'

De dokter dacht erover na. Hij borg zijn stethoscoop, thermometer en receptenblok weer op in zijn zwarte tas.

'Ik neem het konijn wel mee naar huis,' zei hij.

'Om het op te eten?'

De dokter herkende iemand die haar vertrouwen in de mensheid had verloren. Hij had het eerder gezien.

'Ik ben vegetariër,' antwoordde hij.

Lucy bekeek hem kritisch. Hij zag er niet uit als een leugenaar.

'Eigenlijk wil ik het niet als huisdier houden. Ik dacht dat het misschien van de winter binnen kon blijven en dat ik het dan in het voorjaar kon vrijlaten op het grasveld achter mijn huis.'

'Haar,' zei Lucy.

'Haar,' verbeterde de dokter. 'Dan kan ze nog wel in de tuin komen eten. Meestal hebben we sla en doperwtjes staan. Ze zou onder de schuur kunnen slapen.'

'Ik wou dat ik door de tijd kon reizen.' Lucy riep het konijn, dat onder het bed zat en zich niet verroerde.

'Naar een bepaalde tijd?'

Lucy dacht na. 'Voordat al die akelige dingen gebeurden.'

'Dat zou dan zijn voordat het heelal bestond. Ik vrees dat je dan in de lege, zwarte ruimte terecht zou komen. Je hoeft je echt geen zorgen te maken over het konijn. Ik zal goed voor haar zorgen.'

Lucy merkte hoe moeilijk het was om adem te halen. Ze dacht niet meer dat de dokter een kwakzalver was. 'Goed dan,' zei ze. 'Ze heet Millie.'

Diezelfde avond werd Lucy in het ziekenhuis opgenomen. Ze moest in een plastic tent liggen waar warme vochtige lucht in werd rondgepompt. Ze was veel zieker dan de dokter haar had laten merken. Ze hijgde tot ze dacht dat ze ervan zou gaan overgeven en als ze haar ogen dichtdeed zag ze dingen die er niet waren, waarschijnlijk door de koorts. Zwarte bomen met doornen. Een man die ze dacht te herkennen en van wie ze zich afvroeg of het de derde engel was die haar kwam opzoeken, de engel die weleens fouten maakte. Een treurduif die niet meer kon vliegen. De verpleegsters waren heel lief en lieten Lucy driemaal achter elkaar een schone nachtpon aantrekken toen ze te veel had getranspireerd in de plastic tent, die gevuld was met warme damp om haar luchtwegen te bevochtigen. Haar vader kwam naast haar bed zitten. Hij wilde haar hand vasthouden, maar de verpleegsters vertelden hem dat dat geen goed idee was, want dan zou alle stoom uit de tent ontsnappen. Dus las hij *The Observer*. En op een keer las hij een *TIME Magazine* met Katharine Hepburn op het omslag. Zelfs door de plastic tent heen kon Lucy zien dat ze niet op haar leek. Totaal niet.

Ben vertelde haar dat Charlotte met de boot naar huis zou gaan, maar dat zij tweeën nog een tijdje zouden blijven. Hij had een appartement gehuurd voor de rest van augustus en september. Als Lucy voldoende hersteld was om schoolwerk te kunnen doen, zou ze haar achterstand inhalen met de hulp van een huisonderwijzer. Toen ze ziek was, deden Lucy's ogen pijn en had ze geen zin om te lezen. Op de avond voordat ze naar het ziekenhuis was gegaan, toen de dokter met de twee horloges bij haar was geweest, had ze haar exemplaar van *Het achterhuis* aan de hotelbibliotheek gegeven. Dat was eigenlijk alleen maar een boekenkast waar gasten boeken achterlieten die ze uit hadden. Sinds het moment dat ze het boek had weggegeven, voelde Lucy zich verloren, alsof ze daadwerkelijk in de lege, zwarte ruimte rondzweefde.

Na de eerste week in het ziekenhuis zat Lucy's haar zo in de klit en was het zo klam van de vochtige lucht in de plastic tent dat ze het niet langer kon verdragen. Ze smeekte de aardigste verpleegster, Rebecca, om het voor haar af te knippen. In de serre legde Rebecca een paar handdoeken op de grond en knipte Lucy's haar in een jongenskopje. Lucy vond het heerlijk om haar lange haar kwijt te zijn. Het voelde lekker licht aan als ze haar hoofd schudde.

'Je lijkt sprekend op Audrey Hepburn!' zei Rebecca.

'Niet op Katharine Hepburn?'

'Nee, op Audrey.' Rebecca klonk zeker van haar zaak. 'Die heeft hetzelfde kapsel en net zo'n mooi gezichtje.'

Toen Lucy in een spiegel keek, was ze verrast. Ze zag er ouder uit, als een tiener; ze zag eruit zoals ze eruit hoorde te zien.

Ze kon al veel beter ademhalen, en na twee weken mocht ze naar huis, naar het appartement van haar vader. Rebecca kwam elke dag langs om te kijken of het goed met haar ging, haar in een soort buisje te laten blazen en naar haar longen te luisteren. Vaak bleef ze voor de lunch, want iedereen maakte zich zorgen omdat Lucy zo was afgevallen. Lucy was blij met de bezoekjes van Rebecca en vond het leuk om te horen hoe zij en haar vader in de keuken met elkaar praatten terwijl ze tomatensoep en boterhammen met kaas klaarmaakten. Ze lachten om dwaze dingen, typisch Engelse dingen die Ben

Green niet wist. Wat een kipper was, dat het niet de bedoeling was om de pickles zo uit de pot te eten, en hoe je de grappige ouderwetse broodrooster moest gebruiken, met de gaatjes erin die een mooi bruin patroon op het brood maakten.

Soms zag Lucy nog steeds bloed op de straat als ze naar buiten keek. Dat vertelde ze aan niemand. Ze wist dat het niet echt was. Het was net zoiets als de hallucinaties die ze in het ziekenhuis had gehad. De man in de zwarte jas die een engel had kunnen zijn, de duiven die van het plafond naar beneden vielen. Ze had haar vader gevraagd Charlotte te vertellen dat Michael en Bryn getrouwd waren en dat ze samen begraven moesten worden, en dat had hij gedaan, maar Bryns familie geloofde haar niet. Ze waren van mening dat Lucy een leugenaarster en een dievegge was en regelden de begrafenisplechtigheid zoals ze dat zelf wilden. Lucy wist niet wat er met het stoffelijk overschot van Michael Macklin was gebeurd; hij leek haar niet het soort man dat naaste familie had.

Op een dag, toen haar vader er niet was, ging Lucy een eindje wandelen. Het was de eerste keer sinds het ongeluk dat ze alleen buiten was. Ze dwaalde rond en zocht op haar intuïtie de weg, en uiteindelijk vond ze de kerk terug. Ze had onthouden dat die aan Westbourne Grove stond. Ze ging naar binnen, sloeg een kruisje zoals Michael Macklin had gedaan en ging in een van de houten banken zitten. Ze wist niet of ze ergens in geloofde, maar voor de zekerheid zei ze toch maar een gebed. Althans, ze dacht dat het een gebed was. Ze zei het voor Michael. Ze wenste dat Bryn en hij samen waren. Ze wenste dat liefde echt bestond.

Toen ze de kerk uit kwam, zag Lucy aan de overkant een boekwinkel. Ze stapte er naar binnen. Ze miste het lezen en voelde zich verloren zonder boek. Het was een tweedehandswinkel en het rook er naar papier en inkt. Het was er een rommeltje, maar Lucy slaagde erin een exemplaar te vinden van *Alice in Spiegelland* en van *De avonturen van Alice in Wonderland*, allebei met vochtvlekken.

'Een goede keuze,' zei de verkoper tegen haar en hij gaf haar korting. 'Met deze twee red je het wel op een onbewoond eiland, denk je niet? Hier heb je genoeg aan.'

Lucy liep met haar boeken, ingepakt in bruin pakpapier met een touwtje eromheen, naar het park. Ze was zo'n stuk gegroeid dat Rebecca haar de week ervoor had meegenomen naar Selfridges, waar ze samen nieuwe broeken en overhemdblouses voor haar hadden uitgezocht. Rebecca hield van sportieve kleding. Ze kochten truien, bloesjes, wandelschoenen en een nieuwe handtas. Als die twee Engelse vrouwen die ze in die eerste week in het park had ontmoet haar nu zagen, zouden ze haar nooit herkennen. Ze zouden uitkijken naar iemand die op Katharine Hepburn leek en dat deed zij niet.

Het was september en in het park rook het kruidig. Op het paardenpad reden ruiters en er hing een geur van paarden en omgewoelde aarde in de lucht. Lucy liep almaar verder en stak helemaal aan de andere kant het ruiterpad over. Ze was heel Hyde Park doorgelopen en kwam ineens bij de straat waar het was gebeurd. Ze had het niet gepland, maar op de een of andere manier was ze op Brompton Road terechtgekomen. Nu ze hier was, wist ze dat ze door moest lopen. Eigenlijk had ze dat al die tijd geweten.

Het was laat in de middag, bijna etenstijd, maar het was nog licht. Mensen haastten zich van hun werk naar huis. Op de avond dat het was gebeurd was het heel donker geweest; alles had toen zwart, blauw en rood geleken. Nu zag het er allemaal heel gewoon uit. Lucy vroeg zich af hoeveel Amerikanen, die er niet aan gewend waren dat het verkeer hier links reed, vlak voor een auto de straat op waren gestapt. Ze hield haar adem in. Ze wist niet of ze kon oversteken, maar het lukte haar. Ze wachtte gewoon tot er een groepje mensen stond en liep met hen mee toen het stoplicht op rood sprong. Toen ze aan de overkant was, boog ze zich voorover en ademde een paar keer diep in en uit.

Ze liep naar het Lion Park Hotel, bleef op de stoep staan en keek naar boven, naar de ramen. Ze telde waar de zevende verdieping was, maar ze wist niet welke kamer de hare was geweest. Op de binnenplaats stond de oude, bemoste stenen leeuw. Ze ging de lobby binnen. Daar was het bloemetjesbehang. Een nieuwe jonge portier noemde haar juffrouw en heette haar welkom in het hotel. Lucy liep naar de receptie. Dorey zat er, want ze was bevorderd tot dagreceptioniste.

'Kan ik u helpen?' vroeg Dorey beleefd, en toen herkende ze Lucy. 'Jeetje! Wat zie je er geweldig uit!!! Wat heb je met je haar gedaan?' Dorey kwam achter de balie vandaan om Lucy te omhelzen. 'Het staat je fantastisch!'

'Het is een jongenskopje,' zei Lucy. Ze had zich er schuldig over gevoeld dat ze Millie stiekem had meegenomen, dus nu vertelde ze Dorey de waarheid. 'Eh... Je moet weten dat ik het konijn heb gestolen.'

'Nou, ik heb geen traan om het konijn gelaten, ook al was het Millie. Ik ging ervan uit dat ze haar weg terug had gevonden naar Hyde Park.'

'Ik heb haar aan een dokter gegeven die haar heeft meegenomen naar het platteland.'

'Ze zal het wel fijn vinden om door het bos rond te huppen. Dat is natuurlijker. Maar ik denk wel dat ze het behang mist. Ze was echt dol op behang.' Dorey pakte een paar chocolaatjes en liet Lucy er eentje uitkiezen. 'Het was een akelige tijd,' zei Dorey zachtjes. 'Er zijn hier later nog verslaggevers en zo geweest. Ik ben tweemaal geïnterviewd.'

'Het was mijn schuld,' zei Lucy.

'Jouw schuld? Jij had er niets mee te maken. De echte schuldige zit zich hier elke avond vol te gieten. Alsof dat wat helpt.' Toen Lucy vragend keek, vervolgde Dorey: 'De bruidegom. Die Teddy Healy. Hij had een vrouw moeten zoeken die ook van hem hield, want dat was het probleem. Je kunt die dingen niet forceren. Zij wilde meneer Macklin, en neem het haar maar eens kwalijk. Het is allemaal een kwestie van chemie, weet je. Daar zijn studies naar gedaan en het is bewezen. De liefde is een oeroud mysterie en daar kun je niet aan morrelen. Als je het probeert, werkt het averechts en roep je rampen over je af. Dat is een feit.'

Lucy dacht hierover na. 'Komt hij elke avond?'

'Ik werk niet meer om die tijd, maar volgens Miles Donnelly wel. Die doet de nachtdiensten. Ik heb promotie gemaakt, omdat ik de politie en de ambulance heb gebeld, snap je. Ik heb alles afgehandeld. En weet je, die kamer waar ze zaten, tegenover de jouwe? Die kunnen we niet verhuren. Het spookt er. Dat is ook een feit. Elke avond om halfelf is het er een kabaal.' Dorey leek blij te zijn dat ze iemand had om dit mee te bespreken. 'De mensen denken dat ik gek ben, maar ik heb de geest zelf gezien. Dat is ook een reden dat ik heb gevraagd of ik overdag mocht werken. Ik ben niet van plan hier 's nachts in mijn eentje te gaan zitten terwijl er een geest rondwaart.'

'Wie is het?' Lucy had een vreemd gevoel in haar borst, alsof ze het zo meteen weer benauwd zou krijgen, zoals ze in het ziekenhuis had gehad. Ze had een inhalator en het was de bedoeling dat ze die gebruikte als ze zich zo voelde, maar die had ze op haar nachtkastje laten liggen.

'Michael Macklin natuurlijk,' zei Dorey. Ze had het gezicht van de geest nooit gezien, maar iedereen kon bedenken wie de meest benadeelde partij was. 'Dat moet het tijdstip zijn geweest dat hij door die auto werd geraakt. Halfelf.'

Lucy schudde haar hoofd. 'Volgens mij was het halfelf toen ik naar hun kamer ging. Hij moet later zijn gestorven.' Ze keek verontrust.

'Misschien kun je er maar beter niet over nadenken,' zei Dorey. Ze nam Lucy mee naar het restaurant en liet de kok, die nog steeds haar vriendje was, iets te eten klaarmaken voor het meisje.

'Kijk eens wat hij me heeft gegeven,' zei Dorey. Ze wapperde met haar linkerhand voor Lucy's gezicht. Aan haar vinger prijkte een ring met een diamant. 'Na het ongeluk bedachten we allebei dat het leven kort is en het geen zin heeft te wachten op de dingen die je graag wilt.'

Er meldde zich een groep nieuwe hotelgasten, dus Dorey gaf Lucy een zoen en ging weer aan het werk. Lucy ging in een hoekje zitten en legde haar tweedehandsboeken op tafel. Het restaurant zag er nog precies hetzelfde uit. Het was heel raar om weer in het Lion Park te zijn. Ze had het gevoel dat ze het grootste deel van haar leven hier had doorgebracht, alsof Westchester en alle gebeurtenissen van vroeger geen enkele betekenis hadden.

De serveerster bracht een dampende kom soep met stukjes selderij en aardappel erin en een groot glas gingerale met een scheutje kersensap, zodat het roze was. Lucy bedacht dat ze niet genoeg geld had om dat te betalen. Ze geneerde zich, maar de serveerster zei dat het geen probleem was.

'Dorey trakteert,' zei ze. 'Eet maar lekker op.'

Om een uur of acht kwam Teddy Healy binnen. Lucy had haar soep op. Toen ze hem zag, voelde ze zich nog rilleriger. Teddy Healy was veranderd. Hij was mager en zag er verlopen uit. En hij begon meteen te drinken. Whisky was zijn favoriete drankje.

'Niet zo snel, man,' hoorde Lucy de barkeeper zeggen. 'Je hebt nog uren te gaan.'

Lucy begon in een van haar boeken te lezen. Het kostte haar even moeite zich te concentreren, maar uiteindelijk werd ze meegezogen in het verhaal. De manier waarop Alice zei wat ze dacht en niets voor zich hield beviel haar wel; ze had er bewondering voor. Als je Wonderland eenmaal binnenging, viel de wereld om je heen weg. Voordat Lucy het wist, was het tien uur en toen kwart over tien. Haar vader zou intussen waarschijnlijk doodongerust zijn, maar Lucy kon nu niet meer terug. Daar was geen denken aan. Ze zou het hem later wel uitleggen. Ze had het nodig gehad nog een laatste keer terug te gaan naar het Lion Park. Dat zou haar vader ongetwijfeld begrijpen.

Toen Teddy Healy afrekende en zich opmaakte om te vertrekken, pakte Lucy haar boeken. Hij nam de lift, dus koos zij de trap. Haar benen voelden zwaar aan, bijna alsof die haar wilden afremmen, maar Lucy dwong zich tot haast. Ze kon de lift omhoog zien gaan aan de kabels die het konijn ooit had geprobeerd door te knagen. Het koperwerk aan de deuren was kort geleden gepoetst en glom als een spiegel. Lucy wachtte tot meneer Healy een voorsprong op haar had en liep toen achter hem aan. Het was ijskoud in de gang.

Teddy Healy bleef staan en Lucy volgde zijn voorbeeld. Ze hoopte vurig dat ze Michael Macklin zou zien, dat hij zijn aanwezigheid kenbaar zou maken. Het enige wat ze wilde, was hem om vergeving vragen. Ik heb de brief laten vallen, dat wilde ze hem zeggen. Het was niet mijn bedoeling, maar het is gebeurd. Het is allemaal mijn schuld.

Er klonken voetstappen terwijl er niemand was. Lucy had het zo koud dat ze dacht dat haar longen zouden bevriezen; die waren tenslotte nog niet genezen. 'Nee,' zei Teddy Healy hardop. En toen zag Lucy het, datgene wat iedereen voor de geest van Michael Macklin aanzag. Maar hij was het niet. Ze zou hem hebben herkend, de knapste man die ze in haar hele leven zou ontmoeten. De gestalte in de gang was Teddy Healy zoals hij op die dag was geweest, razend en tierend, schreeuwend in de deuropening. Het was het deel van hem dat zich had afgesplitst en verloren was gegaan. De ziel, zouden sommigen het misschien noemen.

Lucy voelde haar knieën knikken. Haar benen leken wel slappe touwtjes. Ze kon ook geen lucht meer krijgen; het gepiep kreeg weer vat op haar longen en zorgde dat ze bijna geen adem kon halen. Ze maakte een geluid en viel op de grond. Ze zag de gestalte die niet Teddy Healy was en de gestalte die hem wel was en zich naar haar omdraaide toen ze in elkaar zakte. Ze stootte haar hoofd hard tegen de muur en toen hoorde ze iemand gillen, hoewel ze dat waarschijnlijk alleen maar droomde.

Vanwege de omstandigheden kreeg Lucy geen straf, ook al weigerde ze te vertellen wat ze in hemelsnaam bijna aan de andere kant van de stad uitvoerde. Ze had een zware hersenschudding en haar astma-aanval bleek behoorlijk ernstig te zijn. Ze moest weer een nacht in het ziekenhuis blijven, in de plastic tent, tot ze op adem was. Ben Green maakte zich nu serieus zorgen. Misschien had hij alles wel verkeerd gedaan.

Hij was een alleenstaande ouder en een stommeling die ongetwijfeld fouten had gemaakt. Toen Lucy uit het ziekenhuis
kwam, belde hij Rebecca. Zij kwam op Lucy passen terwijl hij
naar de apotheek ging om medicijnen voor haar te halen.

'Ik weet niet wat ik moet doen om dit ten goede te keren,'
zei Ben tegen Rebecca voordat hij de deur uit ging. 'Mijn idee-
en zijn op.'

Rebecca bracht een glas melk en een paar koekjes naar de
slaapkamer. Ze zei gedag, maar Lucy gaf geen antwoord. Ze
lag in bed en voelde zich slap en doodmoe. Nu zag ze er door
haar korte haar uit als een klein meisje. Ze had een forse, klop-
pende buil op haar hoofd. Het grootste deel van de tijd hield
ze haar ogen dicht, zelfs toen Rebecca haar voorlas uit de boeken over Alice en daar gekke stemmetjes bij opzette waar ze
anders misschien om had moeten lachen. Rebecca liet het
boek zakken. Boeken konden niet verhelpen wat er mis was.

'Ben je erg ongelukkig?' vroeg Rebecca.

'Ik zie gewoon nergens het nut van in,' zei Lucy.

Daarna hield ze op met praten. Ze mocht Rebecca graag,
maar er viel niets te zeggen, die dag niet en later niet. Als haar
vader haar iets vroeg, of de dokter die af en toe langskwam,
haalde Lucy niet eens haar schouders op. Ze hadden haar de
vorige keer uit haar tent gelokt, maar nu was het definitief.
Het was alsof ze was vergeten hoe ze woorden moest vormen,
alsof de taal nu een mysterie voor haar was. Ze was beleefd,
maar ze zei niets.

'Vertel me alsjeblieft wat ik voor je kan doen,' zei haar vader. 'Alles wat je maar wilt.'

Maar omdat ze niets kon bedenken, gaf Lucy geen antwoord.

Rebecca dacht dat Ben misschien een reisje met Lucy moest

gaan maken, buiten Londen, naar een nieuwe plek waar het stil en mooi was. Ze geloofde dat reizen goed was voor de ziel en dat iemand soms weg moest gaan om te herstellen van een groot verdriet. Ze opperde Edinburgh, een stad waar ze van hield. Toen Ben ermee instemde, regelde zij alles. Hij vroeg haar mee te gaan, maar Rebecca zei nee. Ze zei dat dit een reisje voor hen samen was, vader en dochter, en mocht hij haar een andere keer ergens mee naartoe willen nemen, als hij niet meer getrouwd was misschien, dan zou ze erover nadenken.

Ze hadden niet veel bagage bij zich, één koffer maar voor hen tweeën, en namen op King's Cross Station de trein. Lucy was blij dat haar vader niet meer van haar verwachtte dat ze iets zei. Eén keer pakte hij haar hand en had ze wel willen huilen, maar ze beheerste zich. Ze wilde ervoor zorgen dat ze niet meer ging huilen, want als ze daar eenmaal aan begon was het einde zoek.

Ze reden langs fabrieksschoorstenen en de ramen van de trein raakten beroet, maar toen ze eenmaal de stad uit waren was de omgeving prachtig. Lucy keek naar buiten en had het gevoel dat ze zou kunnen verdrinken in al die roodgoude en groene tinten. Ze had niet verwacht dat het landschap zo weelderig zou zijn. Ze werd verliefd op de kleuren van Engeland. Het ritme van de wielen over het spoor weerklonk prettig door haar hoofd. Het overstemde wat ze dacht, afschuwelijke gedachten die niemand anders ter wereld waarschijnlijk had, behalve Teddy Healy. Misschien zocht hij ook wel iets om ze te overstemmen.

Er waren niet veel passagiers, maar achter in de coupé zat een jongen als een bezetene te schrijven. Hij had nog geen enkele keer uit het raam gekeken. Er lag een groot boek op zijn knieën.

'Een lezer, zo te zien,' zei Ben Green. 'Echt jouw type.'

Maar Lucy's vader had geen idee wie of wat haar type zou zijn. Lucy keek uit het raam. Na een tijdje sloot ze haar ogen en viel in slaap. In haar droom zat ze in de trein en tegenover haar zat een heel groot konijn. Ze verwachtte dat het konijn iets zou zeggen, maar het zweeg. Ze had de indruk dat er tranen in zijn ogen stonden.

De trein schudde en Lucy werd wakker. Haar vader was naar de restauratiewagen gegaan om iets te drinken. Lucy sloeg haar blik op en zag dat de jongen achter in de coupé haar aankeek. Hij zwaaide, dus Lucy zwaaide terug. Dat was niet meer dan beleefd. Daarna wenkte de jongen haar. Toen ze probeerde hem te negeren zwaaide hij weer, dus stond ze maar op en liep door het gangpad naar hem toe, terwijl ze zich vasthield aan de rugleuningen van de stoelen. Ze was toch wel nieuwsgierig. Ze had nog steeds een dromerig gevoel, alsof ze miljoenen kilometers van huis was.

'Zo te zien zijn wij de enige twee interessante mensen in de trein. Ik zag je lezen in de boeken over Alice. Mijn lievelingsboeken.'

Lucy ging tegenover de jongen zitten. Hij werkte aan iets wat 'Anthologie' heette en een omslag had met een wapenschild erop. Het was een dik schrift, waarin met pen, waterverf en kleurpotlood was geschreven en getekend.

'Dit is een werkstuk voor school. Ik illustreer mijn favoriete gedichten. Dingen als Robin Hood. Maar Alice is mijn grootste favoriet.' Hij keek op. 'Praat jij niet? Spreek je geen Engels? Ben je doofstom?'

'Nee,' zei Lucy. Ze voelde zich beetgenomen, omdat hij haar aan het spreken had gekregen. Dat had ze dagenlang niet gedaan. 'In elk geval niet doof.'

De jongen lachte. 'Aha. Je bent Amerikaans. Ik had dus

gelijk. Je spreekt geen Engels. Je spreekt Amerikaans.' Hij was bezig met het wapenschild.

'Ben je van adel?' vroeg Lucy.

'Nee. Helemaal niet. Ik ben schrijver. En kunstenaar. En musicus. Ik ben alles tegelijk. En jij?'

'Lezer.'

Niemand hoefde te weten dat ze een paar zinnen tegen hem had gezegd. Ze kon op elk gewenst moment weer ophouden met praten.

'Ik heet John,' zei de jongen.

'Lucy.'

'Ik kom uit Liverpool. Ik ben maar kort in Londen geweest. In de zomer ga ik meestal naar Schotland om bij mijn tante te logeren, maar nu ga ik maar een paar dagen. Mijn moeder is weggegaan.'

'De mijne is dood. En ik heb in Londen twee mensen dood zien gaan.'

John reageerde totaal niet verrast. 'Bloed en ingewanden?'

Lucy knikte. 'Het draaide om de liefde.'

'Dat doet het altijd,' zei John.

Daar dachten ze allebei over na.

Ben Green kwam terug uit de restauratiewagen en zwaaide.

'Mijn vader,' zei Lucy.

John stak bij wijze van groet zijn hand op. 'Een lezer?' vroeg hij.

'Een echte.' Lucy boog haar hoofd, zodat haar vader haar niet zou zien praten. 'Ik wou dat ik ergens in geloofde,' zei ze.

'Reïncarnatie misschien? Dat je steeds opnieuw terugkomt. Als een mot, een hond of een soldaat.'

'En als ik nou als een varken of een mier of een walrus terugkom?'

Ze lachten allebei.

John liet haar de tekening zien die hij bij Alice had gemaakt. Het waren de walrus en de timmerman. 'De walrus heeft altijd de timmerman nog,' zei hij. 'Het varken heeft zijn kot. De mier heeft tienduizend andere mieren die precies dezelfde gedachten hebben als hij.'

Ze keken door het raam naar de velden.

'Als hond, dat zou niet slecht zijn,' opperde John.

'Ik moet weer eens gaan,' zei Lucy. Al dat gepraat was waarschijnlijk niet goed. Ze kreeg een vreemd gevoel in haar borst.

'Dag, Lucy uit Amerika. Blijf lezen.'

'Dag John. Blijf alles doen wat je nu doet.'

Lucy ging terug naar haar plaats. Haar vader had een sandwich en een appel voor haar gekocht.

'Heb je gezellig gepraat?' vroeg Ben.

Met haar korte haar leek Lucy verbazingwekkend veel op de vrouw die ze later zou worden. Nu ze niet langer ziek in bed lag en sterker was, zag ze er niet meer uit als een klein meisje. Ben had het gevoel dat ze helemaal van voren af aan begonnen, alsof alles nieuw was, zelfs de woorden die ze gebruikten.

'Misschien moet ik je geen vragen stellen,' zei hij. 'Je hoeft niet tegen me te praten als je dat niet wilt, Lucy.'

Nadat ze met John had gepraat, was het wat makkelijker geworden voor Lucy om iets te zeggen. 'Bedankt dat je me hebt meegenomen op reis,' zei ze tegen haar vader. 'Het is hier prachtig.'

'Ja, het is hier heel mooi,' zei Ben, die al blij was geweest met één zin, en nu waren het er zelfs twee. Voor het eerst in jaren en jaren had hij geen haast. Hij dacht niet aan Nixon of *The New York Times* of Charlotte, die hij niet had teruggebeld. Hij dacht nota bene aan de dag dat Lucy was geboren.

Om eerlijk te zijn had hij geen kinderen gewild. Het had hem geïrriteerd dat Leah hem had overgehaald. Hij had gewild dat hun leven samen gewoon bleef zoals het was, maar toen was ze in verwachting geraakt en dat had hem geërgerd. Gedurende de hele zwangerschap had hij zich zorgen gemaakt dat hij een slechte vader zou zijn. Leah had volgehouden dat alles zou veranderen als hij de baby eenmaal zag. Maar toen hij Lucy zag, vond hij haar net een gerimpeld buitenaards wezentje dat alle aandacht van Leah opeiste. Hij voelde helemaal niets, tot de dag dat ze Lucy mee naar huis namen. Toen ze wegreden van het parkeerterrein van het ziekenhuis werden ze door een andere auto gesneden, en Leah was met de baby in haar armen naar voren geschoten. Even was Ben helemaal in paniek geweest. Stel dat ik ze kwijtraak, had hij gedacht. Hoe moet ik dat overleven?

Toen ze in Edinburgh aankwamen, was het etenstijd. Lucy zag de jongen uit de trein zwaaien naar zijn tante, die hem kwam ophalen. Ze bedacht dat sommige mensen eerder een kort verhaal dan een heel boek waren, tenminste, als je ze nooit meer terugzag. Dan kwam je nooit te weten hoe het met hen afliep.

Lucy en haar vader namen een taxi naar Hotel Andrews, waar ze kamers naast elkaar hadden. De hotelhoudster was mevrouw Jones, een oudere dame die eruitzag als de volmaakte oma. Boven de schoorsteenmantel naast de receptie hingen twee foto's, de ene van een jongen en de andere van een meisje van Lucy's leeftijd, maar ze zagen er oud uit, ver weg en in een ander tijdperk genomen. Lucy bedankte mevrouw Jones toen ze een pepermuntje van haar kreeg, maar vroeg niet naar de kinderen.

Lucy en haar vader gingen op pad om de omgeving te verkennen en ergens iets te eten. Ze liepen langs het kasteel, dat zo indrukwekkend was dat Lucy onwillekeurig stil bleef staan en er met grote ogen naar keek. Ze vroeg zich af of zij gek was of dat er nog anderen waren die ook weleens een verschijning hadden gezien als in het Lion Park Hotel. Het kasteel was zo oud dat er misschien wel mensen voorgoed gevangenzaten; mogelijk waren die ook wel veranderd in het soort wezen dat Lucy in de gang had gezien. Lucy had de jongen in de trein niet de hele waarheid verteld. Ze geloofde wel ergens in, maar dat was zo groot en verstrekkend dat ze zich er niet toe had kunnen zetten het John te vertellen, ook al was het in principe veilig om iemand in vertrouwen te nemen die je nooit meer zag.

Ze geloofde dat mensen zichzelf konden kwijtraken.

De Schotse hemel was prachtig inktzwart en het rook hier anders. Misschien bedoelde de dokter die het konijn mee naar huis had genomen dit wel met de lege ruimte van het heelal, zo oneindig groot dat mensen en hun triviale problemen erbij in het niet vielen. Ze stapten een pub binnen, want Lucy's vader wilde iets drinken. Lucy nam gingerale en haar vader een glas port. Ze bestelden kaas met pickles en schelvis met aardappelen.

'Ik geloof niet dat mijn huwelijk met Charlotte een succes is,' zei Ben Green onder het eten. 'Het spijt me dat ik je dat heb aangedaan.'

Lucy had haar vader niet verteld dat zij de twee doden op haar geweten had. Ze was niet van plan hem dat ooit te vertellen. Hij had geen idee dat Lucy de brief had laten vallen en dat Charlotte daarna Teddy Healy had gebeld. Hij zou nooit weten dat Lucy de kreet van Michael Macklin nog voortdurend hoorde, overal doorheen. Het lukt haar niet die kwijt te raken, nog geen seconde.

'Als je mijn mening wilt horen: ik vind Rebecca leuker,' zei Lucy.

Ben lachte. 'Ik ook.'

Ze bleven vier dagen in Edinburgh voordat ze naar het platteland vertrokken.

'Maar we komen weer terug,' zei Lucy tegen mevrouw Jones, die Lucy breien had geleerd. Nadat ze 's ochtends beziens-waardigheden hadden bezocht, was Ben altijd een dutje gaan doen en dan was Lucy bij mevrouw Jones in de keuken gaan zitten, waar ze de beginselen van het breien had geleerd: recht en averecht, meerderen en minderen. Mevrouw Jones had Lucy een streng breigaren gegeven die naar zout en heide rook en de paarsgrijze tint van de schemering had. De oude dame praatte nooit over de kinderen op de foto's en in het huis was niets wat erop wees dat hier ooit kinderen waren geweest, dus Lucy vroeg haar er nooit naar. Mevrouw Jones maakte jam-taartjes en Ovomaltine, zodat Lucy weer wat zou aankomen. Op een keer zei Lucy: 'Mijn moeder zou me breien hebben geleerd als ze nog leefde.' Ze wist niet waarom ze dat zei, het floepte er zomaar uit. Mevrouw Jones keek niet eens op, maar ze stond erop dat Lucy en haar vader die avond bij haar zou-den eten, en als toetje gaf ze hun een stuk taart met groene peren en zure room, wat vies klonk maar heerlijk smaakte.

Nu het tijd was om te gaan, wilde Lucy niet weg uit het hotel.

'Jullie komen aan het eind van jullie tocht weer terug,' zei mevrouw Jones en ze gaf Lucy nog een bol wol en een stel houten breinaalden van haarzelf, zodat ze het breien kon blij-ven oefenen. Deze wol was nog zachter en had de kleur van dode bladeren.

Ben huurde een auto en deed zijn best om aan de verkeerde

kant van de weg te rijden. Lucy werd er zenuwachtig van. Eén keer reed hij bijna tegen een stenen muur.

'Je zorgt toch wel dat we het overleven, hè?' vroeg Lucy.

'Als het aan mij ligt wel.'

Ze reden een tijdje rond door de stad totdat hij het onder de knie had. Eerst was Lucy nerveus, maar later niet meer. Haar vader was een goede chauffeur. Hij was praktisch ingesteld, paste zich makkelijk aan en was geduldig. Na iets meer dan een uur leek het alsof hij altijd al aan de verkeerde kant had gereden.

'Naar het noorden, het zuiden, het oosten of het westen?' vroeg hij Lucy voordat ze de stad echt achter zich lieten.

Dat was de manier waarop ze nu leefden, van dag tot dag. Alles lag open. Lucy dacht even na.

'Naar het noorden, zonder meer,' zei ze.

Teddy Healy was niet meer gaan werken en was ook niet teruggegaan naar zijn appartement. Zijn broer, Matthew, had gezegd dat er in deze wereld dingen gebeurden die de mens niet kon begrijpen en waar hij al helemaal geen zeggenschap over had; hij stelde voor om samen naar de kerk te gaan en met de predikant te praten, maar dat had Teddy geweigerd. Hij had een kamer genomen in een hotel vlakbij, met uitzicht op de straat waar Bryn was gestorven. Dat leek morbide, maar hij vond niet dat zijn redenen morbide waren. Hij logeerde er zodat hij, als hij 's ochtends wakker werd, naar het raam kon lopen en haar kon gedenken. Hij wilde niet doen alsof het niet gebeurd was. Het was gebeurd. Dat viel niet te ontkennen. Na een tijdje ging Teddy op eigen houtje met de predikant praten. Die omhelsde hem en zei dat het geen kwestie was van vragen stellen, maar van accepteren. Teddy schudde de predikant de hand en ging niet meer terug naar de kerk.

Wat hij steeds weer voor zich zag was niet het moment waarop Bryns zus Charlotte belde of hem ontmoette bij een bankje langs The Serpentine om hem de brief te geven die zijn geliefde aan Michael Macklin had geschreven; het was zelfs niet het moment dat hij die brief las en ontdekte dat Bryn van een ander hield. Het was het moment dat hij haar voor het eerst had gezien, in de Tuilerieën in Parijs, tegenover het Gare d'Orsay. Hij was voor een bespreking met een vastgoedmaat-schappij in Parijs. Als dat niet zo was geweest, als zijn collega Barry Arnold in zijn plaats naar Parijs was gegaan en als Teddy die middag niet vrij had genomen om door het park te wan-delen, had hij haar daar nooit in de zon zien zitten: een mooie jonge vrouw met lang blond haar. Maar nu werd hij halsover-kop verliefd op haar toen hij haar daar zag wegdoezelen. Toen ze haar ogen opendeed, was hij verkocht.

Nu voelde Teddy zich als het slachtoffer van een mislukte scheikundeproef. Waardoor had hij zich tot haar aangetrok-ken gevoeld? Door haar geur? De kleur van haar ogen toen ze naar hem opkeek? Het feit dat de seringen roze leken in het middaglicht? Het koeren van de duiven? Zijn fysieke toestand? Zijn eigen achtergrond? Parijs?

Hij had haar uitgenodigd voor de lunch, en onder het eten had ze hem verteld dat ze van iemand hield. Ze had gepro-beerd eerlijk tegen hem te zijn, maar hij had niet willen luiste-ren. Ze aten stokbrood en olijven en dronken witte wijn. Ze zou tot het einde van het jaar door Europa reizen. Voordat ze naar Parijs was gekomen had ze Amsterdam bezocht, maar ze was nog nooit in Londen geweest. Toen ze te veel gedronken had, had ze zich naar hem toe gebogen en gezegd: ik zoek iemand die me kan redden. Dat moment stond hem nog het helderst voor de geest. Een andere man zou misschien op de loop zijn gegaan, maar Teddy niet. Matthew en hij hadden hun ouders bij een treinongeluk verloren toen ze nog klein waren en waren door een tante grootgebracht. Er ging geen dag voorbij of Teddy dacht dat alles misschien anders was gelopen als hij in die trein had gezeten in plaats van rond te rennen op het voetbalveld van zijn school. Misschien had hij het piepen van de remmen gehoord, misschien had hij het raam open gekregen en zijn ouders kunnen helpen uit het wrak te klimmen. Misschien had hij iets kunnen doen.

Bryn en hij brachten de nacht samen door. Eerst had ze gehuild en gezegd dat er iemand anders was, maar ze was eenzaam en uiteindelijk was zij degene die hem vroeg te blijven. Om die eenzaamheid kwijt te raken was ze meegegaan naar Londen, en omdat ze behalve Teddy in Europa niemand kende en niet alleen in Parijs wilde blijven, omdat hij vriendelijk was en smoorverliefd op haar.

Nadat haar oudere zus Hillary in Londen op bezoek was geweest, hoorden ook haar ouders van zijn bestaan en ze schreven hem hoe blij ze waren dat Bryn de ware liefde had gevonden. Ze stonden erop de bruiloft te betalen. Teddy en Bryn hadden het nog helemaal niet over trouwen gehad, maar na die brief van haar ouders had Teddy gedacht: natuurlijk, we gaan trouwen! En hij was een ring gaan kopen. Bryn werd laat wakker en ging vroeg naar bed, dus liet hij de ring op tafel achter toen hij naar zijn werk ging. Toen hij die avond thuiskwam, glinsterde de diamant aan haar vinger. Die had veel meer gekost dan hij zich kon veroorloven, maar Teddy wilde dat zijn liefde duidelijk zichtbaar was, hij wilde zeker weten dat ze zijn gevoelens kende. Hij wist niet wanneer ze de ring had afgedaan. Vanaf dat moment waren ze niet langer verloofd geweest, maar hij had het niet eens gemerkt.

Matt kwam bij hem langs in het hotel waar hij woonde, het Eastcliff. Dat had geen bar of restaurant. Teddy nam drank mee naar zijn kamer. Hij had die dag veel gedronken en niet gedoucht. Hij was achtentwintig. Matt was anderhalf jaar ouder, maar Teddy leek nu wel een oude man.

'Je moet er niet aan onderdoor gaan,' zei Matt. 'Het is natuurlijk vreselijk, maar in het leven gebeuren nu eenmaal onverwachte dingen. Niemand weet dat beter dan jij en ik.'

Matt werkte bij dezelfde bank als Teddy. Hij was een echte regelaar en raakte nu op stoom. Hij huurde een ander appartement voor zijn broer, deed al het oude meubilair weg, vooral de dingen die Teddy aan Bryn zouden herinneren, zoals het bed, zijn trouwpak en alle cadeautjes die al waren aangekomen. Hij zorgde dat Teddy een week vrij kreeg, en aan het eind van die week was Teddy verhuisd naar de nieuwe woning in de buurt van Lancaster Gate en was hij min of meer klaar om weer aan het werk te gaan. De mensen benaderden hem omzichtig, alsof hij een ernstige ziekte had doorgemaakt en nog steeds verzwakt was. Hij deed weliswaar zijn werk, maar hij had de gewoonte opgevat om op weg naar huis langs de bar van het Lion Park te gaan. Hij bleek inderdaad zwak te zijn en begon nog meer te drinken.

Toen Teddy de deur open had gedaan, die avond dat hij hen samen in bed had zien liggen, was alles wat hij dacht te weten en alles waarin hij geloofde radicaal veranderd. In zekere zin had hij het aan zichzelf te danken. Hij was niet in staat geweest het los te laten, net als die keer toen hij haar had leren kennen en had geweigerd naar haar te luisteren. Toen hij het Lion Park binnen was gekomen, had hij bij de balie naar de sleutel gevraagd, en de nachtreceptioniste leek te beduusd door zijn commanderende toon om nee te zeggen. Daarna was hij de trap op gerend. Hij wist dat het mis was, hij wist dat het voorbij was. Waarom had hij het met zijn eigen ogen moeten zien? Omdat hij bewijs nodig had? Omdat hij het niet kon geloven? Innig verstrengeld bedreven ze de liefde. Hij herkende Bryn nauwelijks; in eerste instantie zag hij alleen haar rug, lang en wit en mooi. Ze had de deur niet eens open horen gaan.

Hij was gaan schreeuwen en had niet meer kunnen ophouden. Niet toen ze hem aankeek, niet toen ze bleef waar ze was, overrompeld, terwijl de man die bij haar was snel een laken over haar heen trok. Teddy riep dat ze hem had bedrogen. Dat ze een verplichting had jegens hem en dat ze met hem moest trouwen. Hij herkende zijn eigen stem niet. Wie wilde er nou een vrouw die niet van hem hield? Die nooit echt de zijne zou worden?

Hij greep haar vast terwijl zij haastig haar onderjurk aantrok. Ze probeerde uit te leggen dat het niet aan hem lag, dat ze al getrouwd was toen zij elkaar hadden ontmoet, dat het fout van haar was dat ze toezeggingen had gedaan. Hij trok haar dicht naar zich toe en zei iets afschuwelijks. Dat was het moment dat hij nooit kon vergeten. Dat was wat hem avond na avond naar de bar van het Lion Park dreef. Je bent het niet waard te leven, had hij gezegd. Daarna had hij zich tegen de man gekeerd en hem botweg een oplawaai verkocht, wat Bryn de kans gaf ervandoor te gaan. De ander, de man van wie Bryn hield, had hem uiteindelijk terug gestompt om achter haar aan te kunnen gaan.

Teddy Healy dronk zijn whisky puur. Soms zette de barkeeper hem een sandwich of een stoofpotje voor en soms at hij dat op, maar andere keren hield hij het bij de drank. Op een avond, toen hij flink bezopen was, ging hij naar boven. Dat had hij nog nooit gedaan. Het regende en zijn botten deden pijn alsof hij een oude man was. Het was eind september en kil, en het hotel was niet zo vol als het in de zomer was geweest. Op de zevende verdieping waren onder aan de muur repen behang losgetrokken door het konijn dat indertijd was ontsnapt. Het was ronduit koud in de gang.

Teddy ging naar de kamer waar Michael Macklin had gelogeerd en klopte aan. Er was niemand, dus duwde hij de deur open. Hij rook iets. Seringen. Hij deinsde achteruit, maar voordat hij weg kon lopen, hoorde hij een mannenstem. Hij liet zijn hoofd tegen de muur rusten en toen gebeurde er iets heel vreemds: hij zag zichzelf woedend en schreeuwend in de deuropening staan. Het was onmogelijk en toch was het zo. Daar stond hij.

Teddy ging terug naar beneden, naar de bar, om zich verder te bezatten. Daarna ging hij elke avond om precies dezelfde tijd naar boven en elke keer zag hij zichzelf daar, de man die hij was geweest, de man die hij niet meer herkende, die nog ergens in geloofde.

'Ze is er niet, man,' zei de barkeeper op een avond laat, toen Teddy nauwelijks meer kon staan en zich van zijn kruk hees om op het vaste tijdstip naar boven te gaan. 'Het is niet haar geest, daarboven, dus je kunt net zo goed niet meer gaan kijken.'

'Heb jij weleens het gevoel gehad dat je iets bent kwijtgeraakt wat je niet meer terug kunt krijgen? Alsof het vlak onder je neus is weggepikt?'

'Ja hoor,' zei de barman. 'Zo is het leven.'

Er was maar één ander die het zou kunnen begrijpen: Lucy

Green, het meisje dat alles had gezien. Die avond had Teddy haar in de deuropening zien staan nadat Bryn en de andere man naar buiten waren gerend. Hij had de uitdrukking op haar gezicht gezien. Ze leek op een engel die gevangenzat in een lichaam van vlees en bloed, maar eruit wilde breken. Ze keek geschokt; ze had daar helemaal niet moeten zijn. Teddy en zij hadden elkaar strak aangekeken en op dat moment had Teddy iets gevoeld wat hij nooit eerder had meegemaakt: een volledige mentale en emotionele verbondenheid. Ze hadden op precies hetzelfde moment precies dezelfde gedachte.

Toen draaide het meisje zich om en rende weg. Dat was het verschil tussen hen. Teddy bleef in de kamer die naar seringen rook, terwijl Lucy vluchtte. Daardoor had zij alles gezien, die hele afschuwelijke gebeurtenis. Teddy had niets meer willen zien. Hij was op het bed gaan zitten waar Bryn met die man in had gelegen en had niet eens gehuild.

Als boetedoening had Teddy zich bij een groep mensen aangesloten die de parken in de stad schoonmaakten. Hij genoot van het werk in de buitenlucht en verbaasde zich over de grote verscheidenheid aan dieren die er in Londen in het wild leefden. Op een ochtend zag hij vossen, midden in de stad. Ze schrokken van hem toen hij met een net aan een steel afval uit een vennetje schepte. Hij werd getroffen door de manier waarop de vossen er samen vandoor gingen en achterom keken of hij niet achter hen aankwam. Teddy was in het gras gaan zitten. Hij droeg de kaplaarzen, regenjas en oude broek met verfspetters die hij voor zulke klusjes altijd gebruikte. Soms dacht Teddy aan Lucy Green en wat ze had gezien, en dat vond hij een onverdraaglijke gedachte. Op de raarste momenten moest hij denken aan de uitdrukking op haar gezicht, zoals die keer met die vossen.

De zondag daarop ging hij naar de kerk, want dat had hij gemist. Hij praatte met de predikant over de menselijke ziel en deed zijn best dat concept te bevatten. Zelf dacht hij dat het de goedheid was die in ieder mens huisde, de onschuld, maar de predikant sprak hem tegen en zei dat het iemands kern was. Heel eenvoudig. Het diepste innerlijk, het meest afgeronde deel, het deel dat naar God werd geroepen.

'En als je dat niet hebt, ga je dan naar de hel?' had Teddy gevraagd.

'Als je dat niet hebt, ben je al in de hel,' had de predikant geantwoord.

Teddy besefte dat zijn leven was veranderd door een brief. De enige brieven die hij ooit had geschreven waren bedankjes aan zijn tantes en neven en nichtjes als ze hem een cadeautje hadden gestuurd voor zijn verjaardag, en de enige die hij ooit had ontvangen waren afkomstig van familieleden in Australië die hij nooit had ontmoet, betuigingen van medeleven toen zijn ouders waren gestorven. Maar zijn leven was veranderd door één brief, geschreven door Bryn. En toen werd er in oktober een brief voor hem bezorgd. Zijn naam stond erop, maar hij was naar het Lion Park gestuurd. Daardoor duurde het een paar dagen voordat hij hem ontving.

De receptioniste ging met de kok trouwen en iedereen was in rep en roer. De bruiloft zou in het restaurant van het hotel worden gehouden en al het personeel was uitgenodigd. Op een avond toen Teddy binnenstapte zei de barkeeper: 'Sorry, Teddy, maar we zijn vanavond dicht. Een besloten feestje.' Hij gaf Teddy de brief. 'Dorey heeft het zo druk gehad met al het geregel dat ze was vergeten je deze te geven. God mag weten waarom hij hierheen is gestuurd.'

In het restaurant werd de bruiloft gevierd. De bar was versierd met witte en paarse satijnen linten, en overal stonden flessen champagne en zilveren schalen met sandwiches en fruit. De plechtigheid was voorbij en het feest was in volle gang. De receptioniste danste in haar witte jurk. Daar was de kok, de bruidegom, die toostte met al zijn vrienden en hun vertelde dat ze een beetje door moesten drinken, aangezien de barrekening door de directie van het hotel werd betaald.

Teddy had een angst voor brieven ontwikkeld. Hij bleef een tijdje in de lobby zitten, maar de muziek en de stemmen van de feestvierders begonnen hard en rauw te klinken, dus liep hij naar buiten. Hij wilde naar het hotel waar hij vlak na het ongeluk had gelogeerd, zodat hij daar in de sombere, desolate lobby kon zitten, maar hij besloot toch maar naar huis te gaan. Omdat hij niemand wilde tegenkomen, nam hij de route door het donkere park. Per slot van rekening was hij alleen, dus dat moest hij dan ook maar voelen. In het park rook het naar bladeren. Vroeger was dit zijn favoriete jaargetijde geweest, als de bladeren geel waren maar het weer nog mooi was. Nu gaf hij er niets meer om. Eigenlijk was hij nog maar een half mens, en de helft die over was had geen belangstelling voor dingen als bladeren en het weer. Hij ging naar het appartement dat zijn broer voor hem had gehuurd en pakte een fles whisky.

De brief was geschreven op het briefpapier van een klein hotel in Schotland. Teddy herkende het handschrift niet. Met een mes maakte hij de envelop open, en daarna pakte hij de brief en liet die een tijdje op tafel liggen. Het zou wel weer een streek zijn die hem door het leven werd geleverd. Waarschijnlijk was het een mededeling dat hij een akelige ziekte had of de belastingdienst geld schuldig was. Hij nam nog maar een glas voordat hij ging lezen: *Beste meneer Healy, ik ben het meisje uit het hotel. Ik heet Lucy Green en ik schrijf u omdat ik denk dat u de enige ter wereld bent die me begrijpt.*

Aanvankelijk dacht hij dat het een grap was, maar toen herinnerde hij zich het moment voordat ze de kamer uit rende en besefte hij dat de brief misschien wel echt van haar was.

Ik vroeg me af of u me kunt vertellen of u iets hebt ontdekt om voor verder te leven. Ik heb hier veel over nagedacht. In tegenstelling tot Anne Frank heb ik geen vertrouwen meer in de mensheid. U misschien ook niet, maar dat weet ik niet zeker. Mijn vader en ik trekken rond. We gaan naar Loch Ness om het monster te zien, maar eigenlijk blijven we rijden tot we weten wanneer we naar huis zullen gaan en wat we met de rest van ons leven moeten beginnen. Op de tweeëntwintigste van de maand zullen we weer in Edinburgh zijn, in het Hotel Andrews van mevrouw Amanda Jones. Als u een antwoord hebt, kunt u dat daar naartoe sturen. Zo niet, neemt u me dan niet kwalijk dat ik u heb lastiggevallen. Het was allemaal mijn schuld. Ze heeft me de brief gegeven en gevraagd of ik die aan haar man wilde geven. U hebt niets verkeerd gedaan, het lag aan mij.

Die nacht kon Teddy niet slapen doordat hij steeds aan de brief moest denken. Het had geen zin om haar terug te schrijven, want ze had gelijk, hij had geen vertrouwen in de mensheid. Maar hij wilde niet dat zij dat vertrouwen voorgoed kwijt zou zijn. Als hij ooit een deel van haar tegen het lijf liep dat verloren was gegaan in de gang van het Lion Park Hotel, zou hij niet meer met zichzelf kunnen leven. Ze was een meisje van twaalf en eigenlijk had ze helemaal niets met het voorval te maken. Er was geen reden waarom zij erdoor gekweld zou moeten worden. Daarom deed Teddy iets wat niet bij hem paste. Hij belde het hotel in Edinburgh waar het meisje naar zou terugkeren, het Andrews, en hij praatte met de hotelhoudster en legde haar uit wat Lucy had doorgemaakt. Hij vertelde natuurlijk alleen dat ze ziek was geweest, de rest niet. Niet over het dodelijke ongeluk en het bloed op de weg en het feit dat ze hem in zijn ogen had gekeken en had gezien dat hij zichzelf volledig kwijt was. Die informatie was alleen bestemd voor mensen die het werkelijk zouden begrijpen. Zoals hijzelf.

Lucy en haar vader logeerden meer dan een week in een bed and breakfast bij Loch Ness. Ze wandelden over de paden rond het meer, tussen de doornstruiken door. De varens werden bruin en de lucht was koud. Het was een prachtig, ongerept gebied. Ben kocht wollen sjaals en handschoenen voor hen beiden bij een breiwinkeltje waar de schapen naast de winkel werden gehouden. En voor Lucy kocht hij een nieuwe streng wol, deze keer indigoblauw, want ze was tijdens hun verblijf in Schotland een fervent breister geworden en had alles wat mevrouw Jones haar had gegeven al gebruikt. Ze maakten kilometerslange trektochten langs het meer en zagen niet één keer een monster. Ze gingen mee op een motorboot met een oude man die zwoer dat hij hen naar de plek zou brengen waar het monster gesignaleerd was, maar er dreven alleen een paar boomstammen in het water. Het water was diep en donker en had een zekere aantrekkingskracht op Lucy. Ze dacht aan Michael Macklin, en dat het had geleken of hij van een brug in het water sprong toen hij tussen het verkeer de straat op stapte. Lucy boog zich over de rand van de boot en liet haar vingers door het ijskoude water glijden om het monster uit te dagen haar duim eraf te bijten.

Op een ochtend, bij het ontbijt, kwam Lucy's vader naar beneden en zei: 'Nu hoeven we helemaal geen haast meer te maken om thuis te komen. Ze hebben me de laan uit gestuurd.' Hij leek zich zijn ontslag niet erg aan te trekken, integendeel, hij was vrolijk en had een gezonde eetlust. Hij bestelde havermout én gebakken eieren met worst. 'Ik loop het er wel weer af,' zei hij.

Lucy keek naar hem. Ze dacht meteen dat het haar schuld was dat hij geen werk meer had; ze zou bij Penn Station in New York moeten gaan bedelen en hun huis zou een kartonnen doos in een station van de ondergrondse zijn.

'Lucy,' zei haar vader toen ze ter plekke in huilen uitbarstte. 'Er bestaat zoiets als het lot.'

Maar Lucy geloofde nergens in, en al helemaal niet in het lot. Ze dacht dat ze nu wel voorgoed zouden blijven zwerven.

Vanaf Loch Ness reden ze terug naar Edinburgh. Het was een lange reis en onderweg brachten ze de nacht door in een bed and breakfast. 'Mijn dochter is ziek geweest,' hoorde Lucy haar vader tegen de waard zeggen vanuit de zitkamer, waar een vuur brandde, en ze besefte dat dat waar was. Ze ging op een stoel zitten en warmde haar handen. Ze was te ziek geweest om terug te keren naar haar leven in Westchester.

Ze droomde nog steeds van konijnen, maar niet meer elke nacht. Soms zag ze paarse heuvels en lege ruimte in haar slaap.

Toen ze hun intrek weer hadden genomen in het Andrews Hotel, hoorden ze van Sam, de neef van mevrouw Jones, dat haar kinderen tijdens een griepepidemie in de oorlog waren gestorven. Lucy ging met een van haar zelfgebreide heidekleurige sjaals naar haar zitkamer.

'Dat heb je mooi gedaan,' zei mevrouw Jones.

'Ik heb er een voor u en een voor mezelf gemaakt,' zei Lucy.

Mevrouw Jones was een bedreven breister, maar ze was vriendelijk genoeg om niets te zeggen over de gevallen steken. Ze sloeg de sjaal om haar hals. 'Schitterend.'

Lucy werd misselijk als ze dacht aan hun naderende vertrek uit Edinburgh. Ze had het gevoel dat ze van de aarde zou vallen als ze te veel stappen zou nemen. Ze kon zich niet eens meer voorstellen dat Westchester echt bestond. Misschien was het wel helemaal verdwenen sinds ze er weg was gegaan. Misschien was er niets van overgebleven.

Op de dag voordat Lucy en haar vader de trein naar Londen zouden nemen, zei mevrouw Jones dat er nog één ding was in Schotland dat ze beslist moesten zien. Ze vroeg haar neef om hen met de auto naar een boerderij te brengen. Sam wilde dat met alle plezier doen. Het landschap waar ze doorheen reden was prachtig, het mooiste dat Lucy ooit had gezien. Ze had een van de sjaals om die ze zelf had gebreid, met een gerstekorrelsteek en een kantgebreide rand. Mevrouw Jones had de andere om.

'Geen verkeerde afslagen nemen,' zei mevrouw Jones tegen haar neef. 'We raken elke keer de weg kwijt.'

Mevrouw Jones had een deken meegenomen, eten voor een picknick en een thermosfles met heel sterke thee voor Lucy als ze weer piepend ging ademen. Al snel kwamen ze aan bij een enorme boerderij die eigendom was van vrienden van de familie Jones. Er werd een wedstrijd voor schaapherdershonden gehouden. Langs een veld dat met hekken was onderverdeeld in grotere en kleine stukken, stond een hele rij vrachtwagens, bestelwagens en personenauto's. Tientallen schapen liepen blatend rond.

'Wat bijzonder,' zei Ben Green. 'Waar wij vandaan komen, zitten de honden alleen maar in de tuin te blaffen of ze liggen op de bank en bedelen om koekjes.'

'Hier niet,' zei Sam Jones. 'Hier werken de honden voor de kost.'

Ze gingen bij de rest van het publiek staan kijken hoe de honden en hun eigenaren de schapen bijeendreven. De boer floot of riep en de hond reageerde alsof ze communiceerden in een taal die alleen zij kenden. De man en zijn hond en verder niemand.

'Hoor je dat elk fluitje anders is?' vroeg Sam Jones aan Lucy. 'De honden weten precies wat er bedoeld wordt. Ga naar links, ga naar rechts, snel of langzaam. Sommige honden schijnen wel honderd verschillende fluitjes te herkennen. Ze zijn slimmer dan wij.'

Ze vonden het fantastisch om te zien hoe de schapen bijeen werden gedreven. Een van de boeren kwam naar hen toe om kennis te maken. Hij was familie van mevrouw Jones en heette Hiram.

'Hij heeft de beste honden,' zei Sam. 'Hij gaat vast en zeker winnen.'

'Kom na afloop even naar mijn bestelwagen,' zei Hiram tegen Ben en Lucy. 'Dan laat ik jullie iets zien wat jullie vast heel leuk vinden.'

Hirams honden waren slim. Ze renden om de schapen heen en wisten ze verbazend snel binnen de omheining te krijgen, maar uiteindelijk sleepte een andere deelnemer die dag de meeste prijzen in de wacht. Lucy en haar vader juichten voor elke hond; ze werkten allemaal zo hard en met zoveel overgave dat het moeilijk was een favoriet te kiezen. In de loop van de middag was het koud geworden en intussen ging de zon bijna onder. Lucy kon zich niet herinneren wanneer ze voor het laatst zo gelukkig en zo moe was geweest. Ze had hier wel altijd willen blijven, maar iedereen was aan het inpakken en de honden in de auto's aan het zetten. Sam nam hen mee naar de bijeengedreven schapen, waar Hiram iets stond te drinken met een paar andere mannen. Ze leken elkaar allemaal te kennen.

'O, daar is ze,' riep een van de herders uit. 'Het meisje uit New York.'

Lucy bloosde toen haar vader en zij werden voorgesteld. Ze leken allemaal van haar gehoord te hebben en wisten zelfs dat ze graag breide. De hemel was paars aan de rand. Als hier de duisternis viel, was het alsof er gemorste inkt uitvloeide over een vel papier. De dag eindigde hier op zo'n mooie, natuurlijke manier.

'Kom maar eens mee,' zei Hiram.

Hij had een bestelwagen en zijn drie honden zaten voorin en sprongen op toen ze hem zagen. Hij liep naar de achterkant, trok het portier open en daar lag een jonge collie, een vrouwtje, opgerold op een deken.

'O!' zei Lucy. 'Mag ik haar aaien?'

Hiram knikte en Lucy ging haastig op de bumper zitten. 'Ze is een beetje schichtig, dus misschien moet ze even aan je wennen.'

Deze collie was kleiner dan de andere. Ze snuffelde aan Lucy's hand.

'Hallo,' zei Lucy.

'Ze was de kleinste uit Rosies nest van vorig jaar. Ze is doof aan één oor, dus ze zal nooit een herdershond worden. Daarom mag ze met jou mee naar huis.'

Lucy voelde iets in haar binnenste, alsof er een zwaar voorwerp tegen haar borst sloeg.

'Dat zou geweldig zijn, maar wij wonen aan de andere kant van de oceaan,' zei Ben Green. 'Ik weet niet hoe we dat moeten doen.'

'Jullie nemen haar gewoon mee,' zei Hiram. 'Dat is geen

probleem. Ze is gehoorzaam. Iedereen aan boord zal dol op haar zijn. Ze is gekocht en betaald, dus jullie kunnen geen nee zeggen.'

Mevrouw Jones kwam bij Lucy op de bumper van de bestelwagen zitten. 'Aan de vorm van haar kop kun je zien dat ze slim is.'

Lucy keek naar haar vader. Ze legde haar hand op de kleine bordercollie, die beefde; nooit van haar leven had Lucy iets zo graag gewild als dit. Ze hoefde niet eens te smeken, want haar vader en Hiram spraken even onder vier ogen en toen Ben Green terugkwam had hij de riem van de hond in zijn hand. Misschien was dit een teken dat hun leven op een keerpunt stond. Je kon het nooit weten. Met de kleine collie op de achterbank tussen Lucy en mevrouw Jones in reden ze terug naar Edinburgh. De collie had zich opgerold op een dekentje dat naar schapen rook en was al snel in slaap gevallen. Haar voorpoten trilden en Lucy vroeg zich af of ze van konijnen droomde.

'Hoe ga je haar noemen?' vroeg mevrouw Jones.

Lucy dacht aan de foto's van de kinderen van mevrouw Jones in hun eikenhouten lijstjes boven de schoorsteenmantel. De jongen en het meisje. Ze wist niet waarom ze jong hadden moeten sterven, ze wist alleen dat ze er niet meer waren en dat mevrouw Jones hier naast haar zat.

De hele hemel was nu inktzwart, alsof het potje was omgevallen en leeggelopen.

'Angel,' zei Lucy.

Mevrouw Jones boog zich dicht naar haar toe. Ze rook naar wol en pepermunt. 'Er is ergens op de wereld een man die wilde dat je in iets zou geloven,' zei ze. 'Hij heeft de hond voor je gekocht.'

Niemand anders kon het horen boven het geluid van Sams auto uit, een oude Vauxhall die grommend en kreunend de steile, smalle weggetjes nam, maar Lucy had het uitstekend verstaan. Die man, Teddy Healy, had haar brief beantwoord en haar laten weten dat hij nog ergens in geloofde. Lucy en mevrouw Jones glimlachten naar elkaar. Het was hun geheim. De collie maakte puffende geluidjes in haar slaap. Aan weerszijden van de weg waren stenen muurtjes en heggen die zwart leken in de vallende duisternis. Lucy keek uit het raampje. Dit wilde ze zich herinneren als ze weer thuis was.

DANKWOORD

Mijn onvolprezen redacteur, John Glusman, ben ik veel dank verschuldigd.

Ook wil ik Shaye Areheart bedanken voor haar geloof in dit boek, en Jenny Frost voor haar steun.

Zoals altijd gaat mijn dank uit naar Elaine Markson, en ook naar Gary Johnson en Julia Kenny. Veel dank ook voor Camille McDuffie.

Dankjewel, Alison Samuel en iedereen bij Chatto & Windus en Vintage UK.

Voor mijn lieve vriendin, Maggie Stern Terris, die er altijd voor me is.

En voor Tom Martin, voor alles.

ORLANDO
uitgevers

ALICE HOFFMAN

De derde engel

LEESCLUB
ORLANDO

Zie ook:
www.orlandouitgevers.nl
www.leescluborlando.nl

OVER DE AUTEUR

Alice Hoffman (New York, 1952) bracht haar jeugd door op Long Island. Nadat ze op haar zeventiende de middelbare school verliet, ging ze studeren aan Adelphi University en behaalde daar een bachelor. Ze ontving vervolgens een beurs voor Stanford University, waar ze een master in Creative Writing behaalde.

Nadat een kort verhaal was gepubliceerd in het tijdschrift *Fiction* nam een uitgever contact met haar op. Ze begon daarop meteen met het schrijven van haar eerste roman, *Eigendom van* (*Property of*).

Alice Hoffman is inmiddels uitgegroeid tot een van de beroemdste romanschrijvers van de Verenigde Staten. Van haar verschenen onder andere *Hier op aarde* (*Here on Earth*), een Oprah Book Club-boek; *Magische praktijken* (*Practical Magic*) dat werd verfilmd met Nicole Kidman en Sandra Bullock; *Onder water* (*The River King*) en *Twee gekke meiden*

(*Local Girls*), een verzameling van vijftien met elkaar verbonden verhalen over liefde en verlies. Met de opbrengst van dit boek heeft Hoffman de bouw van een borstkankercentrum ondersteund. Haar laatste romans zijn *De drie zusjes* (*The Story Sisters*), *De derde engel* (*The Third Angel*) en *The Dovekeepers*.

De romans van Alice Hoffman zijn inmiddels in meer dan twintig verschillende talen uitgegeven, krijgen veelal buitengewoon lovende recensies en belanden meer dan eens op de internationale bestsellerlijsten.

Alice Hoffman woont afwisselend in Boston en New York.

ENKELE VRAGEN AAN ALICE HOFFMAN

Hoe ben je op het idee gekomen voor De derde engel*?*
Het verhaal diende zich aan tijdens een verblijf in een hotel in Londen, waar ik was ondergebracht toen ik op tournee was voor de promotie van een boek. Ik had het idee dat het er spookte. Ik hoorde elke avond iemand in de hal, die steeds hetzelfde gedrag vertoonde. Daardoor vroeg ik me af wat er in het verleden gebeurd was en waarom een geest gedwongen zou zijn om een misstap in zijn leven steeds weer te moeten herbeleven.

Het verhaal speelt zich af gedurende drie periodes: 1999, 1966 en 1952. In sommige opzichten lijkt de geschiedenis zich te herhalen. Is het mogelijk om ons te bevrijden van het verleden?
Ik denk inderdaad dat de geschiedenis zich soms herhaalt, en ik geloof ook in het idee van 'geesten in de kinderkamer'. Daarmee bedoel ik dat familieleden van vorige generaties, zelfs degenen die we nooit hebben ontmoet, invloed kunnen hebben op ons en onze overtuigingen doordat gedrag en denkbeelden zijn overgedragen op de generaties na hen. In *De derde engel* gaat de lezer terug naar het verleden om het heden te kunnen begrijpen.

Heb je het verhaal ook 'achterstevoren' geschreven, van vroeger naar nu?
Nee, ik heb het 'vooruit' geschreven: ik ben begonnen in 1999,

niet wetende dat ik terug in de tijd zou gaan. Ik had aanvankelijk namelijk niet de bedoeling om over andere personages dan de zussen Maddy en Allie te schrijven, dus de manier waarop het verhaal zich ontvouwde kwam voor mij als een verrassing. Ik was van plan geweest om maar één bepaalde periode te beschrijven. Tijdens het schrijven veranderde dat, omdat ik steeds meer geïnteresseerd raakte in het gegeven dat kinderen nooit hun ouders kunnen kennen zoals zíj waren als kind. Ik wilde teruggaan in de tijd om alle draden te laten zien die ons met elkaar verbinden.

De drie vrouwelijke hoofdpersonages in De derde engel *houden van de verkeerde man. Maar ook veel andere relaties en huwelijken die een rol spelen in het boek zijn niet bepaald gelukkig; veel mensen lijken bij elkaar te zijn om de verkeerde redenen. Ben je pessimistisch over het huwelijk?*
Nee, ik ben niet pessimistisch gestemd, maar ik vind wel dat menselijke relaties heel ingewikkeld kunnen zijn. Uiteindelijk is liefde alles wat we hebben, en daarmee bedoel ik dus niet alleen de romantische liefde, maar ook loyaliteit en trouw. Daar geloof ik onvoorwaardelijk in. Er komen daarom ook veel liefdevolle relaties voor in het boek die deze eigenschappen hebben: de liefde van een moeder voor haar zoontje, de liefde van een vader voor zijn weggelopen dochter, de liefde van een vrouw voor haar rebelse en onberekenbare zus.

Voor mijn gevoel zijn familierelaties eigenlijk bijna altijd ingewikkeld; hoe dieper een relatie gaat, hoe complexer die meestal is. Ik was erg geïnteresseerd in hoe mensen die in hetzelfde gezin opgroeien zo'n andere beleving kunnen hebben binnen dezelfde omstandigheden – de band tussen broers of zussen vind ik echt fascinerend.

Tussen die zussen, zoals Maddy en Allie of Charlotte en Bryn, is er soms zelfs sprake van haat en verraad.

Jazeker, in het verhaal is er diverse keren sprake van verraad, maar eveneens van vergeving. Gaandeweg het schrijven van *De derde engel* begon ik te beseffen dat ik vooral schreef over vergeving; dat is de rode draad in de roman. Hoe vergeven we anderen? En hoe vergeven we onszelf? Vergeven is belangrijk. Het is de manier om verder te kunnen met het leven, ondanks de nare dingen die zijn voorgevallen in het verleden. Ik geloof dat we kunnen leren vergeven, maar vaak duurt het een tijd voordat we gebeurtenissen hebben verwerkt en tot vergeving kunnen komen.

Wat is de 'derde engel' voor een figuur of kracht?

Ik zie de derde engel als een werkelijke persoon die een diepgaande invloed uitoefent op iemands leven. Soms realiseren we ons dat op het moment zelf niet, maar terugkijkend herkennen we de invloed van bijvoorbeeld een leraar, een tante of iemand die toevallig voorbijkwam in ons leven en echt een verschil maakte. Misschien is zo iemand wel een soort beschermengel.

Heb je ooit zelf zo'n aanwezigheid in je leven ervaren?

Ik heb veel 'derde engelen' in mijn leven gehad: de bibliothecaris op school, mijn geweldige schrijfleraar, mijn innige geliefde grootmoeder. Als iemand bovenmatig veel belang in je stelt, in je gelooft en vertrouwen heeft in je capaciteiten, als iemand jouw toekomst voor zich ziet voordat je dat zelf doet – dat maakt iemand tot een derde engel. Ik ben ieder van hen dankbaar.

En dan is er nog die blauwe reiger, die generaties lang over de vrouwen waakt. Is die prachtige fabel een bestaand verhaal of heb je die zelf bedacht?

Het verhaal over de blauwe reiger is afkomstig van mijn schoonzusje, die heel jong gestorven is. Zij had een grote genegenheid voor blauwe reigers, die haar op een intense en heel persoonlijke manier verbond met de wonderen der natuur. Ik heb het in mijn roman verwerkt als eerbetoon aan haar.

OVER HET BOEK
HET VERHAAL IN HET VERHAAL

Is de liefde ingewikkeld of eenvoudig?

In *De derde engel*, dat uit drie delen bestaat die zich achtereenvolgens afspelen in de jaren negentig, zestig en vijftig in hetzelfde Londense hotel, kan de liefde beide tegelijk zijn.

Pas toen ik het boek had geschreven besefte ik dat deze roman ook achterstevoren gelezen kan worden en dat het voor het begrip van het verhaal en de karakters een groot verschil zou maken hoeveel de lezer weet (of niet weet) over het verleden.

In het eerste deel heeft Allie Heller een kinderboek geschreven dat zowel van voren naar achteren als andersom gelezen kan worden. Iedere familie heeft een verhaal. Het verhaal uit Allies boek is afkomstig van haar moeder, die het Allie en haar zus heeft verteld toen ze nog klein waren. Het gaat over een reiger met twee vrouwen – een reigervrouwtje in de lucht en een mensenvrouw op aarde. Hij wil ze geen van tweeën bedriegen, maar uiteindelijk doet hij dat toch. Hoe komt hij tot een keuze? Van wie houdt hij? Het antwoord hangt af van de manier waarop je het verhaal leest.

WAAR DE REIGER WOONT
© Alice Hoffman

Uit het niets

Ze stond in het moeras en alles was blauw. Het water, de wolken, het riet. Hij was een reiger in de lucht, maar stortte op aarde neer en werd een mens. Ze dachten dat de liefde eenvoudig was.

Uit het donker

Als hij bij haar woonde, was alles buiten wazig. Sneeuw, hekken, bomen. Zijn gebroken vleugel was een gebroken arm geworden. In plaats van zijn leven in de lucht had hij nu koekjes bij de thee en een bed met blauwe lakens. Hij had een verleden, maar dat leek heel ver weg. Ze dachten dat de liefde te sterk was om te kunnen weerstaan.

Uit de lucht

Ze vloog hoog boven hem, zodat ze alles goed kon zien. Het huis met het wasgoed aan de lijn, de kussenslopen, de lakens, de overhemden in zijn maat. Als een reiger huilt valt het zout op de grond. De wereld in de lucht had geen betekenis voor haar. Ze proefde alleen haar eigen bloed. Ze probeerde een mens te worden door haar veren uit te trekken, maar het waren er te veel en ze veranderde niet. Ze dacht dat liefde voor eeuwig was.

Uit het hart

Hij zag de veren op de grond. Bloed, botten, blauw. Er schoten hem herinneringen te binnen die hij door zijn val op aarde was kwijtgeraakt. Hij dacht aan nesten, een hartslag, de wind, haar lichaam tegen het zijne. Hij dacht dat hij een belofte had gedaan, maar aan wie?

Uit eergevoel

Hij kon het verleden niet negeren en gewoon doorleven alsof er niets aan de hand was. Hij had het bloedspoor gezien, de veren die ze uit haar eigen borst had gerukt. Hij wierp zijn mantel af en werd weer zijn vroegere zelf. De aarde raakte steeds verder weg, maar hij hoorde dat hij werd teruggeroepen. Hij dacht dat hij kon vertrekken zonder om te kijken, hoewel hij zijn ogen maar dicht hoefde te doen of hij zag de aarde ronddraaien, prachtig blauw.

Uit hoop

Ze wachtte elke dag. Dan waadde ze ver het water in. Krabben, schaduwen, zangvogels. De veren die op de grond lagen, raapte ze op en stikte ze vast aan haar jurk. Ze speldde ze op haar schoenen, in haar haar, op haar jas. Ze klom in de hoogste boom, waarvan de takken zwiepten in de wind. Ze leek op blauwe blaadjes die elk moment konden opstijgen. Haar hart was gebroken, maar haar vertrouwen en verlangen waren on-geschonden. Waarom zou hij niet van haar houden en terug-komen? Waarom zou ze niet weg kunnen vliegen? Ze dacht dat ze hem zou kunnen vinden, maar bovenal geloofde ze in het lot.

Uit de as

Ze zagen hem allebei, zijn vrouw op aarde en zijn wijfje naast hem, en toen niet meer. Eerst was hij tussen hen in en daarna was hij weg. Jagers hadden hem neergeschoten alsof hij een kraai was, alsof niemand van hem hield, naar hem verlangde, om hem rouwde. De lucht leek kleiner geworden. Een wolk had zich boven de aarde uitgestrekt. Ze hadden gedacht dat de liefde hem zou beschermen.

Uiteindelijk

Ze stonden in het moeras en alles was blauw. Het water, de wolken, het riet. Dat deden ze elke dag, zijn vrouw op aarde en zijn wijfje uit de lucht. Ze spraken niet met elkaar. Dat hoefde niet. Ze dachten dat de liefde ingewikkeld was.

LOVENDE WOORDEN

'Een intrigerend verhaal over de condition humaine, dat naast de liefhebbers van Hoffmans romans ook nieuwe lezers zal aanspreken.' – *Library Journal*

'Met een verbazingwekkende soepelheid verweeft Hoffman hier drie verhalen, waarbij ze een feilloos inzicht toont in de gebeurtenissen die sommigen tot zelfdestructie aanzetten, terwijl anderen er hun leven lang innerlijke kracht uit putten.' – *Publishers Weekly* (sterrecensie)

'Eigenzinnige vrouwen, onbezonnen affaires en een royale scheut van het bovennatuurlijke vormen de aangename kenmerken van de romans van Alice Hoffman. (…) Door haar gedreven manier van vertellen en krachtige personages voelt de lezer een nauwe band met de hoofdpersonen, wat zowel trouwe fans als nieuwe lezers zou moeten bekoren.' – *People Magazine* (een 'People Pick', vier sterren)

'Dit fascinerende boek is zonder meer een van Hoffmans beste. Ze beschrijft de levensloop van drie vrouwen: stromen die samenvloeien en zich weer splitsen, zijrivieren die verenigd worden door dezelfde tragische liefdesgeschiedenis en een mysterieuze geest. Als je het uit hebt, wil je meteen opnieuw beginnen.' – *Redbook*

LEESCLUB
LEESCLUBVRAGEN VOOR *DE DERDE ENGEL*

1. In het begin van het eerste deel, 'Waar de reiger woont', is Maddy de zorgeloze vrijbuiter en Allie de perfectioniste die doet wat er van haar wordt verwacht. In hoeverre zijn hun karakters beïnvloed door hun jeugd en de ziekte van hun moeder? Zie je Maddy als de zwakke en Allie als de sterke zus? Is Maddy in een bepaald opzicht sterker dan Allie?

2. Waarom gaat het Maddy zo gemakkelijk af om haar zus te bedriegen? Denk je dat ze verliefd is op Paul? Of neemt ze wraak, en zo ja, waarvoor?

3. Als Allie uitlegt hoe haar relatie met Paul in elkaar zit, zegt ze dat ze niet het type is om er midden in een crisis vandoor te gaan. Wat vind je van Allies besluit om met Paul te trouwen? Had ze hem ook kunnen bijstaan zonder met hem te trouwen? Waarom is trouw zo belangrijk voor haar?

4. Waar staat de blauwe reiger voor? Wat betekent de reiger voor ieder van de zussen, en is dat aan het eind van hun verhaal veranderd?

5. In 1966 is het devies van het Lion Park Hotel: 'Privacy voor alles. Er worden geen vragen gesteld en geen vragen beantwoord. Geheimhouding is het toverwoord, zelfs onder vrienden.' (p. 162, 163). Welke woorden associeer je met privacy? Wat voor soort gasten zijn op zoek naar 'privacy voor alles'?

6. Als Frieda met haar vader visite gaat afleggen bij Jenny Foley, vindt ze het niet eng om Jenny's overleden man te zien. '... want voor haar was hij gewoon een lichaam. Maar ze was ontzettend bang voor zijn vrouw, voor al die tranen en emoties.' (p. 140, 141) Waarom grijpt het verdriet van de weduwe haar zo aan?

7. Dat Frieda naar Londen verhuist en als kamermeisje gaat werken, doet ze voornamelijk uit verzet tegen haar vader. Hoe verandert Frieda's visie op haar ouders in de loop van haar relatie met Jamie? Houdt Frieda echt van Jamie, of vindt ze het fijn om zich onmisbaar te voelen? Waarom keert ze terug naar het leven waar ze eerder niets van wilde weten? Is Frieda's huwelijk met Bill voor haar een gevangenis of juist een bevrijding? Van wie denk je dat Jamie werkelijk hield?

8. Het derde deel van het boek heet 'De regels van de liefde'. Wat zijn die regels? Zou het huwelijk eigenlijk wel op romantische liefde gebaseerd moeten zijn? Kan de liefde tussen ouder en kind of tussen broers en zussen net zo intens zijn? Denk je, uitgaande van de koppels in het boek, dat de liefde ingewikkeld of eenvoudig is?

9. Aan het begin van 'De regels van de liefde' leest Lucy *Het achterhuis* van Anne Frank. Later koopt ze *De avonturen van Alice in Wonderland* en *Alice in Spiegelland*. Welke betekenis kunnen we hieraan toekennen en wat zegt het over haar gevoelsleven?

10. Als Lucy Teddy Healy volgt naar de zevende verdieping van het Lion Park Hotel, ontdekt ze dat daar niet de geest van Michael Macklin rondwaart. Het is Teddy's geest die woedend tekeergaat op het moment dat hij het bedrog ontdekt. De geest blijft Teddy en het hotel veertig jaar lang kwellen, totdat Lucy terugkomt. Waarom heeft Teddy Lucy nodig om zijn geest te bedwingen? Ben jij weleens achtervolgd door iets wat je had gedaan en waar je later spijt van had? Wat is de boodschap van het boek over bedrog en vergeving?

11. Het verhaal begint in het heden en gaat terug in de tijd. Waarom denk je dat de schrijfster ervoor heeft gekozen het boek op deze manier te structureren? Zou het verhaal net zo bevredigend zijn geweest als het in chronologische volgorde was geschreven?

12. Dokter Lewis heeft twee horloges om. Lucy gooit haar horloge in het water. Van verschillende personages wordt gemeld dat ze punctueel zijn of te laat komen. Waarom speelt tijd zo'n belangrijke rol? Wat zijn de verschillende manieren waarop de personages aan de tijd ontsnappen? Wat is de relatie tussen tijd en liefde?

13. Hoewel het verhaal in de stad Londen speelt, worden juist de parken en tuinen gedetailleerd beschreven. Welke rol speelt de natuur voor de personages? Bespreek de symboliek van de witte rozen in 'Waar de reiger woont', het gele gebladerte in 'Lion Park Hotel' en de witte konijnen in 'De regels van de liefde'.

14. Veel van de personages verliezen iemand van wie ze houden aan ziekte, met name aan kanker. Denk aan de cyclus van liefde, geheimhouding en bedrog. Waar zijn ziekte en kanker een metafoor voor?

15. 'Je denkt dat je iets aardigs voor hem doet,' zegt Frieda als ze over de derde engel vertelt, 'je denkt dat jij degene bent die voor hem zorgt, terwijl hij in werkelijkheid jouw leven redt.' (p. 103) Welke personages ontmoeten hun derde engel en hoe veranderen ze daardoor? Zijn er voorbeelden in je eigen leven van vriendelijke daden waardoor je weer vertrouwen in de mensheid kreeg?

© www.alicehoffman.com